国学经典

晏子春秋

张景贤 注译

中州古籍出版社

晏子春秋

前 言

《晏子春秋》是一部记述春秋后期齐国著名政治家、思想家晏婴的言行事迹的古典文献，是研究晏子其人其事以及当时社会历史的重要资料。《晏子春秋》分为二百一十五个独立篇章，讲述了晏子在不同时期、不同场合，针对不同事情所作的议论和行事；该书反映出晏子作为一位政治家，他毕生最为关注的乃是如何治理好国家，如何实现政治清明、国家强盛、民生富足、社会安定。为此，他提出了一系列关于政治、经济、法律、军事、外交、伦理道德以及人生观、自然观等方面的重要主张，形成了较为全面的思想体系和治国主张。该书可以看做是一部君主专制制度下的治国方略。现将其主要内容概述如下。

一、以礼治国、以礼救国

以礼治国是晏子一贯的、基本的政治主张。晏子说："夫礼者，民之纪，纪乱则民失。乱纪失民，危道也。"(《谏下》十二)还说："礼者，所以御民也；辔者，所以御马也。"(《谏下》二十五)晏子认为没有辔头就驾驭不了马匹，没有礼制就驾驭不了人民，礼是治理国家、管理人民的纪纲。

所谓礼，即礼制，是从夏代国家形成直到西周时期日趋完善的国家政治制度，即等级名分制度。它包括两大部分：第一，它作为政治制度主要有职官制度、分封制度、宗法制度、法律制度、军事制度等；礼的基本原则是"亲亲也，尊尊也，长长也，男女有别也"（《礼记·大传》）。礼的核心原则是维护尊卑贵贱的等级制度。第二，礼有它的表现形式，即礼节仪式，称为"仪"，或称礼仪，是从政治到生活各方面行为规范礼节仪式的总称。概括言之，分为吉礼、凶礼、宾礼、军礼、嘉礼五大类，统称五礼。关于礼的重要作用，前人多有论述，如公元前712年有君子评论说："礼，经国家，定社稷，序人民，利后嗣者也。"（《左传·隐公十一年》）公元前671年鲁人曹刿说："夫礼，所以整民也。"（《左传·庄公二十三年》）公元前710年晋人师服说："礼以体政，政以正民，是以政成而民听，易则生乱。"（《左传·桓公二年》）统治者认为，礼乃是立国之本，治国理民之纪纲。

　　孔子和晏子都继承了这一传统思想，孔子提出了"克己复礼"的主张，强调维护"君君、臣臣、父父、子子"的等级制度和秩序；晏子也认为："礼之可以为国也久矣，与天地并立。君令臣忠，父慈子孝，兄爱弟敬，夫和妻柔，姑慈妇听，礼之经也。君令而不违，臣忠而不二；父慈而教，子孝而箴；兄爱而友，弟敬而顺；夫和而义，妻柔而贞；姑慈而从，妇听而婉；礼之质也。"（《外篇第七》十五）晏子与孔子的观点基本一致，只是比孔子讲得更细致而已。晏子认为："夫礼，先王之所以临天下也，以为其民，是故尚之。"（《外篇第七》十五）礼是关系到君主政权存亡的大事，所以他多次告诫君主要坚守礼制，不可松懈。他说："上若无礼，无以使其下；下若无礼，无以事其上……人之所以贵于禽兽者，以有礼也。"（《外篇第七》一）齐景公宣布："愿与诸大夫为乐饮，请无为礼。"晏子指出："君之言过矣！群臣固欲君之无礼也。"并陈述了不循礼制的危害："禽兽以力为政，强者犯弱，故日易主。今君去礼，则是禽兽也。群臣以力为政，强者犯弱，而日易主，君将安立矣？凡人之所以贵于禽兽者，以有礼也。"（《谏上》二）他还说："人君无礼，无以临邦；大夫无礼，官吏不恭；父子无礼，其家必凶；兄弟无礼，不能久同。"（《外篇第七》一）晏子清楚地知道，礼制维护的是君主专制下的等级名分制度，是关系到国家政权和社会秩序的根本制度。

但是，春秋时代是西周以来的旧礼制衰落崩坏的时代，诸侯僭于天子，大夫僭于诸侯，大夫专政，政在家门，已成普遍现象，齐国也不例外。晏子和孔子一样，虽然极力提倡维护周礼，但是终于不能挽狂澜于既倒。他曾多次预言姜齐政权的衰落不可避免，齐国必将为新兴势力田氏家族所据有，发出无力回天的感慨。

二、重民爱民

重民爱民思想，是晏子政治思想中最突出、最重要、最具有进步意义的思想。这一思想同样贯穿于他一生的政治活动之中。晏子总结了历史上王朝兴衰的经验教训，比较清醒地认识到政权的巩固离不开人民群众的支持，国家各项重要事情的完成，如赋税征收、土木工程建设、军事行动等都需要得到人民群众的参与和支持才能顺利完成。失去了民众的支持，国家政权将一事无成，乃至倾覆灭亡。在关于君主、国家、民众三者的关系方面，晏子在历史上第一次提出了"君民者，岂以陵民？社稷是主；臣君者，岂为其口实？社稷是养"（《杂上》二）的观点，他认为国家利益高于君主的利益，君主的职责是治理好国家，养育好人民，而不是凌驾于人民之上作威作福。他将"家天下"以来视国家政权为君主之私物、隶属于君主私家的观念颠倒过来，也将传统的"君重民轻"的观念颠倒过来，这是古代政治思想史上的重大发展。后来孟子在此基础上又发展为"民为贵，社稷次之，君为轻"的"民贵君轻"思想。与此相应，晏子还提出"义，谋之法也；民，事之本也"，"谋必度于义，事必因于民"，"谋度于义者必得，事因于民者必成"（《问上》十二），"卑而不失尊，曲而不失正者，以民为本也"（《问下》二十一）。他所说的"以民为本"，是指人民是办成一切事情的根本力量，也就是"事必因于民"的意思，与今人所说办一切事情都要从人民群众的利益出发，全心全意为人民服务的思想有着本质区别。但是，晏子已经认识到人民力量的巨大，是关系到国家政权存亡的关键因素，他反复强调"上以爱民为法，下以相亲为义，是以天下不相违"（《问上》十八）。他非常赞同麦丘封人所说的"使君无得罪于民"的说法，并且征引历史教训说："敢问：桀、纣，君诛乎？民诛乎？"（《谏上》十三）提出了夏、商政权灭亡的原因是"民诛"的重要观点，是人民起来推翻了他们的统治，是受到了人民的惩罚。

晏子作为剥削阶级的政治家，他不可能提出改变剥削制度的方案，但是他从统治阶级的长远利益出发，提出了一套减轻对人民的剥削和压迫，缓和阶级矛盾，巩固政权，安定社会的方案。他说："意莫高于爱民，行莫厚于乐民"；"意莫下于刻民，行莫贱于害身（民）"（《问下》二十二）。如何"爱民"、"乐民"呢？晏子主张实行以下几方面的措施：

第一，晏子主张减轻人民的赋税徭役负担。《晏子春秋》中记载了多条晏子建议齐景公减轻赋税徭役的主张，他多次阐明"重敛于民，民必哀矣。夫敛民之哀而以为乐，不祥，非所以君国者"（《谏下》十一）的观点。他把国家对人民征敛赋税比喻为无底的竹筒，用尽天下生产的粮食也装不满它，即满足不了君主征敛的贪欲。他说："今齐国丈夫耕，女子织，夜以接日，不足以奉上，而君侧皆雕文刻镂之观，此无当之管也。"（《谏下》一）他认为之所以会发生人民反对君主的叛乱，一个重要的原因是"财货偏有所聚，菽粟币帛腐于囷府，惠不遍加于百姓"（《外篇第七》八），即人民创造的财富大部分集中在君主和政府手中，供少数统治阶层挥霍消费，造成广大民众生活贫困，难以存活。他主张征收赋税应当"权有无，均贫富"，即依据拥有财富的多少决定征收赋税的多少，富有者多征，贫穷者少征或不征（《问上》十一）。此外，晏子还多次建议和敦促君主减轻人民的徭役负担，如暂停长庲之役、路寝台之役、邹之长涂之役等，缓解了人民的负担。他的治国理想是"不以饮食之辟害民之财，不以宫室之侈劳人之力。节取于民而普施之，府无藏，仓无粟"（《问上》七）。

第二，晏子主张取消对山泽的禁令，撤销关卡，取消关税，让人民自由地到山林池泽中去狩猎、樵采、捕捞，以解决人民的生计问题；让商人自由贩运货物，买卖商品，促进货物流通，满足人民的生活需求（《谏上》二十五）。

第三，晏子主张凡遇到天灾之时政府应当及时开仓放粮，赈济灾民；即使在没有灾害的情况下，政府官吏也应当随时了解人民的疾苦，及时对鳏寡孤独老弱病残无助无养之人实施救助。景公时有一年霖雨十七日不止，各乡都出现不少房屋倒塌、饥寒交迫之家，晏子三次请求开仓救济灾民，景公不听，晏子便将自己家中的粮食布帛倾其所有，救济灾民。在他的劝说和感召下，景公才答应由政府负责救济灾民，使民众渡过了难关（《谏上》五）。

第四，晏子主张依法行政，依法判案，坚持公平执法，不偏袒权贵，不欺压平民，不滥杀无辜。《晏子春秋》中记载了不少这方面的事例，如劝阻景公诛杀骇鸟的农夫（《谏上》二十四），制止诛杀养马的圉人（《谏上》二十五），制止诛杀"犯所爱槐"的平民（《谏下》二），制止诛杀砍竹之人（《谏下》三）、伤槔之人（《外篇第七》九）等。通过这些事件，晏子提出和强调了一些重要的有进步意义的法律原则：法律的制定要符合社会的实际情况，不能仅依据君主的利益和好恶而制定法令，如景公下达的"犯槐"之令、"骇鸟"之令等都是错误的，应当撤销。他提出应严格区分"故意"和"过失"的原则，他说"赏无功谓之乱，罪不知谓之虐"，农夫不知景公要捕鸟，无意经过惊跑了鸟，不应当负刑事责任，他说："夫鸟兽，固人之养也，野人骇之，不亦宜乎?"(《谏上》二十四)该书还假一个女子之口提出了一个立法原则："不为私恚害公法，不为禽兽伤人民，不为草木伤禽兽。"(《谏下》二)即生物重于无生物，动物重于植物，人类重于动物的原则。他还强调实行"罪刑相当"的原则，反对轻罪重刑，更反对无罪加刑。他说"刑杀不称，贼民之深者也"，"刑杀不称谓之贼"(《谏下》二)，"刑无罪，夏商所以灭也"(《谏上》十二)。他还反对"主观归罪"，即仅依据人的主观想法定罪用刑的做法，一个下级官吏羽人因喜欢齐景公的漂亮而不礼貌地注视景公，景公认为羽人把自己当男色看待，便要将其处死，晏子说："拒欲不道，恶爱不祥，虽使色君，于法不宜杀也。"(《外篇第八》十二)晏子还强调听讼断狱应当遵循公平原则，依法断案，"诛不避贵，赏不遗贱"(《问上》十一)，反复强调"中听则民安"(《问下》七)，"刑政安于下，民心固于上"(《问上》十四)，"谨听节敛，众民之术也"(《问下》十四)，"举事不私，听狱不阿"(《问上》七)。晏子还指出，审判案件应该由专职的司法官员负责，依法审断，君主虽然贵为一国之主，也不能直接审理案件。他说："婴未尝闻为人君而自坐其民者也"(《外篇第七》九)，这是强调行政权与司法权相分离，审判权应由专职官员独立行使的进步的原则。

三、提倡节俭廉洁，反对奢侈贪腐

当时在各诸侯国里，以君主为首的统治集团无不过着奢侈腐化的生活，齐国也不例外。晏子认为，这是导致加重人民的赋税与徭役负担的重要原因。统治集团纵欲奢侈，就必然要对人民横征暴敛，导致人民生活贫困。要想减轻人民的负担，首先必须控制统治集团对财富的肆意挥霍。他反复强调"节欲则民富"(《问下》七)的观点，要求君主"其取下节,其自养俭","上无朽蠹之藏,下无冻馁之民"(《问上》十七)。为了劝阻景公不要奢侈腐化,晏子可谓苦口婆心,不遗余力。他看到景公在久雨成灾、民不聊生之时仍然日夜饮酒狂欢,尖锐地指出"里穷而无告,无乐有上矣;饥饿而无告,无乐有君矣"(《谏上》五);他针对景公先修路寝台,又铸造大钟的行为警告说:"是重敛于民,民必哀矣,夫敛民之哀而以为乐,不祥,非所以君国者"(《谏下》十一);景公让鞋匠制作饰以金玉的鞋子,晏子批评这种做法是"用财无功,以怨百姓"(《谏下》十三);景公欲以人礼葬狗,晏子批评说:"孤老冻馁,而死狗有祭;鳏寡不恤,而死狗有棺。行辟若此,百姓闻之,必怨吾君;诸侯闻之,必轻吾国。"(《谏下》二十三)晏子认为,君主带头节制私欲,过比较俭朴的生活,可以减轻人民的一些负担,使人民对君主少积怨恨,缓和统治者与人民群众的矛盾,有利于政权的稳定和社会的安定,这是统治阶级根本利益之所在。正是出于这种考虑,晏子特别强调生活俭朴、力戒奢华的重要性。

晏子不仅力劝景公生活节俭,他还能身体力行,率先垂范。他虽然贵为卿相,食田七十万,有车百辆,有资百万,但是他却穿着粗布衣服、鹿皮皮袄,乘坐着简陋的马车,不弃结发之妻,在辞官之后能亲自劳作,躬耕垄亩,别人以此为耻,他却以此为荣。他认为这是君子应当具备的高尚品德。以晏子的食邑俸禄而言,如他所说并不贫穷,他的俸禄首先用于供给他的父族、母族、妻族的亲戚五百余家,使他们过着衣食无忧、出有车乘的生活;其次,还供给上百家没有职务俸禄的士的生活;最难能可贵的是他还经常救济贫穷之人,遇上灾荒时他还开私仓赈济灾民。所以他用于供养他人的开支是相当可观的。他为官领俸禄并不是以让自己和家人享受好的生活为目的,而是以帮助他人的生活为目的。

晏子身居高官,却能拒收贿赂,并拒受君主的额外赏赐,表现了他反对聚敛钱财、能恪守节俭廉洁的高尚品德。如景公将逃亡国外的庆封的封邑分赐给大臣，将"邶殿其鄙六十"赐给晏子，晏子辞谢不受（《杂下》十五）；景公"禄晏子以平阴与槀邑，反市者十一社"，晏子也谢绝不受（《杂下》十六）。这类事例很多。晏子为什么多次辞谢赏赐给他的食邑、住宅和钱财呢？据晏子自己说，主要有以下几点理由：

其一，晏子认为自己的俸禄已很丰厚，"泽覆三族，延及交游，以振百姓，君之赐也厚矣，婴之家不贫也"（《杂下》十八）。

其二，晏子出于对君主的忠诚和对君权的维护，他认为君主过多地将土地和人民赏赐给卿大夫们作封邑，将使君主直接控制的可以征收赋税的土地和人口大为减少，使公室和国家的经济实力大为削弱，会对君主的政权造成严重危害。他认为在经济上也应当尊君抑臣，不能让卿大夫之家的经济实力过于强大乃至超过公室，那样就会危及君主政权的安全。他看到田氏的经济实力超过公室，十分担忧，他说："君强臣弱，政之本也……臣富主亡"，"齐国，田氏之国也"（《外篇第七》十五）。

其三，晏子认为君主赏赐给大臣们的食邑和俸禄，应当有赐予也有收回。他说："臣有德，益禄；无德，退禄。"不应当只赐予不收回，不应当永远实行封邑的父死子继制度，他说："恶有不肖父为不肖子为封邑，以败其君之政乎？"（《杂下》十九）

其四，晏子认为身为君子，要想得到君主的宠爱，在社会上博得好名声，就应当具备节俭的品德。他说："节受于上者，宠长于君；俭居于处者，名广于外。夫长宠广名，君子之事也，婴独庸能已乎？"（《杂下》二十）他以节俭为荣，以奢侈为耻。他说："富而不骄者，未尝闻之；贫而不恨者，婴是也。所以贫而不恨者，以若为师也。"（《杂下》十七）他把"贫"（即过俭朴生活）当做应当遵循的道德原则和生活宗旨。

其五，晏子认为身为朝廷的执政大臣，应当"先君后身，安国而度家，宗君而处身"（《杂下》十六）。即应当将君主的和国家的利益放在第一位，将个人和家族利益放在第二位；应当给下级官吏和人民群众树立勤俭节约的榜样，这样推行政令、教导人民才有说服力、感召力。他说："君使臣临百官之吏，臣节其衣服饮食之养，以先齐国之民，然犹恐其侈靡而不顾其行也。今辂车乘马，君乘之上，而臣亦乘之下，民之无义，侈其衣服饮食而不顾其行者，臣无以禁之。"（《杂下》二十五）

其六，晏子从历史的经验中悟出了"足欲则亡"的道理。他认为庆封所以在齐国失势而逃亡国外，是因为"庆氏之邑足欲，故亡。吾邑不足欲也，益之以邶殿，乃足欲；足欲，亡无日矣。在外，不得宰吾一邑。不受邶殿，非恶富也，恐失富也"。他提出追求物质利益应当有所节制的原则："且夫富，如布帛之有幅焉，为之制度，使无迁也。夫民生厚而用利，于是乎正德以幅之，使无黜慢，谓之幅利。利过则为败，吾不敢贪多，所谓幅也。"（《杂下》十五）所谓"幅利"，就是追求利益要有所节制。这是在君主专制制度下大臣自保安全的方法。虽然不贪求多财，却可以保持俸禄常有。

从以上晏子所讲述的理由中，可以看出他的政治观、人生观、道德观形成的根源。晏子总结说："廉者，政之本也；让者，德之主也。""廉之谓公正，让之谓保德。"（《杂下》十四）这正是晏子基本品德的概括与写照。

四、举贤任能，远离谗佞谄谀之人

国君应当任用贤德之人为官从政，乃是古代有远见卓识的政治家共同的主张，晏子继承并发展了这一思想，提出了他的独到见解，主要有以下几个方面：

其一，晏子提出了人才多样性的观点。他认为所谓任用贤德之人，不是只任用少数几个人才，朝廷里有管理各类事务的官员，因而需要各方面的人才，如制定政令、审理案件、管理农业手工业商业、管理军事、处理外交、纠正违失等方面，都需要委任有才德能胜任职务的人去担任，只有人才齐备，才能把国家治理好。如果缺乏各方面的人才，叫做"官未具"，即人才不齐备，是治理不好国家的（《问上》六）。

其二，晏子主张任用人才，要用其所长，避其所短，不可对人才求全责备。对此他有一段著名的论述："地不同生，而任之以一种，责其俱生，不可得；人不同能，而任之以一事，不可责遍成。"因此，英明的君主任用人才的原则应当是："任人之长，不强其短；任人之工，不强其拙。此任人之大略也。"（《问上》二十四）某种性质的土地，只适合生长某些作物，同样道理，有某种长处的人只适合做他所擅长的工作，不可求全责备，不可用非所长。这表明晏子在选贤任能方面有政治家独到的见解和博大的胸怀。

其三，晏子提出考察人才的方法是听其言而观其行。景公问晏子"得贤之道何如？"他回答说："举之以语，考之以事。"（《问上》二十七）他还提出考察人才不能只看一时一事，应当进行全面考察，他说："观之以其游，说之以其行。"即根据他平时与什么样的人交往来考察他的人品，根据他的所作所为来评定他的品行才能。他还说："通则视其所举，穷则视其所不为；富则视其所分，贫则视其所不取。"（《问上》十三）即当他担任官职时，看他推举使用的是什么样的人；当他去职无权时，看他做哪些事不做哪些事；当他富有时，看他是否舍得分财予人以及分财给什么人；当他贫穷时，看他是否采用不正当的方法获取钱财。即要对一个人在不同处境的表现进行全面考察，得出的结论才能真实反映一个人的品行与才能，才能给予恰当的任用。

其四，晏子主张君主应当广开言路，听取各方面的意见，择善而从之。晏子认为，如果君主对臣下经常摆出一副威严而盛气凌人的架势，使朝臣们都不敢讲出自己的真实意见，就会堵塞言路，危害朝政。他说："朝居严则下无言，下无言则上无闻矣。下无言，则吾谓之喑；上无闻，则吾谓之聋。聋喑，非害国家而如何也？"（《谏下》十七）他把臣下对君主不敢讲真话，不敢提意见，称之为"喑"；把君主听不到臣下的意见和建议，听不到下面的真实情况，称之为"聋"。如果君主闭目塞听，必定会发出不合实际的错误政令，对国家造成严重危害。晏子还认为，君主不能只听个别人或少数人的意见，而应当广开言路，听取多方面的意见。他说："太山之高，非一石也，累卑然后高；夫治天下者，非用一士之言也。固有受而不用，恶有拒而不受者哉！"（《谏下》十七）他认为对于不同的意见，甚至不正确的意见，听了以后可以不接受、不采纳，但是不可以只听合于己意的意见，而拒绝听取不同的意见，那样势必妨碍君主对情况的全面了解和全面考虑，会影响其作出正确决策，从而危害国家事业。

君主应当远离谗佞谄谀之人，也是古代有见识的政治家的共识。它与任用贤能是一个问题的两个方面，二者密切相连。晏子多次谈到亲近和任用谗佞之人会对国家造成极大的危害，多次引用夏桀、商纣王灭亡的历史教训以说明其危害性。他把这类宠臣称为"社鼠"和"猛狗"，视为国家的大祸害。所谓"社鼠"，指藏身于社坛之中以偷吃祭品为生的老鼠，对它们既不能用烟火熏烤，又不能用水淹灌。以此比喻那些谗佞之臣因为受到君主的宠爱与庇护，是很难除去的。所谓"猛狗"，是说卖酒之家养着猛狗看门，尽管酒质很好，但是来买酒的人都被猛狗咬走，无人敢上门买酒。以此比喻那些奸佞的大臣把持朝政，排斥贤德之人，断绝了朝廷进贤之路。晏子说："佞人谗夫之在君侧者，好恶良臣，而行与小人，此治国之常患也。"（《外篇第七》十四）他还说："左右为社鼠，用事者为猛狗，主安得无壅，国安得无患乎？"（《问上》九）奸臣受重用，贤人被排斥，国家必然会陷于危险之中。

五、忠君爱国

忠于国君、热爱国家，是晏子作为执政大臣所持有的基本态度。在君主专制时代，忠君与爱国往往紧密相连，难以分开。晏子的认识不可能突破君主专制制度的局限，但是与别的政治家不同的是，他并不是无条件地、盲目地忠于某一个君主，而主要是忠于君主所代表的政权、所代表的制度、所拥有的国家。正因为如此，他也就关心和热爱组成这个国家的人民群众。把忠君爱国和爱民密切联系在一起，形成他的一大思想特色。他的主要言行，他的为官处事，都围绕着忠君、爱国、爱民的重心展开。他认为没有人民就没有国家，没有国家就没有君主，君主的职责就是要治理好国家，使人民过上安定的生活。所以他是为爱国而忠君，为爱民而爱国。他坚决反对那种不区分明君与暴君、对君主个人无条件服从的愚忠。景公曾问"忠臣之事君也何若？"晏子很明确地回答说："有难不死，出亡不送。"他解释说："言而见用，终身无难，臣奚死焉？谋而见从，终身不亡，臣奚送焉？若言不见用，有难而死之，是妄死也。谋而不见从，出亡而送之，是诈伪也。故忠臣也者，能纳善于君，不能与君陷于难。"（《问上》十九）在对待崔杼杀死齐庄公的事件上充分体现了晏子的这一思想和态度。晏子赋予忠君爱国思想一些新的含义，主要表现为：

其一，晏子要做"社稷之臣"。他说："社稷之臣，能立社稷；别上下之义，使其当理；制百官之序，使得其宜；作为辞令，可分布于四方。"（《杂上》十三）他认为执政大臣的主要任务是治理好国家事务，管理好百官，制定好法律法令，推行于全国之中。他正是以这种思想服务于不同的君主，他总结在灵公、庄公、景公朝廷中服务的指导思想时说："一心可以事百君，三心不可以事一君。"（《问下》二十九、《外篇第七》十九）他所谓的"一心"即做"社稷之臣"

的心。

其二，晏子对君主施政的过错，敢于直言劝谏而不顾个人的得失。他多次强调忠臣"不掩君过"（《问上》二十）。他曾多次批评庄公崇尚勇力，不重礼义；批评景公的奢侈骄泰、赋敛沉重、徭役繁多，造成道殣相望、民不聊生的局面。他说："士逢有道之君，则顺其令；逢无道之君，则争其不义。"（《问上》二十八）这是他忠君爱国的一项重要原则。

其三，晏子明确提出君和臣有互相选择的权利。他说："君者择臣而使之，臣虽贱，亦得择君而事之。"（《问上》二十八）他所选择忠于的是英明的君主和虚心纳谏肯于改正错误的君主，对于暴虐的君主、饰非拒谏的君主，他并不留恋官位、表示愚忠。他主张"君子不怀暴君之禄，不处乱国之位"。他认为君主英明，"亲疏得处其伦，大臣得尽其忠，民无怨治，国无虐刑，则可处矣"。如果"亲疏不得居其伦，大臣不得尽其忠，民多怨治，国有虐刑，则可去矣"（《问下》十）。他说："君子见兆则退，不与乱国俱灭，不与暴君偕亡。"（《外篇第七》十六）"顺则进，否则退，不与君行邪也。"（《问上》二十）所以，当乱君、暴君在位而不听劝谏时，晏子就毫不犹豫地辞官隐退，庄公时他曾"退而穷处"（《问上》一），"徒行而东，耕于海滨"（《杂上》一）；景公时他也曾辞官回家。这些做法反映了他反对暴君、反对愚忠的指导思想。当他无力改变暴君的政令时，宁可隐退也不助纣为虐。表明他忠君而不愚忠，归根结底乃是为了爱国爱民。

其四，晏子提出臣下与君主的关系有"同"与"和"两种不同的做法。他认为与君主同而不和乃是佞臣与君主的关系，如梁丘据者即属此类，一切事情都顺从君主的意愿，"君所谓可，据亦曰可；君所谓否，据亦曰否"（《外篇第七》五），表面上与君主意见相同，保持一致，实则是迎合君意，阿谀奉承，既不能纠正君主的过失，对政事也提不出好的建议。忠臣则不然，与君主应当是和而不同的关系。他说："所谓和者，君甘则臣酸，君淡则臣咸。"（《谏上》十八）"君所谓可，而有否焉，臣献其否，以成其可；君所谓否，而有可焉，臣献其可，以去其否。是以政平而不干，民无争心。"（《外篇第七》五）即是说，君主认为可以做的事，其中有某些缺陷和错误，臣下应当指出来加以补正，使事情做得圆满成功；君主认为不可以做的事情，其中有合理的可行的因素，臣下应当指出来，保留合理的做法去除不合理的因素，也使事情圆满成功。只有这样，政事才能妥帖无误，民生才能安定。能够对君主的行为起到拾遗补缺、纠错补过的作用，使政府的决策正确，行政得当，政事顺畅，人民安宁，这才是忠臣的所作所为。

其五，晏子认为忠臣应该有自知之明，不计个人得失，尽其所能为国效力。景公问："忠臣之行何如？"晏子回答说："称身就位，计能受禄。睹贤不居其上，受禄不过其量。不权居以为行，不称位以为忠。不揜贤以隐长，不刻下以谀上。"（《问上》二十）他认为忠臣不可以一味追求高职位、高俸禄，只应获得与自己的品德和才能相适应的官职和俸禄；忠臣不可以根据自己职位的高低和俸禄的多少以决定为国家出力的大小和尽忠的程度。忠臣应该主动推荐有道德有才能的人做官，对比自己贤德之人不仅不能压制，而且应当主动让贤，这是因为忠臣的一切行为都应以国家利益为重。

六、重人事，轻天命，不迷信鬼神

晏子所处的时代，是迷信鬼神盛行的时代，但是晏子却保持着清醒的头脑，抱着与世俗之人迥然不同的态度。他虽然没有明确提出反对迷信鬼神的唯物论思想，但是从他的言论和行事可以看出，他对于祭祀上帝鬼神、占卜、禳除、祝诅等活动，抱着怀疑的不相信的态度。

其一，晏子善于用当时对自然界的常识性认识破解迷信的说法。如景公出猎时，上山遇虎，下泽见蛇，以为是不祥的征兆，晏子解释说："今上山见虎，虎之室也；下泽见蛇，蛇之穴也。如虎之室、如蛇之穴而见之，曷为不祥也？"（《谏下》十）又如景公得了腹部积水的病，梦见"与二日斗，不胜"，以为是预示自己将死的不祥之梦，晏子教占梦者对景公说："公所病者，阴也；日者，阳也。一阴不胜二阳，公病将已。"（《杂下》六）晏子利用了当时流行的阴阳观念对梦作了令人容易接受的解释，对景公实施了心理安慰，再加上医疗的作用，病很快就痊愈了。又如柏常骞欺骗景公说，能通过祭祀神灵使景公增加寿命，增加寿命的表现就是地震。按照当时流行的天象家的说法，维星（北斗星）和枢星（天枢星，北斗七星之首）都隐蔽不见，将会发生地震，柏常骞因为看到这一天象，认为地将会震动，所以欺骗景公说只要发生地震，就证明他祈祷增寿的做法灵验了。晏子利用了当时流行的天象家的说法，揭穿了柏常骞能为人祈祷增寿，并能驱使地动的谎言（《杂下》四）。在当时科学水平还很低下的时代，晏子仍能巧妙地戳穿柏常骞的谎言，实属难能可贵。

其二，晏子认为自然界有自己的运行规律，不会因为人们的祭祀祈祷就改变其规律。关于彗星出现预示国家将有灾难降临的迷信说法，在古代已经流传很久。齐景公看到彗星出现于齐国上空，以为不祥，让柏常骞禳除彗星，以避免灾难的发生。（《谏上》十八）晏子认为这种做法"无益也，只取诬焉"，是没有用处的，是自我欺骗而已。他认为"天道不谄，不贰其命"（《外篇第七》六），即彗星有自己的运行规律，不会因为人们的祈祷就改变它的运行规律。晏子知道彗星有出现就会有消失，过一段时间自然会运行而去。他利用景公等人的迷信思想，劝景公改变奢侈的生活作风，改良政治，善待人民。他说："天之有彗，以除秽也。君无秽德，又何禳焉？若德之秽，禳之何损？"（《外篇第七》六）明确指出国家的吉凶，不在于彗星是否出现，而在于君主是否有德，政治是否清明。当出现"荧惑守虚"的天象时，景公认为天将降灾，晏子知道经过一段时间，这一天象定会发生变化，于是又借机劝景公改善政治，散官府之财以救济贫民，平反冤狱释放无辜之人，"行之三月，而荧惑迁"。又如齐国遇上大旱，景公要派人祭祀山川以求雨，晏子说山是"以石为身，以草木为发，天久不雨，发将焦，身将热"，山若有神，也是盼望下雨的。河是"以水为国，以鱼鳖为民。天久不雨，水泉将下，百川将竭，国将亡，民将灭矣"。河伯也是盼望下雨的。所以祭祀山神河神都没有用处。晏子又巧妙地把话题引向要求景公改善政治、善待民众的话题上来，要求他效仿古代圣王的做法，走出豪华的宫室，将自身曝露于野外以祈求降雨。(《谏上》十五)

晏子认识到人的生与死乃是自然规律，不可改变。他说："昔者上帝以人之死为善，仁者息焉，不仁者伏焉。"(《谏上》十八)仁德的人为国家、人民操劳一生，到时候就应当安息；不仁德的人干了不少坏事，也不能让他无休止地干下去，到时候就应该将他埋入地下，使之不再作恶。这乃是一种自然规律。齐景公因贪恋君位和奢侈生活，害怕死去，并为此哭泣，晏子认为景公希望长生不死是"不仁"的表现，嘲笑他"至老尚哀死者，怯也"(《外篇第七》二)；嘲笑陪着景公哭泣的艾孔和梁丘据是"谄谀之臣"(《谏上》十七)。他的结论是："夫盛之有衰，生之有死，天之分也。物必有至，事有常然，古之道也。"(《外篇第七》二)他认为世界上的任何事物都是有兴盛必有衰落，有新生必有死亡，这乃是自然界的原则。世界上的任何事物都有其终结，任何事物的变化都有其内在原因，这是自古以来都存在着的规律。他承认客观规律的存在，说明他具有唯物主义思想。

晏子对祝史的祈祷作用表示怀疑，对祈祷的做法则予以否定。景公因为得了疥疮和疟疾，让史固和祝佗对山川宗庙祭祀祈祷一遍，病情反而加重了，便想杀死史固和祝佗来取悦上帝，晏子对此坚决反对。他认为，如果向上帝祝祷真的灵验，那么向上帝诅咒也应当灵验，现在齐国人民因为不满于君主的统治，"百姓之咎怨诽谤，诅君于上帝者多矣。一国诅，两人祝，虽善祝者，不能胜也"。况且"祝直言情则谤吾君也，隐匿过则欺上帝也。上帝神，则不可欺；上帝不神，祝亦无益"（《谏上》十二）。晏子虽然说话用的是假设语气，但却明确表达了"上帝不神，祝亦无益"的无神论思想。

总之，晏子一方面不迷信鬼神，善于对当时人所谓的不祥事物作出合乎情理的唯物的解释，对破除人们的迷信收到了较好的效果，在那个科学还很落后的时代，晏子的做法实属难能可贵。另一方面，晏子还善于利用君主等人信仰鬼神的迷信思想，以避免灾祸为由，教育引导他们把注意力放在改良政治、改善民生方面，收到了较好的效果，反映了晏子的机智聪明和爱国爱民。

七、卫国保民

在春秋时代，多数执政的政治家都兼管军事，晏子身为齐相，掌管政府的全面工作，自然也包括军事工作。晏子的治国思想中，也包含了有关军事思想的内容，其核心是卫国保民。

晏子继承了商、周以来传统的以仁义之师讨伐暴虐之国的战争观，他多次赞扬商汤灭夏、周武王灭商的战争是符合道义的战争。他说："汤、武用兵而不为逆，并国而不为贪，仁义之理也。"（《谏上》一）他还盛赞齐桓公"九合诸侯，一匡天下"（《问下》三）的壮举，"辞令穷远而不逆，兵加于有罪而不顿。是故诸侯朝其德，而天子致其胙"（《问上》六）。但是到齐景公当政时，公室和旧贵族势力已经衰落，以田氏为代表的新势力迅速发展起来，晏子多次预言齐国政权将被田氏所夺取。齐景公曾幻想恢复像齐桓公那样的霸业，晏子明确告诉他齐国已处于衰世，重现霸业已经不可能了。在此形势下，晏子反复强调齐国应当实行和平外交政策，他主张"不伐无罪之国"

(《谏上》一），"不侵大国之地，不耗小国之民"，"不劫人以兵甲，不威人以众强"，"德行教训加于诸侯，慈爱利泽加于百姓"（《问上》五），"地博不兼小，兵强不劫弱"（《问下》八）。他认为，只有和诸侯国和平相处，推行德义以和好诸侯，才能使国家免于战乱，求得安定。

晏子认为，出兵征伐别国应当具备一定的条件，即"伐人者德足以安其国，政足以和其民。国安民和，然后可以举兵而征暴"（《问上》三）。齐景公举兵伐鲁，晏子坚决反对，他指出齐国自身"未免乎危乱之理，而欲伐安和之国，不可"，"不若修政而待其君之乱也。民离其君，上怨其下，然后伐之，则义厚而利多。义厚则敌寡，利多则民欢"（《问上》三）。他认为，想要讨伐敌国，首先要使自己国内政治安定，人民和谐；其次敌国因实行暴政，"民离其君，上怨其下"，内部政治混乱，离心离德。这样才有获胜的可能。

晏子主张运用谋略和外交手段制止敌国的侵犯，把战争危险消除于萌芽状态。晋平公曾图谋攻打齐国，先派使臣范昭前往齐国打探虚实，观察形势。晏子识破了晋国的目的，运用有理有节的外交手段，使晋国打消了进攻齐国的企图，保卫了国家的安全。孔子称赞晏子的做法是"不出尊俎之间，而折冲于千里之外"（《杂上》十六）。

晏子鉴于春秋时期强国争霸、以强兼弱的事情不断发生，认为"傲大贱小则国危"，"事大养小，安国之器也"。（《问下》十四）他主张应从国家的实际情况出发，实行切合现实的军事策略，对大诸侯国不要主动挑衅，要降低姿态力求和好，避免发生武装冲突；对小诸侯国则应友好相处，并给予帮助。为国家创造一个和平安定的环境，有利于国，有利于民。

综上所述可以看出，《晏子春秋》体现了晏子有一套系统完整的治国施政的思想，涉及政治、经济、法制、军事、道德观、人生观、自然观等多个领域，内容广博，思想深邃，形成了一套完整的治国方略。晏子谈论的虽然是君主制度下的治国理念与方略,但许多思想至今仍有现实的指导意义和借鉴价值,值得深入研读,仔细品味。

　　晏子是古代伟大的政治家,他侍奉于君主身边,服务于君主专制制度,虽然有大谈礼义、直言极谏、严肃不苟的一面,但是作为臣下,在对待无关宏旨的事情时,也有其诙谐幽默和机智灵活的一面。如他谈到为什么愿意侍奉"回曲之君",他以"婴之族……待婴而祀先者五百家,故婴不敢择君"(《问下》十二)作解释。景公佯问:"东海之中,有水而赤,其中有枣,华而不实,为何?"(《外篇第八》十三)晏子则编出秦穆公乘龙舟而理天下的故事作回答,以及对景公所问天下有极大极细东西的回答,景公游牛山为了取乐而让晏子说出三个愿望等,表现晏子也有与君主欢乐嬉戏的一面,并非是永远严肃刻板,不苟言笑。晏子在谈论君主的品行时说:"其行水也……其浊无不雩途,其清无不洒除,是以长久也。"而不可以像石头那样,"视之则坚,循之则坚,内外皆坚,无以为久"(《问下》四)。晏子正是具备了这种品质。所以《晏子春秋》给我们描述的晏子,既是伟大的政治家、思想家,又是生活于当时社会中的活生生的人,并没有把他神圣化。

张景贤
2009 年 12 月

目 录

内篇谏上第一 —————————————————— 33
  庄公矜勇力不顾行义晏子谏第一 ——————————— 33
  景公饮酒酣愿诸大夫无为礼晏子谏第二 ———————— 35
  景公饮酒醒三日而后发晏子谏第三 ————————— 38
  景公饮酒七日不纳弦章之言晏子谏第四 ———————— 39
  景公饮酒不恤天灾致能歌者晏子谏第五 ———————— 40
  景公夜听新乐而不朝晏子谏第六 —————————— 45
  景公燕赏无功而罪有司晏子谏第七 ————————— 46
  景公信用谗佞赏罚失中晏子谏第八 ————————— 49
  景公爱嬖妾随其所欲晏子谏第九 —————————— 50
  景公敕五子之傅而失言晏子谏第十 ————————— 54
  景公欲废适子阳生而立荼晏子谏第十一 ———————— 55
  景公病久不愈欲诛祝史以谢晏子谏第十二 ——————— 57
  景公怒封人之祝不逊晏子谏第十三 ————————— 60
  景公欲使楚巫致五帝以明德晏子谏第十四 ——————— 62
  景公欲祠灵山河伯以祷雨晏子谏第十五 ———————— 64
  景公贪长有国之乐晏子谏第十六 —————————— 66
  景公登牛山悲去国而死晏子谏第十七 ————————— 68

景公游公阜一日有三过言晏子谏第十八 —————— 70

景公游寒途不恤死胔晏子谏第十九 —————— 72

景公衣狐白裘不知天寒晏子谏第二十 —————— 74

景公异荧惑守虚而不去晏子谏第二十一 —————— 75

景公将伐宋梦二丈夫立而怒晏子谏第二十二 —————— 77

景公从畋十八日不返国晏子谏第二十三 —————— 79

景公欲诛骇鸟野人晏子谏第二十四 —————— 81

景公所爱马死欲诛圉人晏子谏第二十五 —————— 82

内篇谏下第二 —————— 85

景公藉重而狱多欲托晏子晏子谏第一 —————— 85

景公欲杀犯所爱之槐者晏子谏第二 —————— 88

景公逐得斩竹者囚之晏子谏第三 —————— 91

景公以抟治之兵未成功将杀之晏子谏第四 —————— 92

景公冬起大台之役晏子谏第五 —————— 93

景公为长庲欲美之晏子谏第六 —————— 95

景公为邹之长涂晏子谏第七 —————— 96

景公春夏游猎兴役晏子谏第八 —————— 97

景公猎休坐地晏子席而谏第九 —————— 99

景公猎逢蛇虎以为不祥晏子谏第十 —————— 100

景公为台成又欲为钟晏子谏第十一 —————— 100

景公为泰吕成将以燕飨晏子谏第十二 —————— 101

景公为履而饰以金玉晏子谏第十三 —————— 102

景公欲以圣王之居服而致诸侯晏子谏第十四 —————— 104

景公自矜冠裳游处之贵晏子谏第十五 —————— 106

景公为巨冠长衣以听朝晏子谏第十六 —————— 108

景公朝居严下不言晏子谏第十七 —————— 109

景公登路寝台不终不说晏子谏第十八 ——— 110

景公登路寝台望国而叹晏子谏第十九 ——— 112

景公路寝台成逢于何愿合葬晏子谏而许第二十 ——— 114

景公嬖妾死守之三日不敛晏子谏第二十一 ——— 117

景公欲厚葬梁丘据晏子谏第二十二 ——— 121

景公欲以人礼葬走狗晏子谏第二十三 ——— 123

景公养勇士三人无君臣之义晏子谏第二十四 ——— 124

景公登射思得勇力士与之图国晏子谏第二十五 ——— 128

内篇问上第三 ——— 130

庄公问威当世服天下时耶晏子对以行也第一 ——— 130

庄公问伐晋晏子对以不可若不济国之福第二 ——— 131

景公问伐鲁晏子对以不若修政以待其乱第三 ——— 133

景公伐釐胜之问所当赏晏子对以谋胜禄臣第四 ——— 134

景公问圣王其行若何晏子对以衰世而讽第五 ——— 135

景公问欲善齐国之政以干霸王晏子对以官未具第六 ——— 138

景公问欲如桓公用管仲以成霸业晏子对以不能第七 ——— 140

景公问莒鲁孰先亡晏子对以鲁后莒先第八 ——— 142

景公问治国何患晏子对以社鼠猛狗第九 ——— 145

景公问欲令祝史求福晏子对以当辞罪而无求第十 ——— 146

景公问古之盛君其行如何晏子对以问道者更正第十一 ——— 148

景公问谋必得事必成何术晏子对以度义因民第十二 ——— 150

景公问善为国家者何如晏子对以举贤官能第十三 ——— 152

景公问君臣身尊而荣难乎晏子对以易第十四 ——— 154

景公问天下之所以存亡晏子对以六说第十五 ——— 156

景公问君子常行曷若晏子对以三者第十六 ——— 157

景公问贤君治国若何晏子对以任贤爱民第十七 ——— 158

景公问明王之教民何若晏子对以先行义第十八 ———— 159

景公问忠臣之事君何若晏子对以不与君陷于难第十九 ———— 161

景公问忠臣之行何如晏子对以不与君行邪第二十 ———— 162

景公问佞人之事君何如晏子对以愚君所信也第二十一 ———— 163

景公问圣人之不得意何如晏子对以不与世陷乎邪
 第二十二 ———— 165

景公问古者君民用国不危弱晏子对以文王第二十三 ———— 166

景公问古之莅国者任人如何晏子对以人不同能第二十四 ———— 167

景公问古者离散其民如何晏子对以今闻公令如寇仇第二十五 ———— 168

景公问欲和臣亲下晏子对以信顺俭节第二十六 ———— 170

景公问得贤之道晏子对以举之以语考之以事第二十七 ———— 171

景公问臣之报君何以晏子对报以德第二十八 ———— 172

景公问临国莅民所患何也晏子对以患者三第二十九 ———— 173

景公问为政何患晏子对以善恶不分第三十 ———— 173

内篇问下第四 ———— 175

景公问何修则夫先王之游晏子对以省耕实第一 ———— 175

景公问桓公何以致霸晏子对以下贤以身第二 ———— 177

景公问欲逮桓公之后晏子对以任非其人第三 ———— 178

景公问廉政而长久晏子对以其行水也第四 ———— 179

景公问为臣之道晏子对以九节第五 ———— 180

景公问贤不肖可学乎晏子对以强勉为上第六 ———— 181

景公问富民安众晏子对以节欲中听第七 ———— 182

景公问国如何则谓安晏子对以内安政外归义第八 ———— 182

景公问诸侯孰危晏子对以莒其先亡第九 ———— 183

晏子使吴吴王问可处可去晏子对以视国治乱第十 ———— 184

吴王问保威强不失之道晏子对以先民后身第十一 ———— 185

晏子使鲁鲁君问何事回曲之君晏子对以庇族第十二 ———— 187
　　鲁昭公问鲁一国迷何也晏子对以化为一心第十三 ———— 188
　　鲁昭公问安国众民晏子对以事大养小谨听节敛第十四 ———— 189
　　晏子使晋晋平公问先君得众若何晏子对以如美渊泽第十五 ———— 190
　　晋平公问齐君德行高下晏子对以小善第十六 ———— 192
　　晋叔向问齐国若何晏子对以齐德衰民归田氏第十七 ———— 193
　　叔向问齐德衰子若何晏子对以进不失忠退不失行第十八 ———— 197
　　叔向问正士邪人之行如何晏子对以使下顺逆第十九 ———— 198
　　叔向问事君徒处之义奚如晏子对以大贤无择第二十 ———— 200
　　叔向问处乱世其行正曲晏子对以民为本第二十一 ———— 203
　　叔向问意孰为高行孰为厚晏子对以爱民乐民第二十二 ———— 204
　　叔向问啬吝爱之于行何如晏子对以啬者君子之道第二十三 ———— 205
　　叔向问君子之大义何若晏子对以尊贤不退不肖第二十四 ———— 206
　　叔向问傲世乐业能行道乎晏子对以狂惑也第二十五 ———— 207
　　叔向问人何若则荣晏子对以事君亲忠孝第二十六 ———— 208
　　叔向问人何以则可保身晏子对以不要幸第二十七 ———— 209
　　曾子问不谏上不顾民以成行义者晏子对以何以成也第二十八 ———— 210
　　梁丘据问子事三君不同心晏子对以一心可以事百君第二十九 ———— 211
　　柏常骞问道无灭身无废晏子对以养世君子第三十 ———— 212

内篇杂上第五 ———— 214

　　庄公不说晏子晏子坐地讼公而归第一 ———— 214
　　庄公不用晏子晏子致邑而退后有崔氏之祸第二 ———— 215
　　崔庆劫齐将军大夫盟晏子不与第三 ———— 218
　　晏子再治阿而信见景公任以国政第四 ———— 221
　　景公恶故人晏子退国乱复召晏子第五 ———— 223
　　齐饥晏子因路寝之役以振民第六 ———— 224

景公欲堕东门之堤晏子谓不可变古第七 —————— 225

景公怜饥者晏子称治国之本以长其意第八 —————— 226

景公探雀鷇鷇弱反之晏子称长幼以贺第九 —————— 227

景公睹乞儿于涂晏子讽公使养第十 —————— 228

景公惭刖跪之辱不朝晏子称直请赏之第十一 —————— 228

景公夜从晏子饮晏子称不敢与第十二 —————— 230

景公使进食与裘晏子对以社稷臣第十三 —————— 232

晏子饮景公止家老敛欲与民共乐第十四 —————— 233

晏子饮景公酒公呼具火晏子称诗以辞第十五 —————— 234

晋欲攻齐使人往观晏子以礼侍而折其谋第十六 —————— 235

景公问东门无泽年谷而对以冰晏子请罢伐鲁第十七 —————— 237

景公使晏子予鲁地而鲁使不尽受第十八 —————— 238

景公游纪得金壶中书晏子因以讽之第十九 —————— 241

景公贤鲁昭公去国而自悔晏子谓无及已第二十 —————— 242

晏子使鲁有事已仲尼以为知礼第二十一 —————— 244

晏子之鲁进食有豚亡二肩不求其人第二十二 —————— 245

曾子将行晏子送之而赠以善言第二十三 —————— 246

晏子之晋睹齐累越石父解左骖赎之与归第二十四 —————— 248

晏子之御感妻言而自抑损晏子荐以为大夫第二十五 —————— 251

泯子午见晏子晏子恨不尽其意第二十六 —————— 252

晏子遗北郭骚米以养母骚杀身以明晏子之贤第二十七 —————— 253

景公欲见高纠晏子辞以禄仕之臣第二十八 —————— 255

高纠治晏子家不得其俗乃逐之第二十九 —————— 256

晏子居丧逊答家老仲尼善之第三十 —————— 257

内篇杂下第六 —————— 259

灵公禁妇人为丈夫饰不止晏子请先内勿服第一 —————— 259

齐人好毂击晏子绐以不祥而禁之第二 ———————— 260

景公梦五丈夫称无辜晏子知其冤第三 ———————— 261

柏常骞禳枭死将为景公请寿晏子识其妄第四 ———— 262

景公成柏寝而师开言室夕晏子辨其所以然第五 ——— 265

景公病水梦与日斗晏子教占梦者以对第六 ————— 267

景公病疽晏子抚而对之乃知群臣之野第七 ————— 269

晏子使吴吴王命傧者称天子晏子详惑第八 ————— 270

晏子使楚楚为小门晏子称使狗国者入狗门第九 —— 271

楚王欲辱晏子指盗者为齐人晏子对以橘第十 ———— 273

楚王飨晏子进橘置削晏子不剖而食第十一 ————— 274

晏子布衣栈车而朝陈桓子侍景公饮酒请浮之第十二 — 275

田无宇请求四方之学士晏子谓君子难得第十三 —— 277

田无宇胜栾氏高氏欲分其家晏子使致之公第十四 — 279

子尾疑晏子不受庆氏之邑晏子谓足欲则亡第十五 — 281

景公禄晏子平阴与棠邑晏子愿行三言以辞第十六 — 282

梁丘据言晏子食肉不足景公割地将封晏子辞第十七 — 284

景公以晏子食不足致千金而晏子固不受第十八 —— 285

景公以晏子衣食弊薄使田无宇致封邑晏子辞第十九 — 287

田桓子疑晏子何以辞邑晏子答以君子之事也第二十 — 288

景公欲更晏子宅晏子辞以近市得所求讽公省刑第二十一 — 288

景公毁晏子邻以益其宅晏子因陈桓子以辞第二十二 — 290

景公欲为晏子筑室于宫内晏子称是以远之而辞第二十三 — 291

景公以晏子妻老且恶欲内爱女晏子再拜以辞第二十四 — 292

景公以晏子乘弊车驽马使梁丘据遗之三返不受第二十五 — 293

景公睹晏子之食菲薄而嗟其贫晏子称有参士之食第二十六 — 294

梁丘据自患不及晏子晏子勉据以常为常行第二十七 — 295

晏子老辞邑景公不许致车一乘而后止第二十八 —— 296

晏子病将死妻问所欲言云毋变尔俗第二十九 298
晏子病将死凿楹纳书命子壮而示之第三十 298

外篇重而异者第七 300

景公饮酒命晏子去礼晏子谏第一 300
景公置酒泰山四望而泣晏子谏第二 303
景公梦见彗星使人占之晏子谏第三 305
景公问古而无死其乐若何晏子谏第四 306
景公谓梁丘据与己和晏子谏第五 307
景公使祝史禳彗星晏子谏第六 309
景公有疾梁丘据裔款请诛祝史晏子谏第七 310
景公见道殣自惭无德晏子谏第八 314
景公欲诛断所爱槚者晏子谏第九 316
景公坐路寝曰谁将有此晏子谏第十 317
景公台成盆成适愿合葬其母晏子谏而许第十一 319
景公筑长庲台晏子舞而谏第十二 322
景公使烛邹主鸟而亡之公怒将加诛晏子谏第十三 323
景公问治国之患晏子对以佞人谗夫在君侧第十四 324
景公问后世孰将践有齐者晏子对以田氏第十五 326
晏子使吴吴王问君子之行晏子对以不与乱国俱灭第十六 329
吴王问齐君僈暴吾子何容焉晏子对以岂能以道食人第十七 330
司马子期问有不干君不恤民取名者乎晏子对以不仁也第十八 331
高子问子事灵公庄公景公皆敬子晏子对以一心第十九 332
晏子再治东阿上计景公迎贺晏子辞第二十 333
太卜绐景公能动地晏子知其妄使卜自晓公第二十一 335
有献书谮晏子退耕而国不治复召晏子第二十二 336
晏子使高纠治家三年而未尝弼过逐之第二十三 338

景公称桓公之封管仲益晏子邑辞不受第二十四 ………… 338
　景公使梁丘据致千金之裘晏子固辞不受第二十五 ……… 340
　晏子衣鹿裘以朝景公嗟其贫晏子称有饰第二十六 ……… 341
　仲尼称晏子行补三君而不有果君子也第二十七 ………… 342

外篇不合经术者第八 ………………………………………… 344
　仲尼见景公景公欲封之晏子以为不可第一 ……………… 344
　景公上路寝闻哭声问梁丘据晏子对第二 ………………… 346
　仲尼见景公景公曰先生奚不见寡人宰乎第三 …………… 348
　仲尼之齐见景公而不见晏子子贡致问第四 ……………… 349
　景公出田顾问晏子若人之众有孔子乎第五 ……………… 351
　仲尼相鲁景公患之晏子对以勿忧第六 …………………… 352
　景公问有臣有兄弟而强足恃乎晏子对不足恃第七 ……… 353
　景公游牛山少乐请晏子一愿第八 ………………………… 354
　景公为大钟晏子与仲尼柏常骞知将毁第九 ……………… 355
　田无宇非晏子有老妻晏子对以去老谓之乱第十 ………… 356
　工女欲入身于晏子晏子辞不受第十一 …………………… 357
　景公欲诛羽人晏子以为法不宜杀第十二 ………………… 358
　景公谓晏子东海之中有水而赤晏子详对第十三 ………… 359
　景公问天下有极大极细晏子对第十四 …………………… 360
　庄公图莒国人扰给以晏子在乃止第十五 ………………… 361
　晏子死景公驰往哭哀毕而去第十六 ……………………… 362
　晏子死景公哭之称莫复陈告吾过第十七 ………………… 363
　晏子没左右谀弦章谏景公赐之鱼第十八 ………………… 364

注译说明 ……………………………………………………… 367

内篇谏上第一

庄公矜勇力不顾行义晏子谏第一

庄公奋乎勇力①，不顾于行义②。勇力之士无忌于国，贵戚不荐善③，逼迩不引过④。故晏子见公，公曰："古者亦有徒以勇力立于世者乎⑤？"晏子对曰："婴闻之，轻死以行礼谓之勇⑥，诛暴不避强谓之力。故勇力之立也，以行其礼义也。汤、武用兵而不为逆⑦，并国而不为贪，仁义之理也。诛暴不避强，替罪不避众⑧，勇力之行也。古之为勇力者，行礼义也。今上无仁义之理，下无替罪诛暴之行，而徒以勇力立于世，则诸侯行之以国危，匹夫行之以家残。昔夏之衰也⑨，有推侈、大戏⑩；殷之衰也⑪，有费仲、恶来⑫。足走千里，手裂兕虎⑬，任之以力，凌轹天下⑭，威戮无罪⑮，崇尚勇力，不顾义理，是以桀、纣以灭，殷、夏以衰。今公自奋乎勇力，不顾乎行义；勇力之士无忌于国，身立威强，行本淫暴；贵戚不荐善，逼迩不引过；反圣王之德，而循灭君之行，用此存者⑯，婴未闻有也。"

[注释]

①庄公：齐庄公，名光，春秋时齐国国君，齐灵公之子。公元前553年

至前548年在位,执政六年,为崔杼(zhù)所杀。谥"庄"。奋:振作,振起。引申为推崇、崇尚。乎:于。②顾:顾惜,眷顾。引申为考虑、关心。义:衡量人们言行的公正、合理的标准。它在不同时代有着不同的含义。③贵戚:国君的内外亲族,在朝廷里任卿、大夫等重要职务。荐:进,献。即今语推荐。④逼迩:逼与迩都是近的意思,指在国君左右供职的亲信大臣。不引过:即朝政发生失误,近臣们都不肯承担责任,而是相互推诿。引过,与引咎、引罪义同。有人将"引"解释为"称引",指国君有过错不敢劝谏。可备一说。⑤徒:只,仅仅。⑥轻死:不怕死。礼:中国古代礼节仪式和行为规范的总称。⑦汤:商朝的开国君主,子姓,名汤。武:周武王,姬姓,名发,周王朝的建立者,庙号武王。逆:背叛。⑧替:废除,铲除。⑨夏:指夏朝,是我国历史上第一个王朝,从启建立君位世袭制到桀灭亡,共传十四代、十七王。约当公元前21世纪到公元前17世纪。⑩推侈、大戏:夏桀时有勇力的恶人。⑪殷:朝代名,即商朝。是汤灭夏后建立的王朝。最初建都于亳(今河南商丘),后多次迁都,公元前14世纪中叶,盘庚迁都于殷(今河南安阳),因而商也称殷,或称殷商。⑫费仲、恶来:均为商纣王的宠臣,善阿谀,贪财利,有勇力。⑬兕(sì):犀牛类动物。⑭凌轹(lì):欺压。⑮咸戮(lù):威逼杀害。⑯用:以,因。

[译文]

齐庄公特别推崇勇武有力之人,而不考虑他们的行为是否符合道义。在他的纵容下,那些勇猛多力之士在国内胆大妄为,无所顾忌;朝廷中那些与国君同姓的显贵不能举荐贤能之人,进有益之言,那些异姓的亲信近臣也不能指出君主的过失。晏子看到朝廷中弥漫着歪风邪气,对国家的前途十分担忧,于是去见庄公。庄公知道晏子有意见要提,便先向晏子发问道:"古代曾经有过单凭勇力就能成就事业、建立功名的人吗?"晏子回答说:"我听说,只有那些为了行礼义而不怕死的人,才能称之为勇士;只有那些敢于诛伐暴虐不避豪强的人,才能称得上有勇力。所以凡是能建功立业、扬名于世的勇武之士,都是因为他们的行为符合道义、遵循礼法。从历史上看，商汤用兵讨伐并灭亡了夏王朝，周武王用兵推翻了残暴的商王朝，世人却不认为他们是以下犯上的叛逆者；他们占有了夏朝和商朝的领土和人民，世人也不认为他们是贪得无厌之人，其原因何在呢？因为他们都是吊民伐罪，诛灭暴君，救民于水火之中，他们的行为完全符合仁义的标准啊！为了讨伐暴乱之国，虽然它势力强大也决不回避；为了铲除罪恶之人，虽然他们兵力众多也不逃避，这才真正称得上是有勇有力的行为！所以说，古代凡称得上施行勇力的人，必然是施行礼义的人。当今之世，如果当国君的不提倡施行仁义，做臣下的没有诛暴安良的行为，单凭着勇力在社会上活动，那么，诸侯如果实行这样的政策，必定会危害自己的国家；平民如果坚持这样的行为，必定会家破人亡。回顾历史，这样的事例很多，如夏朝衰亡的时候，曾出现过推侈、大戏，殷朝衰乱的时候，曾出现过费仲、恶来，都是很有勇力的人。他们足力强劲，能行千里而不疲，手臂力大，能撕裂犀牛虎豹，然而他们却肆意施用暴力，欺凌天下诸侯，威逼和杀戮无辜。夏桀和商纣王崇尚和提倡这种勇力行为，而置道义于不顾。这正是夏桀和商纣王所以被消灭，夏朝和商朝所以灭亡的原因。现在国君您只崇尚勇力，不看重施行道义，那些有勇力之人在国内无所顾忌地胡作非为，凭借威猛强力树立声名，行为十分凶狠残暴；同姓的贵族不进善人善言，近臣们不直言进谏，不承担责任；所作所为完全违背了古代圣王勇于行义、求贤若渴、知过即改的美德，承袭的是如同夏桀、商纣王那样亡国之君的恶行，这样做下去却想让齐国长治久安，晏婴我还从来没有听说过呀！"

景公饮酒酣愿诸大夫无为礼晏子谏第二

景公饮酒酣[①]，曰："今日愿与诸大夫为乐饮，请无为礼。"

晏子蹴然改容②，曰："君之言过矣！群臣固欲君之无礼也③。力多足以胜其长，勇多足以弑其君④，而礼不使也⑤。禽兽以力为政⑥，强者犯弱，故日易主⑦。今君去礼，则是禽兽也。群臣以力为政，强者犯弱，而日易主，君将安立矣⑧？凡人之所以贵于禽兽者，以有礼也。故《诗》曰：'人而无礼，胡不遄死⑨？'礼不可无也。"公湎而不听⑩。

少间，公出，晏子不起；公入，不起；交举则先饮⑪。公怒色变，抑手疾视曰⑫："向者夫子之教寡人无礼之不可也。寡人出入不起，交举则先饮，礼也？"晏子避席⑬，再拜稽首而请曰⑭："婴敢与君言而忘之乎⑮？臣以致无礼之实也⑯。君若欲无礼，此是已。"公曰："若是⑰，孤之罪也。夫子就席，寡人闻命矣⑱。"

觞三行⑲，遂罢酒。盖是后也⑳，饬法修礼以治国政㉑，而百姓肃也㉒。

[注释]

①景公：齐景公，名杵臼，庄公弟，公元前547年至前490年在位，执政五十八年，谥"景"。酣（hān）：畅饮，痛饮；酒喝得很畅快。②蹴（cù）然：庄重严肃的样子。③固：本来，原来。引申为本心、本意。④弑（shì）：古代指臣杀君、子杀父母的行为。⑤不使：不允许。⑥政：本为政令、政治。此处意为行事的原则。⑦易：改变，变更。主：君主，主宰者。此指禽兽中的头领。⑧安：如何，怎样。⑨胡：何，为何。遄（chuán）：快，迅速。这句话引自《诗经·鄘风·相鼠》。⑩湎（miǎn）：沉迷。此指沉迷于酒。⑪交举：共同举杯，互相敬酒。⑫抑手：双手按住几案。疾视：怒目而视。⑬避席：古人席地而坐，离座起立，表示敬意，谓之避席。⑭再拜：古代的一种礼节，先后拜两次，表示礼节隆重。稽（qǐ）首：古时跪拜叩头到地的礼节。请：此意为请罪。⑮敢：岂敢，哪敢。⑯致：表现。实：实情。⑰若是：即你说得很对。或译为"如此说来"。若，尔，汝。是，对，正确。⑱闻命：听命，接受意见。⑲觞（shāng）：向人敬酒或自饮。此指共同饮酒。三行：三次，三遍。

⑳盖：发语词，无实义。是：此。㉑饬（chì）：整顿。修：整治。㉒百姓：春秋以前对贵族的总称，犹言百官；春秋以后，指平民而言。《晏子春秋》中所言"百姓"，多指平民（自由民）。从上文内容看，此处所言"百姓"解释为"百官"为妥。

[译文]

　　有一次，齐景公宴请大臣们。景公饮酒饮到欢畅快乐之时，对大家说："今天我愿意与诸位大夫尽情饮酒欢乐，请大家不必拘泥于君臣之礼。"（大臣们听了个个笑逐颜开，随意言谈，不守礼数。晏子见此情景，很不以为然。）晏子脸上现出庄重的表情，严肃地对景公说："国君您的话说错了！群臣们就其本心而言，非常希望您取消礼法。如果朝廷真的废除了礼法，那么力气大的人就会欺压他们的上司，勇力多的人就敢于杀死他们的国君。而这些都是礼仪规范所禁止的行为。禽兽们实行的是凭借气力的大小来确定首领的原则，所以强者经常侵犯弱者，争斗不已，时常更换首领。现在您如果废弃礼法，那么就和禽兽没有不同了。群臣若按照力气大者压服力气小者的原则行事，强大的人肆无忌惮地侵犯弱小的人，也会天天更换国君，请问国君您将何以立足呢？您的君位还能保得住吗？人类之所以比禽兽尊贵，就是因为懂得遵守礼法。所以《诗经》中说：'人如果不遵守礼法，何不赶快去死！'这说明人类社会不可以没有礼法啊。"景公沉迷于饮酒欢乐，听不进晏子的规劝。

　　过了一会儿，景公离席外出，大臣们起立相送，晏子却坐在席上不起身；景公回来，大臣们起立相迎，晏子仍然安坐不起；景公邀大家举杯饮酒，晏子抢先干了杯中的酒。景公见此情景，勃然大怒，双手按住几案，怒目而视，责问晏子："刚才先生您对我讲了一套不可不遵守礼法的道理，可是我出去进来您都不起身，大家举杯祝酒时，我还没有饮酒，您却先喝了自己杯中的酒，这符合礼法吗？"晏子赶忙离开坐席，向景公两次叩拜，说道："我岂敢将刚才对君主您讲的话忘掉呢?臣所以这样做只是为了给您演示臣下无礼是什么表现。您如果想废除礼仪,其结果就是我刚才所表现的样子呀!"景公听了很受震动,说道:"您说得很对,是我错了。请先生入席,我接受您的指教就是了。"

在景公主持下,大家共同饮酒三次,便结束了宴会。经过这件事后,景公严格整顿朝廷的礼法秩序,认真管理国家政事,百官们都能庄重严肃地处理政事,不敢懈怠。

景公饮酒酲三日而后发晏子谏第三

景公饮酒酲①,三日而后发②。

晏子见曰:"君病酒乎?"公曰:"然。"

晏子曰:"古之饮酒也,足以通气合好而已矣③。故男不群乐以妨事④,女不群乐以妨功⑤。男女群乐者,周觞五献⑥,过之者诛⑦。君身服之,故外无怨治⑧,内无乱行⑨。今一日饮酒而三日寝之,国治怨乎外,左右乱乎内⑩。以刑罚自防者⑪,劝乎为非⑫;以赏誉自劝者,惰乎为善⑬。上离德行,民轻赏罚,失所以为国矣。愿君节之也⑭!"

[注释]

①酲(chéng):酒醉后神志不清的病态。②发:起。③通气:指血脉流通。合好:宾朋欢聚快乐。④群乐:群聚饮酒行乐。事:指农事。⑤功:指女工,即纺纱织布等事。⑥周:遍及,轮流。五献:喝五杯酒。献,指敬酒。⑦过:超过,违反。诛:责罚。⑧外:指朝廷之外。怨治:导致民怨的政事。前人或以为"怨"当作"蕴","外无蕴治者,言无丛脞之政也",将"怨治"释为"积压下来的政事",可备一说。笔者以为不必改字为说。⑨内:指朝廷之内。乱行:昏乱违礼的行为。⑩左右:指国君身边的亲信大臣。⑪自防:自

我防范、约束。⑫劝：勉励，鼓励。⑬惰：懒，懈怠。⑭节：节制，控制。

[译文]

景公有嗜酒的习惯。有一次他喝酒喝得酩酊大醉，连续昏睡三天才苏醒起床。

晏子得知此事，便去谒见景公，问道："君主您是因为醉酒而生病吗？"景公回答说："是的。"

晏子规劝说："古时候人们饮酒的目的比较单纯，一是因为它能促进人体内血气的流通，有益于身体健康；二是能起到宾朋在一起欢乐和好的作用。如此而已。所以政府作出规定，在平常时期禁止男人们或者女人们聚集在一起饮酒作乐，因为那样会妨害农业生产和纺纱织布工作。只有遇到重要节日，政府才允许亲戚朋友相聚一起宴饮欢乐，但也只是酒过五轮就应当结束，如果超过了五轮的限制，便要受到惩罚。国君以身作则，带头遵守这一规定，就不会有荒废政事的现象发生。国内政令畅通，民无怨恨，朝廷内部也不会出现昏乱违礼的事情。现在国君您饮了一天酒，睡了三天觉，不理朝政，结果造成全国政令滞塞不行，民情怨愤；朝廷内部大臣们不循法度，秩序混乱。其恶劣的影响是：那些原本能用国家刑罚自我约束的人，因为法律不公正而放纵行为，去干坏事；那些用爵禄奖赏勉励自己为国效力的人，因为赏罚不公平，都懒得去做好事。君主违背了道德原则，难以做民众的表率；民众不看重有关赏罚的法令，而去为非作歹，这就违背了治理国家的根本原则，必将导致政乱国衰的严重后果！希望您今后一定要节制嗜酒行为！"

景公饮酒七日不纳弦章之言晏子谏第四

景公饮酒，七日七夜不止。

弦章谏曰①："君饮酒七日七夜，章愿君废酒也②。不然，章赐死③。"

晏子入见，公曰："章谏吾曰：'愿君之废酒也。不然，章赐死。'如是而听之，则臣为制也④；不听，又爱其死。"晏子曰："幸矣⑤，章遇君也！令章遇桀、纣者⑥，章死久矣。"于是公遂废酒。

[注释]

①弦章：景公臣。②废酒：停止饮酒。③章赐死：此句宾语前置，即请赐章死。④臣为制：此句也是宾语前置，即（君）为臣所制。制，限制，控制。引申为指使、指挥。⑤幸：幸运，有福。⑥令：使，假使。

[译文]

景公嗜酒成癖。有一次，他连续七天七夜饮酒作乐，不理朝政。

大臣弦章进见景公，直言规劝道："国君您沉湎于饮酒已经七天七夜了，朝廷政事无人主持，为臣请您马上停止饮酒。您如果不肯答应我的请求，就请您赐我去死吧！"

晏子进宫谒见景公，景公向晏子讲述了弦章劝他戒酒的话，然后说道："如果我听从了弦章的意见，那就成了国君反而要受臣下的限制，听从臣下的指挥，这岂不是颠倒了君臣关系吗？如果我不接受他的意见，又不忍心将他赐死。你看这事该如何处理？"晏子很巧妙地回答说："弦章真是很幸运啊，遇到了您这样的好国君！假使让弦章遇上桀、纣那样的暴君，早就被处以死刑了。"景公听了晏子的劝谏，感到很惭愧，于是便停止了喝酒。

景公饮酒不恤天灾致能歌者晏子谏第五

景公之时，霖雨十有七日①。公饮酒，日夜相继。晏子请发粟于民，三请不见许②。公命柏遽巡国③，致能歌者④。晏子闻之不说⑤，遂分家粟于氓⑥，致任器于陌⑦。徒行见公⑧，曰："霖雨十有七日矣！坏室乡有数十，饥氓里有数家，百姓老弱，冻寒不得短褐⑨，饥饿不得糟糠⑩。敝撤无走⑪，四顾无告⑫，而君不恤⑬，日夜饮酒，令国致乐不已。马食府粟⑭，狗餍刍豢⑮，三保之妾⑯，俱足粱肉⑰。狗马保妾不已厚乎？民氓百姓不亦薄乎？故里穷而无告，无乐有上矣⑱；饥饿而无告，无乐有君矣。婴奉数之策以随百官⑲，使民饥饿穷约而无告⑳，使上淫湎失本而不恤㉑，婴之罪大矣。"

再拜稽首，请身而去㉒，遂走而出。公从之，兼于涂而不能逮㉓。令趣驾追晏子其家㉔，不及。粟米尽于氓，任器存于陌。公驱及之康内㉕。公下车从晏子曰："寡人有罪，夫子倍弃不援㉖，寡人不足以有约也㉗，夫子不顾社稷百姓乎㉘？愿夫子之幸存寡人，寡人请奉齐国之粟米财货㉙，委之百姓㉚，多寡轻重㉛，惟夫子之令。"

遂拜于途。晏子乃返，命禀巡氓家有布缕之本而绝食者，使有终月之委㉜；绝本之家，使有期年之食㉝；无委积之氓，与之薪橑㉞，使足以毕霖雨。令柏巡氓家室不能御者，予之金㉟；巡求氓寡用财乏者，死㊱。三日而毕，后者若不用令之罪㊲。公出舍㊳，损肉撤酒㊴，马不食府粟，狗不食饣肉㊵，辟拂嗛齐㊶，酒徒减赐。三日，吏告毕，上贫氓万七千家，用粟九十七万钟㊷，薪橑万三千乘㊸，坏室二千七百家，用金三千。

公然后就内退食㊹，琴瑟不张，钟鼓不陈㊺。晏子请左右与可令歌舞足以留思虞者退之㊻，辟拂三千谢于下陈㊼，人侍三、士侍四㊽，出之关外也㊾。

[注释]

①霖（lín）雨：多日不停的雨。有：又。②三请：多次请求。"三"非

指确数,是说次数多。见:被。③柏:臣名。遽(jù):驿车。此处意为乘驿车。一说:柏遽,人名,姓柏名遽。④致能歌者:招收善于歌舞的人。⑤说(yuè):通"悦"。⑥家粟:自己家存的粮食。氓(méng):民。也写作"萌"。⑦任器:此指运送粮草的器具。陌:道路。⑧徒行:步行。⑨短褐(hè):古时平民穿的粗布短衣。⑩糟糠:酒渣糠皮等粗劣食物。⑪敝撒:即蹩躠(bié xuè),匍匐而行。无走:无处可走。即举步艰难、走投无路之意。⑫四顾:环视四周。顾,回头看,亦泛指看。无告:无处求告。⑬恤(xù):救济。⑭府粟:国家仓库里的粮食。⑮餍:吃饱,满足。刍豢(chú huàn):泛指食草和食肉的牲畜。⑯三保:孙诒让认为当作"三室"。天子六宫有九室,诸侯三宫则有三室。妾:正妻之外的配偶。⑰梁肉:指精美的膳食。⑱无乐:不喜欢,不爱戴。⑲奉:通"捧",两手托着。数:计算,登计。策:通"册",成编的竹简,用来书写记事。⑳穷约:贫困窘迫。"使"字旧作"之吏",属上句。从刘师培说改。㉑淫湎(miǎn):过度沉迷于酒。本:是"民惟邦本"之"本",指民众。㉒请身:辞官。㉓兼:兼程,加倍赶路。涂:道路。逮(dài):及,赶上。㉔趣(cù):急促,赶快。驾:乘车。㉕驱:策马驾车前进。康内:大道上。康,《尔雅·释宫》:"五达谓之康。"指四通八达的大道。㉖倍:通"背"。援:助。㉗约:邀请。此处意为挽留。㉘社稷:本指古代帝王、诸侯所祭祀的土神和谷神,后用作国家的代称。㉙请:此处当愿意讲。奉:捧出,拿出。㉚委:运送。引申为散发。㉛轻重:此处与"多寡"义同。㉜终月:整月,一个月。委:即委积。为积聚、储存的意思。㉝期(jī)年:一周年,一整年。㉞薪橑(liáo):柴草。㉟金:金钱。可指黄金,亦可指铜钱。㊱"死"字疑为衍文。该句疑有脱漏。㊲若:如。引申为比照。㊳出舍:迁出宫殿。舍,此指宫殿。㊴损:减少。撤:除,去掉。㊵饘(zhān):糜粥,厚粥。㊶辟拂:侍奉君主的近臣。嗛(qiàn):通"歉",不满足。引申为减少。齐(zī):通"粢",此处指禄养。㊷钟:古代量器,六斛四斗为一钟。㊸乘(shèng):古代一车四马为一乘。此指运粮草的马车。㊹就内:回到宫内。退食:减损饮食,以示节俭。㊺琴瑟:此泛指弹拨乐器。张:陈设。钟鼓:此泛指打击乐器。陈:陈列。㊻思:想念,留恋。虞:同"娱",娱乐。㊼辟拂:指为景公歌舞之人。谢:辞退。下陈:后列,后排。

㊽人侍、士侍：指受君主宠幸的近侍。㊾关外：关塞之外，境外。

[译文]

　　景公当政之时，有一年大雨一连下了十七天，形成水灾。然而身为国君的齐景公却依旧和宠臣们日以继夜地饮酒作乐。晏子知道后忧心如焚，便请求景公下令开仓放粮，赈济灾民。多次请求都没有得到景公的批准。与此相反，景公却派一个名叫柏的官员乘坐公家的驿车在国内到处巡访，寻找能歌善舞的男女送往朝廷。晏子知道这件事后，心中非常难过，于是先拿出自己家的存粮分发给饥民，还把运载粮食的工具也放在路上供民众使用。然后，步行入朝去见景公，说道："大雨已经连下十七天了，每个乡房屋塌漏损坏的不下数十家，每个里都有不少缺粮挨饿的饥民。贫苦民众特别是老弱病残之人，天气寒冷连粗布短衣都没得穿，饥肠辘辘连糟糠都吃不上。他们走投无路，求告无门。可是身为一国之君的您却置之不理，不肯关怀和救济灾民，而是白天黑夜大办酒席，还下令从各地召来许多能歌善舞的男女，不停地寻欢作乐。您的马厩里养着众多马匹，每天都吃掉府库中的大量粮食；您畜养着众多良犬，天天都用家畜的肉喂得很饱；您后宫的众多妻妾每天都饱食精粮美肉。您这样做，不是对待妻妾狗马过于优厚，而对待贫苦民众则太过刻薄了吗？因此，乡里贫穷无告的民众都不喜欢您这样的国君，饥饿无食的民众也不拥护您这样的君主啊！我拿着记事的册籍，与百官一同为朝廷办事，却让民众过着饥饿贫困的生活，投诉无门；让君主沉迷于酒色欢乐而不救济百姓，以致失去民心。我的罪过实在太大了！"

　　晏子说完，向景公两次跪拜叩头，请求辞去官职。然后，晏子快步走出朝堂。景公（听了晏子的一席话，深感愧疚，生怕他真的辞官而去）急忙追赶晏子，兼程追赶也没追上。景公又命驱车追到晏子家中，仍然不见晏子，只看到晏子家中的粮仓已经搬空，担载粮食的器具都放置在道路上。景公又驱车追到通衢大道上，才找到晏子。景公下车追随在晏子身旁恳求道："我确实做得不对。先生您抛弃我，不肯帮助我，我实在没有资格挽留您。可是您难道就不顾念国家和百姓吗？我真诚地希望您留下来帮助我治理朝政，我愿将国家的粮食和财物拿出来分发给贫苦百姓，应当散发多少，全听您的安排。"

景公就在道路上把这件事拜托晏子去办理。晏子于是返回朝中，派遣一位名叫禀的官员去巡视居民的情况，凡是家中有布匹但没有粮食的人家，发给他们够吃一个月的粮食；凡是既无布匹又缺口粮的人家，发给他们够吃一年的粮食。凡是没有积存柴草的人家，发给他们柴草，让他们都能度过霖雨之灾。还派遣一位名叫柏的官员调查民房的损坏情况，凡房屋破损坍塌不能防雨御寒的人家，则发给适量的金钱，作为修缮费用。要求对缺乏粮食财物的贫苦民众及受灾死伤情况进行普遍调查。他要求这些工作在三天之内办完，超过限期而未能完成任务的，比照不执行君主命令的法律治罪。景公也改变作风，迁出豪华的宫殿，住在较简陋的宫室中；降低膳食水准，少吃肉，不饮酒；宫中马匹不再用官仓中的粮食喂养，供国君玩乐的狗也不再给肉吃；削减了侍御近臣们的俸禄，减少了常陪国君饮酒的大臣们的赏赐。救济灾民的工作只用了三天就告完成。据官吏报告：共救助贫民一万七千家，动用府库粮食九十七万钟，柴草一万三千车；救助房屋损坏的居民二千七百家，花费金钱三千。

赈灾工作完成后，景公回到宫内，减省膳食，将琴瑟钟鼓等乐器收起，不再演奏。在晏子的请求下，将那些侍御宠幸以及能歌善舞而让景公迷恋娱乐的人予以清退。于是有三千多名能歌善舞的男女离开后宫。将善于阿谀奉承而深受宠幸的三个人、四个士放逐出关塞之外。

景公夜听新乐而不朝晏子谏第六

晏子朝，杜扃望羊待于朝①。晏子曰："君奚故不朝②？"对曰："君夜发③，不可以朝。"晏子曰："何故？"对曰："梁丘据入歌人虞④，变齐音。"

晏子退朝，命宗祝修礼而拘虞⑤。公闻之而怒，曰："何故而拘虞？"晏子曰："以新乐淫君。"公曰："诸侯之事，百官之政，寡人愿以请子。酒醴之味⑥，金石之声⑦，愿夫子无与焉⑧。夫乐⑨，何必夫故哉⑩？"对曰："夫乐亡而礼从之，礼亡而政从之，政亡而国从之。国衰，臣惧。君之逆政之行有歌。纣作北里⑪，幽、厉之声⑫，顾夫淫以鄙⑬，而偕亡⑭。君奚轻变夫故哉？"公曰："不幸有社稷之业⑮，不择言而出之，请受命矣。"

[注释]

①望羊：通"仿（páng）佯"，游荡无定的样子。或曰通"望洋"，仰视的样子。②奚故：何故。③夜发：整夜未眠。发，通"废"，未入睡。④梁丘据：复姓梁丘，名据，景公时的谄谀之臣。虞：人名，善歌舞之人。原文梁丘据后有"扃"字，据卢文弨校删。⑤宗祝：官名。⑥酒醴（lǐ）：甜美的酒。⑦金石：金，指钟；石，指磬。此处泛指乐器。⑧与：通"预"，干预。⑨乐：乐曲。此泛指音乐歌舞。⑩故：通"古"。⑪北里：一种淫靡的歌舞。⑫幽：指周幽王。厉：指周厉王。均为昏庸暴虐的君主。⑬顾：乃，就是。⑭偕：俱，同。⑮不幸：此处为幸运之意。

[译文]

有一次，晏子去上朝，只见朝堂中空空荡荡，只有杜扃一个人在那里走来走去。晏子问他："君主为什么不来上朝？"杜扃回答说："君主一夜未眠，不能上朝。"晏子又问："是什么原因让君主一夜未眠？"杜扃回答道："梁丘据向君主进献了一个名叫虞的能歌善舞的艺人，他改变了齐国古代的传统音乐，演奏他创作的新乐舞，使君主十分着迷，故而一夜未睡。"

晏子听罢，退出朝堂，命令宗祝立即拘捕了虞，以整顿礼法。景公闻讯后十分恼怒，责问晏子："为什么拘捕虞？"晏子答道："因为他用新创作的淫靡歌舞惑乱君主您的思想。"景公很不高兴地说："凡涉及与诸侯国交往的事情，以及官吏们施行的政事，我都愿意请你负责监管。至于我品尝美酒、欣赏音乐这类的琐事，希望先生不要干预。听音乐，看舞蹈，只是为了娱乐，何必非要听传统乐曲呢？"晏子回答说："（先王之乐和先王之礼有着密不可分的关系）先王所传的音乐如果衰亡了，那么先王所制定的礼仪必定随之而衰亡；先王的礼仪衰亡了，国家的政治就必然会随之而衰亡；国家的政治如果衰亡了，国家必然会随之而灭亡。为臣我非常害怕齐国灭亡啊！国君所实行的违背先王之礼的虐政，无不与违背先王之乐有密切关系。如商纣王曾喜好北里之歌舞，周厉王、周幽王也喜好淫靡的乐舞，这些都违背了先王的礼乐，因而他们全都灭亡了。您为什么还要轻易地改变先王的传统乐舞而采用新乐舞呢？"景公（听了晏子的这一番话，感到很惭愧，他道歉）说："我有幸能担当治理国家的大业，却随意说出不负责的话，我愿意接受您的指教。"

景公燕赏无功而罪有司晏子谏第七

景公燕赏于国内①，万钟者三，千钟者五，令三出而职计莫之从②。公怒，令免职计，令三出而士师莫之从③。公不说④。

晏子见，公谓晏子曰："寡人闻君国者，爱人则能利之⑤，恶人则能疏之⑥。今寡人爱人不能利，恶人不能疏，失君道矣。"

晏子曰："婴闻之，君正臣从谓之顺，君僻臣从谓之逆⑦。今君赏谀谄之臣，而令吏必从，则是使君失其道，臣失其守也⑧。先王之立爱，以劝善也；其立恶，以禁暴也。昔者三代之兴也⑨，利于国者爱之，害于国者恶之。故明所爱而贤良众，明所恶而邪僻灭，是以天下治平，百姓和集。及其衰也，行安简易，身安逸乐，顺于己者爱之，逆于己者恶之。故明所爱而邪僻繁，明所恶而贤良灭。离散百姓，危覆社稷。君上不度圣王之兴⑩，而下不观惰君之衰。臣惧君之逆政之行，有司不敢争⑪，以覆社稷，危宗庙。"

公曰："寡人不知也，请从士师之策。"

国内之禄，所收者三也⑫。

[注释]

①燕：通"宴"，拿酒饭招待人。②职计：官名，掌府库财物，颁发俸禄。③士师：官名，掌管法律与狱讼之事。④说（yuè）：通"悦"。⑤爱：喜爱。引申为奖赏。⑥恶（wù）：厌恶，憎恨。引申为惩罚。⑦僻：邪，不正。逆：倒，反。指与"顺"（正确）相反的方向。⑧守：职责。⑨三代：指夏、商、周三代。⑩度（duó）：衡量，计算。此处意为思考。⑪有司：官吏。此指主管官吏。⑫此句义不明了，可释为"分三次予以收回"，亦可释为"所收回的俸禄占总俸禄的三成"，言其多也。

[译文]

有一次，景公大摆宴席宣布奖赏国内大臣。赏给万钟俸禄的有三个宠臣，千钟俸禄的有五个宠臣。赏赐的命令多次下达，掌管颁发俸禄的职计却拒不执行。景公非常生气，下令罢免职计的官职，追究他违令之罪。命令下达多次，可是掌管执法的士师也不听从君命。为此，景公很不高兴。

晏子去见景公，景公对他讲述了这件事情，说道："据我所知，凡是掌握国家政权的君主，喜爱谁就能给谁赏赐，使他得到利益；

内篇谏上第一

厌恶谁就能对谁进行惩罚，使他远远离开。现在我喜欢谁却不能奖赏他，憎恶谁却不能处罚他，这分明是失去当君主的权威了。"

晏子听了景公的话，很严肃地对他说："我听说过这样的道理：君主处事公正，臣下服从命令，这样的君臣关系才符合正道；如果君主行为邪僻，臣下也服从命令，这样的君臣关系则违背了正道。现在君主您下令赏赐的分明是奸邪诡谀之臣，却非让主管官吏服从您的命令，这无疑是让君主失去做君主的正道，让臣下失去做臣下的职责了。先王明君所以要设立奖赏，是为了鼓励人们多行善事；所以要设立刑罚，是为了禁止人们从事暴行。从前夏、商、周三代兴盛的时候，凡是对国家有利的人，君主就喜爱他、奖赏他；凡是对国家有害的人，君主就厌恶他、惩罚他。因为君主能明察和奖赏贤良之人，贤良之人越聚越多；能明察和惩罚邪恶之人，所以邪恶之人大为减少。因此天下安定太平，百姓和谐团聚。等到夏、商、周三代衰落的时候，那些末代国君们无不是行为安于怠惰轻慢，身体安于放纵享乐；凡是能阿谀奉承的人就喜欢他、奖赏他；凡是敢于直言极谏而不顺从己意的人，就厌恶他、惩罚他。因为昏君明确喜爱和奖赏邪僻之人，做坏事的奸邪之人就越来越多；明确憎恶和惩罚贤良之人，愿意做品德贤良的人就越来越少。其结果是，百姓离心流散，国家危亡倾覆。现在君主您上不能思考圣王明君使国家兴盛的原因，下不能审察荒淫怠惰的国君使国家衰亡的教训。我非常担心当您实行暴政的时候，主管官吏们都不敢直言劝谏，那将会导致国家倾覆、宗庙危亡啊！"

景公听了晏子义正词严的劝谏，猛然醒悟，说道："我过去真不懂得这些道理呀，请按照士师掌握的原则去办吧。"

景公于是下令收回了一批邪僻之人的俸禄，其数量占到朝廷全部俸禄开支的三成。

景公信用谗佞赏罚失中晏子谏第八

景公信用谗佞①,赏无功,罚不辜②。晏子谏曰:"臣闻明君望圣人而信其教,不闻听谗佞以诛赏。今与左右相说颂也③,曰:'比死者勉为乐乎④!吾安能为仁而愈黥民耳矣⑤!'故内宠之妾,迫夺于国;外宠之臣,矫夺于鄙⑥;执法之吏,并荷百姓⑦。民愁苦约病⑧,而奸驱尤佚⑨,隐情奄恶⑩,蔽诒其上。故虽有至圣大贤,岂能胜若谗哉?是以忠臣之常有灾伤也。臣闻古者之士,可与得之,不可与失之;可与进之,不可与退之。臣请逃之矣。"遂鞭马而出。

公使韩子休追之,曰:"孤不仁⑪,不能顺教,以至此极。夫子休国焉而往⑫,寡人将从而后⑬。"

晏子遂鞭马而返。其仆曰:"向之去何速?今之返又何速?"晏子曰:"非子之所知也,公之言至矣。"

[注释]

①谗:说别人坏话。佞(nìng):花言巧语谄媚人。②不辜:无罪的人。辜,罪。③说颂:说,同"悦";颂,通"容"。意为逢迎取媚。④比死者:将死的人。⑤愈:较好,胜过。黥(qíng)民:受到脸上刺字之刑的人。或说"黥"当为"黔",黔民即黎民。⑥矫:假托。鄙:边远的地方。⑦荷:通"苛"。⑧约:困窘。⑨奸驱:奸猾之人。驱,通"渠"。佚:通"溢",过分,更甚。或释为安逸,放荡。⑩奄:同"掩"。⑪不仁:不仁德。或释为感觉迟钝、麻木不仁。⑫休国:弃国,离开朝廷。⑬而:汝,你。

[译文]

景公在朝廷里信任和重用善进谗言和阿谀媚上的人,经常对无功之人给以奖赏,对无罪之人予以惩罚。晏子规劝说:"我只听说英明的君主都仰慕古代的圣人而信服他们的教诲,却没有听说过他们听信谄媚奸邪之人的话而进行赏罚。现在您身边的宠臣争相逢迎谄媚,说什么:'人总是要死的,及时尽力寻欢作乐吧!我们哪能为了实行仁政而让自己过着仅比刑徒好一点的生活呢?'所以,后官的宠妾们倚仗权势,在都城里逼迫百姓、强取豪夺;朝廷里的宠臣们假传国君的命令,在都城之外肆意掠夺民脂民膏;执掌法令的官吏,对待百姓都非常苛刻。民众受着愁苦贫困的折磨,可是奸邪刻薄的官吏对民众的侵害却更变本加厉。他们隐匿百姓的真情,掩盖自身的罪恶,花言巧语蒙骗君主。所以即使有至圣大贤之人在世,又怎能胜过这些奸逸的大臣?这就是忠臣常常遭受灾祸的缘故啊!我还听说,古时候的有道之士,可以和有道的国君一起得天下、治天下,却不可以和无道之君一起失天下;国君有道则可以进而图治,国君无道则应当辞官退隐。请您允许我逃离危险之地吧。"说罢这番话,晏子便驾车策马离开朝堂。

　　景公自觉有错,急忙派韩子休追上晏子,传达景公的话说:"我迟钝愚昧,没有听从先生的教导,以致使朝政走到不好的境地。先生您若弃国而去,我将跟随在先生后面离开朝廷(即放弃国君之位)。"

　　晏子听后,知道景公有改悔之意,便又策马返回朝廷。他的车夫很不理解,问道:"刚才您离开朝廷时走得那样迅速,现在您返回朝廷为什么走得还是那么快呢?"晏子回答说:"这其中的道理不是你所能理解的。君主的话已经说到家了。"

景公爱嬖妾随其所欲晏子谏第九

　　翟王子羡臣于景公以重驾①,公观之而不说也。嬖人婴子欲观之②，公曰："及晏子寝病也③，居囷中台上以观之④。"婴子说之，因为之请曰："厚禄之。"公许诺。

晏子起病而见公，公曰："翟王子羡之驾，寡人甚说之，请使之示乎⑤？"

晏子曰："驾御之事，臣无职焉。"

公曰："寡人一乐之，是欲禄之以万钟⑥，其足乎？"

对曰："昔卫士东野之驾也⑦，公说之，婴子不说，公因不说，遂不观。今翟王子羡之驾也，公不说，婴子说，公因说之；为请，公许之。则是妇人为制也。且不乐治人而乐治马，不厚禄贤人而厚禄御夫。昔者先君桓公之地狭于今，修法治，广政教，以霸诸侯。今君一诸侯无能亲也，岁凶年饥，道途死者相望也。君不此忧耻⑧，而惟图耳目之乐；不修先君之功烈，而惟饰驾御之伎，则公不顾民而忘国甚矣。且《诗》曰：'载骖载驷，君子所届⑨。'夫驾八固非制也⑩，今又重此，其为非制也，不滋甚乎⑪？且君苟美乐之，国必众为之，田猎则不便⑫，道行致远则不可，然而用马数倍，此非御下之道也⑬。淫于耳目，不当民务⑭，此圣王之所禁也。君苟美乐之，诸侯必或效我⑮，君无厚德善政以被诸侯⑯，而易之以僻，此非所以子民⑰、彰名、致远、亲邻国之道也。且贤良废灭，孤寡不振⑱，而听嬖妾以禄御夫，以蓄怨，与民为雠之道也⑲。《诗》曰：'哲夫成城，哲妇倾城⑳。'今君不思成城之求，而惟倾城之务㉑，国之亡日至矣。君其图之㉒！"

公曰："善。"遂不复观，乃罢归翟王子羡，而疏嬖人婴子。

[注释]

①翟王子羡：翟王的儿子名羡。银雀山汉墓竹简之文作"翟王子羊"。重驾：银雀山汉墓竹简有"今夫驾六驾八，固非先王之制也"之文，知所谓"重驾"，如原六马驾车，则为十二匹马驾车；如原八马驾车，则为十六匹马

驾车。重（chóng）：重复，多。②嬖人：君主宠爱的人。婴子：景公之妾。③寝病：生病卧床不起。④囿（yòu）：古代国君蓄养动物的园林。⑤示：做出来给别人看。⑥禄之：赐给他俸禄。禄，古代官吏的薪俸。⑦卫士：卫国之士。东野：人之姓氏。⑧忧：忧虑。耻：羞耻。皆为意动用法。即"以……为忧"，"以……为耻"。⑨此诗句引自《诗经·小雅·采菽》。载：则。骖：一车驾三马。驷：一车驾四马。届：至，到。旧作"诫"，依王念孙说改。⑩非制：不合先王制度。⑪滋：益，更加。甚：超过，胜过。⑫田：同"畋"，打猎。⑬御下：治理臣民。⑭当：掌管，管理。⑮或：有人。⑯被：加于，施于。引申为影响。⑰子民：即爱民。或释为"爱民如子"。子，爱也。⑱振：通"赈"，救济。⑲雠（chóu）：同"仇"。⑳哲：聪明，有才智。倾城：同"倾国"，倾覆国家。㉑务：事。此处用如动词。㉒图：谋划，考虑。

[译文]

　　翟王的儿子翟羡因为有善于驾驭十六匹马拉车的特长，因而当上景公的臣下。起初，景公看了他驾车的样子并不喜欢。然而，景公的宠妾婴子听说后提出想要看看翟羡如何驾车。景公（害怕晏子知道此事，又要向他提意见）便说："等晏子生病卧床不来上朝的时候，你可以登上园林中的高台观看他驾车。"婴子（观看到翟羡驾驭着十六匹骏马拉着车子飞奔的情景）很高兴，于是替他请求道："应当赏给他优厚的俸禄。"景公答应了她的请求。

　　晏子病愈后上朝谒见景公。景公对晏子谈起翟羡驾车之事，说道："翟王的儿子翟羡驾车的技艺很高明，我很喜欢他，让他驾车演示给你看看好吗？"

　　晏子回答说："驾驭车马的事情，不在我的职权管理范围之内（我没有必要看他表演）。"

　　景公又说："我看他驾车真是一种快乐的享受，想要赏给他万钟俸禄，你看这数量够不够？"

　　晏子回答说："过去有位姓东野的卫国人，很善于驾驭马车，您原本很喜欢他，可是因为婴子不喜欢，于是您也就不喜欢他，也不再看他驾车。现在翟王的儿子翟羡驾车，您原本不喜欢，可是因为婴子喜欢，于是您也跟着喜欢了。婴子替他请求给予优厚的俸禄，您也答应了。您这样做，岂不是身为国君反而要受妇人的指使和控制吗？况且身为国君不关注治理国家和人民，反而喜欢看人调教马匹；不给贤德之人以优厚的待遇，却给驾车的人优厚俸禄，（您这样做合适吗？）从前先君桓公当政时，领土比现在狭小，但他能整顿法治，广行善政，教化民众，因而能称霸于诸侯。现在您当政，连一个诸侯都不来亲附；国内收成不好，民间闹饥荒，饿死的人弃于道路，随处可见。您身为国君不因此而忧愁，不因此而羞耻，只顾满足自己耳目观赏的欢乐；不去继承和发扬先君的功业，而只是讲求驾驭车马的雕虫小技。您这样不顾民众的死活，忘记国家的安危，做得太过分了吧！据《诗经》上说：'有的三匹马驾着车，有的四匹马驾着车，诸侯们乘车来到了。'可见用八匹马驾车本来就不符合先王的制度，现在又用十六匹马驾车，比八匹的数额又增加了一倍，这岂不是更不符合先王的制度吗？况且一国之君如果以此为美，以此为乐，在您的影响和带动下，国内必定会有很多人效仿，也去这样做。可是，用十六匹马驾车去打猎是很不方便的，就是在道路上行走也很不便，想走远路更是不可能的。用的马匹多了几倍，（这种违背先王制度的做法）决不是治理臣民的办法啊！国君过分追求耳目声色之乐，不认真妥善地处理民众的事务，乃是古代圣君严格禁止的行为。国君您如果以此为美，以此为乐，诸侯中一定有人会效法我们。您不能用高尚的道德和良好的施政为他们做表率，却用邪僻的行为影响他们，这绝不是关爱民众、彰显名声、使远方诸侯归附、使邻国与我亲近的办法呀。况且，不任用贤德之人，不救助贫弱孤寡，却听从宠妾之言，厚赏赶车之人，只会积聚和加深民众对国君的怨恨，这分明是与民众为敌的行为。《诗经》上曾说：'男子聪明可以使国家稳固，女子聪明却能使国家倾覆。'现在您不考虑用什么办法使国家稳固，却只做使国家倾覆的事情，这样下去，国家灭亡的日子就快来临了。希望您对这些问题一定要认真地予以思考和谋划！"

景公听了晏子的劝谏连连点头说道："您说得很好，很对。"于是不再观看驾车表演，罢黜了翟王的儿子翟羡，而且疏远了昔日的宠妾婴子。

景公敕五子之傅而失言晏子谏第十

景公有男子五人①，所使傅之者②，皆有车百乘者也，晏子为一焉。

公召其傅曰："勉之！将以而所傅为子③。"

及晏子④，晏子辞曰⑤："君命其臣，据其肩以尽其力⑥，臣敢不勉乎！今有车百乘之家⑦，此一国之权臣也。人人以君命命之曰：'将以而所傅为子。'此离树别党⑧，倾国之道也。婴不敢受命，愿君图之！"

[注释]

①男子：男性孩子，即儿子。当时景公有儿子五人，其末子尚未出生。②傅：辅佐。引申为老师。此处用作动词，可释为"当老师"。③而：汝，你。子：此指太子，即君位继承人。④及：至，轮到。⑤辞：推辞，辞谢，谢绝。⑥据：凭借，依据。其：与上句"其"字同义，皆指儿子的老师。肩：担当。引申为担负的能力。⑦车百乘：一百辆四马拉的车。家：此指古代大夫的家族。⑧离：分离，分裂。树：立。党：此指朋党。

[译文]

景公有五个儿子，聘请当他们老师的人，都是家中拥有百辆马车的大夫，晏子就是其中的一位。

景公分别单独召见这些老师，对他们都说同样的话："请你努力辅佐我的儿子，我将把你所教导的儿子立为太子。"

轮到召见晏子时，景公也说了上述的话，晏子辞谢道："君主命令您的臣下，要发挥自己能担负的全部能力，尽到辅佐的责任。做臣下的怎敢不尽心尽力呢？但是，当今拥有一百辆车驾的大夫们，都是国内很有权势的大臣，如果他们都用您这样的命令去命令他们儿子的老师，说什么'将把你教导的儿子立为世子'，这样做的结果必然会破坏礼制所规定的继承制度，造成诸子之间的争斗、家族内部的分裂，使各个儿子与辅佐他的大夫家族结成朋党，这乃是造成国家混乱倾覆的做法啊！所以我不敢接受您这样的命令，请您认真考虑这件事情。"

景公欲废适子阳生而立荼晏子谏第十一

淳于人纳女于景公①，生孺子荼②，景公爱之。诸臣谋欲废公子阳生而立荼③，公以告晏子。

晏子曰："不可。夫以贱匹贵④，国之害也；置大立小⑤，乱之本也。夫阳生长而国人戴之⑥，君其勿易！夫服位有等⑦，故贱不陵贵⑧；立子有礼⑨，故孽不乱宗⑩。愿君教荼以礼，而勿陷于邪；导之以义，而勿湛于利⑪。长少行其道，宗孽得其伦⑫，夫阳生敢毋使荼餍粱肉之味，玩金石之声而有患乎！废长立少，不可以教下；尊孽卑宗，不可以利所爱。长少无等，宗孽无别，是设贼树奸之本也。君其图之！古之明君，非不知繁乐也，以为乐淫则哀；非不知立爱也，以为义失则忧。是故制乐以节，立子以道。若夫偖谀以事君者，不足以责信⑬。今君用逸人之谋，听乱夫之言也，废长立少，臣恐后人之有因君之过以资其邪，废少而立长以成其利者。君其图之!"公不听。

景公没,田氏杀君荼立阳生⑭,杀阳生⑮立简公,杀简公而取齐国⑯。

[注释]

①淳于:国名,位于今山东安丘市东北。②孺子:小孩子。荼(tú):景公之第六子。③阳生:景公长子,即后来的齐悼公。④匹:相敌,对等。⑤置:废,弃。⑥戴:爱戴,拥护。⑦服位:职务地位。⑧陵:超越,凌驾。⑨立子有礼:按照礼制的规定,应当立嫡长子为太子。⑩孽(niè):庶子,妾所生的儿子。宗:嫡子,正妻所生的儿子。⑪湛(chén):通"沉",沉溺。⑫伦:理,指处理人与人之间关系的准则。⑬责:要求。信:诚信。⑭田氏:此指齐国大夫田乞。⑮杀阳生:鲍氏杀死阳生,齐人立其子壬,是为简公。⑯取齐国:田乞之子田常杀死简公,立平公,专齐国之政。后田常曾孙田和废齐康公,立为诸侯。从此田齐取代了姜齐,故云"取齐国"。

[译文]

淳于国人献美女给景公为妾,生了幼子,起名为荼,深得景公喜爱。一些大臣与景公谋划,要废掉公子阳生而立荼为太子。景公将此事告诉晏子。

晏子对景公说:"不可以这样做。让地位低贱的人与地位尊贵的人相等同,将会酿成国家的祸害。废掉长子而立少子,乃是国家产生动乱的根源。阳生在诸子中为长子,而且国人都爱戴他,请您还是不要改换太子吧!(按照礼制的规定)人们的职务地位本来就有高低贵贱的等级,所以决不允许地位低贱的凌驾于地位尊贵的人之上。关于设立太子之事礼制有明确的规定,所以庶子不可以和嫡子地位错乱。希望您用礼法制度教导孺子荼,不要让他陷于非礼的邪行中去;要用道义教导他,不要让他沉溺于名利之中。年长的和年幼的都按照礼的原则行事,嫡子和庶子都遵循伦理的规范,那么,(阳生虽然继承了君位)又怎敢不让其幼弟荼享用美味膳食,欣赏动听的音乐,而让他遭受祸害呢!废长立幼、废嫡立庶的做法不可以教育臣下；尊崇庶子、卑抑嫡子的做法并不能使您所爱的人得到好处。相反地，年长的与年幼的不分等次，嫡子与庶子不加区别，这乃是产生动乱和奸贼的根源。请您认真地考虑这件事情！古代圣明的君主并不是不知道把音乐搞得华丽动听，但他们明白，音乐过度华丽则会（影响政治的清明）乐极而生悲；他们并不是不晓得把自己喜爱的儿子立为太子，但他们知道如果违背了道义必定会招来忧患。所以，创作音乐要用礼来节制，立太子要符合礼制。像那些靠着花言巧语阿谀奉承侍奉君主的人，（只会投君主之所好，随机应变）是不能要求他们讲诚信的。现在您采用奸谗之人的主意，听信扰乱朝政之人的言论，废长子而立幼子为太子，我担心以后会有人利用您的过错以帮助实现他的邪行，做出废幼子立长子的事情，以实现自己的私利。请您认真考虑此事！"景公不听晏子的劝谏。

（齐国后来发生的事情，果然不出晏子的预料）景公死后，田乞杀死国君荼，立长子阳生为国君（是为悼公）。后来鲍子杀死阳生，齐人立其子壬（是为简公）。田常又杀死简公（立简公之弟骜，是为平公）。最终（田常的曾孙田和废掉齐康公，自立为诸侯，是为齐太公）田氏夺取了姜氏的政权，姜姓齐国变为田姓齐国。

景公病久不愈欲诛祝史以谢晏子谏第十二

景公疥且疟①，期年不已。召会谴、梁丘据、晏子而问焉②，曰："寡人之病病矣③！使史固与祝佗巡山川宗庙④，牺牲珪璧莫不备具⑤，其数常多于先君桓公，桓公一则寡人再⑥。病不已⑦，滋甚。予欲杀二子者以说于上帝⑧，其可乎？"会谴、梁丘据曰："可。"晏子不对。公曰："晏子何如？"晏子曰："君以祝为有益乎？"公曰："然"。

晏子免冠曰："若以为有益，则诅亦有损也。君疏辅而远拂⑨，忠臣拥塞，谏言不出。臣闻之，近臣默，远臣喑⑩，众口铄金⑪。今自聊、摄以东⑫，姑、尤以西者⑬，此其人民众矣。百姓之咎怨诽谤，诅君于上帝者多矣。一国诅，两人祝，虽善祝者不能胜也。且夫祝直言情则谤吾君也，隐匿过则欺上帝也。上帝神，则不可欺⑭；上帝不神，祝亦无益。愿君察之也。不然，刑无罪，夏商所以灭也。"公曰："善解予惑，加冠！"

命会谴毋治齐国之政，梁丘据毋治宾客之事，兼属之乎晏子⑮。晏子辞，不得命⑯，受。相退⑰，把政⑱。改月而君病悛⑲。

公曰："昔吾先君桓公以管子为有力⑳，邑狐与谷㉑，以共宗庙之鲜㉒。赐其忠臣，则是多忠臣者㉓。子今忠臣也，寡人请赐子州款㉔。"辞曰："管子有一美，婴不如也㉕；有一恶，婴不忍为也，其宗庙之养鲜也。"终辞而不受。

[注释]

①疥（jiè）：疥疮，疥虫引起的传染性皮肤病。疟（nüè）：疟疾，由疟原虫引起的寄生虫病。②会谴：人名，姓会名谴。③病病：前一"病"作"疾病"解，后一"病"作"病加重"解。④史固：史是官职，掌管祭祀和记事；固是人名。祝佗：祝是官职，掌管祭祀和祝祷；佗是人名。⑤牺牲：古时祭祀用牲的通称，如牛、羊、猪之类。珪：同"圭"，上尖下方的长条形玉器。璧：平圆形正中有圆孔的玉器。⑥再：二。⑦已：止。⑧予：我。说：通"悦"，此处意为"取悦"。⑨辅：辅佐。拂：通"弼"，辅佐。⑩喑（yīn）：哑。引申为闭口不言。⑪众口铄（shuò）金：众口一词，足以熔化金属。比喻谣言多，可以混淆是非。铄，熔化，销毁。⑫聊、摄：均为地名，位于齐国西部边界。⑬姑、尤：均为河流名，流经齐国东部边界而入海。⑭神：精神。引申为灵验。⑮属：归……管辖。⑯不得命：没有得到批准。⑰相退：相与俱退，一同让出职务。⑱把政：执政。⑲改月：过了一月。改，变更。悛（quān）：改过。此指病情转好。⑳有力：有功。㉑邑：此处用作动词，意为

赐予食邑。狐、谷：均为齐国邑名。㉒鲜：指新鲜的鱼和肉。㉓多：嘉奖，赞美。㉔州款：齐国地名。㉕一：语助词。

[译文]

景公生了疥疮，又得了疟疾，医治一年也未见好转，于是召见会谴、梁丘据和晏子三位大臣，问他们道："我的病越来越重了，我派遣史官固和祝官佗去祭祀山川之神和祖宗神灵，所用的牛、羊、猪和圭璧等祀品都很齐备，一样也不少；祭品的数量比先君桓公用得还要多，桓公用一份，我则用两份。可是我的病却不见好，而且越来越重。我想杀掉这两个人用作祭品，以使上帝高兴，这样做是否会使病好得快些？"会谴和梁丘据迎合景公的意思，都说："可以这样做。"晏子没有说话。景公问道："晏子你的意见如何？"晏子反问道："您认为祈祷上帝有好处没有？"景公说："当然有好处。"

晏子脱下官帽（表示宁可丢官也要直言劝谏）说道："如果您认为向上帝祈祷会有好处，那么向上帝诅咒他人也会对人造成损害。（现在的情况是）您平时疏远那些诚心诚意辅佐朝政的臣子，使得忠臣进用之路被阻塞，直言劝谏的话也没有人再说。我听前人说过，如果君主亲信的大臣都默不作声，那么关系疏远的大臣更会闭口不言，君主听到的都是些阿谀奉承混淆是非的话，那么正确的意见也就不会被采纳了。现在齐国从西部边界聊、摄以东直到东部边界姑水、尤水以西，广阔的土地上生活着很多民众。老百姓中怨恨您、批评您，向上帝诅咒您的人很多很多。全国民众都诅咒您，只有两个人为您祈祷祝福，即使是最善于祝祷的人也敌不过众多诅咒您的人。况且祝祷的官员如果直言不讳地向上帝讲述实情，一定会被认为是诽谤我们的君主；如果向上帝隐瞒您的过错，那就是欺骗上帝。如果上帝真的灵验，那就一定不可以欺骗他；如果上帝并不灵验，那么再祈祷也没有用处。希望您能明察这些道理。否则，您杀死（像史固、祝佗这样）无罪的人，这正是夏、商暴君滥杀无辜的做法，必然导致国家灭亡啊！"景公听后猛然醒悟，说道："您的一番话很好地解除了我的疑惑，请您戴上官帽吧！"

于是景公下令，会谴不要再管理齐国的内政，梁丘据也不要再管理接待诸侯宾客等外交事务，将齐国的内外事务都交由晏子掌管。晏子辞谢不受，但景公不答应，他只得接受了执政的任务。会谴、梁丘据一同让出了职务，晏子执掌朝政。过了一个月，景公的病情明显好转。

景公很有感慨地对晏子说："从前我的先君桓公认为管仲对国家很有功劳，赏赐给他狐邑和谷邑作为食邑封地，让他能用食邑中收获的米粮和牲畜作为祖庙祭祀的供物。赏赐忠臣，就是对忠臣的嘉奖和赞美。现在您就是国家的忠臣，请让我把州款赐给您作为食邑。"晏子辞谢说："管子有很多美德，我比不上他；管子也有缺点，如他为了供奉祖先竟然饲养许多禽兽作祭祀用，我不忍心那样去做。"最终谢绝了景公的赐邑而没有接受。

景公怒封人之祝不逊晏子谏第十三

景公游于麦丘①，问其封人曰②："年几何矣？"对曰："鄙人之年八十五矣③。"公曰："寿哉！子其祝我！"封人曰："使君之年长于胡④，宜国家⑤。"公曰："善哉！子其复之。"封人曰："使君之嗣⑥，寿皆若鄙人之年。"公曰："善哉！子其复之。"封人曰："使君无得罪于民。"公曰："诚有民得罪于君则可，安有君得罪于民者乎？"

晏子谏曰："君过矣。彼疏者有罪，戚者治之⑦；贱者有罪，贵者治之；君得罪于民，谁将治之？敢问：桀、纣，君诛乎？民诛乎？"公曰："寡人固也⑧。"于是赐封人麦丘以为邑。

[注释]

①麦丘：齐国地名。②封人：管理边疆事务的官吏。此处指麦丘之邑人，并非官名。③鄙人：鄙陋庸俗之人，用作对自己的谦称。④胡：指齐国先君胡公静，因其长寿而执政久，故以为祝辞。⑤宜：适合，和顺，有利。⑥嗣：儿子，子孙；继承人。⑦戚：亲近。⑧固：鄙陋，见识浅薄。

[译文]

景公带着大臣在国内巡游，到了麦丘，遇到邑中一位老者，景公问道："你年纪多大了？"邑人回答说："鄙人已经八十五岁了。"（习惯认为能得到老人的祝愿是吉祥的事）景公说："真长寿啊！请你对我说些祝愿的话吧。"邑人说："让您的寿命比齐国先君胡公静还长！这样可以为国家多做有利的事。"景公说："说得真好，你再说些祝愿的话吧。"邑人说："让您的子孙们也都能活到像我这么大的年纪。"景公听得很高兴，又说："说得好啊！你再说些祝愿的话吧。"邑人说："让国君您不要得罪老百姓。"景公听了觉得很诧异，说道："我只知道确实有老百姓得罪君主的事，哪里有君主得罪老百姓的事情呢？"

晏子听到景公说出这种话来，便上前批评道："君主您错了。（无论什么人有罪，都要受到处罚）那些家族中亲属关系疏远的人有罪，便由亲近的人处治他们；社会地位卑贱的人有罪，便由尊贵的人处治他们；那么，君主得罪了老百姓，该由谁处治他呢？我大胆地问一问：夏桀、商纣王这些有罪的君主，是被君主诛杀的，还是被老百姓诛杀的呢？"景公听了恍然大悟，说道："是我思想闭塞，见识浅薄啊。"于是下令把麦丘赐给邑人作食邑（当做对他提出宝贵意见的奖励）。

景公欲使楚巫致五帝以明德晏子谏第十四

楚巫微道裔款以见景公①，侍坐三日②，景公说之。楚巫曰："公明神之主，帝王之君也。公即位十有七年矣，事未大济者③，明神未至也。请致五帝④，以明君德。"景公再拜稽首。楚巫曰："请巡国郊以观帝位⑤。"至于牛山而不敢登⑥，曰："五帝之位在于国南，请斋而后登之⑦。"公命百官供斋具于楚巫之所，裔款视事⑧。

晏子闻之而见于公曰："公令楚巫斋牛山乎？"公曰："然。致五帝以明寡人之德，神将降福于寡人，其有所济乎！"

晏子曰："君之言过矣！古之王者，德厚足以安世，行广足以容众。诸侯戴之，以为君长；百姓归之，以为父母。是故天地四时，和而不失；星辰日月，顺而不乱。德厚行广，配天象时⑨，然后为帝王之君，明神之主。古者不慢行而繁祭⑩，不轻身而恃巫⑪。今政乱而行僻，而求五帝之明德也；弃贤而用巫，而求帝王之在身也。夫民不苟德，福不苟降，君之帝王，不亦难乎？惜夫君位之高，所论之卑也。"

公曰："裔款以楚巫命寡人曰：'试尝见而观焉。'寡人见而说之，信其道，行其言。今夫子讥之⑫，请逐楚巫而拘裔款。"

晏子曰："楚巫不可出。"公曰："何故？"对曰："楚巫出，诸侯必或受之。公信之以过于内，不知⑬；出以易诸侯于外⑭，不仁。请东楚巫而拘裔款⑮。"公曰："诺。"故曰送楚巫于东⑯，而拘裔款于国也。

[注释]

①楚巫微：楚国的巫师名叫微。道：由。旧作"导"，王念孙谓当作

"道",据改。裔款:景公的宠臣。②侍坐:卑者陪尊者坐。③济:成功。④五帝:有几种说法,一说指伏羲、神农、黄帝、少昊、颛顼;一说指黄帝、颛顼、帝喾、尧、舜;一说指五方之帝。⑤国:国都。郊:国都外的地域,犹今所谓郊区。⑥牛山:山名,位于今山东临淄南部。⑦斋:斋戒。古人在祭祀或举行典礼前沐浴素食、洁身清心以示庄敬。⑧视事:治事,处理事务。⑨配天:德配于天。象时:遵循四季运行规律。象,法。⑩慢行:行为怠慢。繁祭:祭祀频繁。⑪轻身:轻视、放弃自身的努力。⑫讥:非议,谴责。⑬知:同"智"。⑭易:轻信。引申为迷惑。⑮东:用作动词,迁到东方。拘:逮捕,拘禁。⑯"曰"字义不可通。或以为衍文当删,或以为"即"字之误,或以为"日"字之误。

[译文]

楚国有一个名叫微的巫师(据说他能与上帝通话),由佞臣裔款将他推荐给景公。他陪伴景公三天,(大谈神鬼灵验和他法术的高明)深得景公的欢心。楚巫对景公说:"您本是一位英明神圣的君主,是和古代五帝三王一样的国君,可是您在位已经十七年了,国家的治理却没有取得大成就,这是因为神明没有来帮助您。我可以请来五帝的神灵,帮助彰显您的德行。"景公听了十分欣喜,接连拜谢叩头。楚巫说:"请让我到都城郊外巡视一番,以便观察五帝之神所在的方位。"他巡视到都城南面的牛山脚下,可是却不敢登上去。他对景公说:"五帝之神的方位就在国都南面(的牛山上),我需要斋戒以后方敢登山祭请。"景公于是命令百官准备好斋戒所用的物品,送到楚巫的住所,让裔款负责斋戒、祭祀等事务。

晏子听到这件事后,便去谒见景公,说道:"您让楚巫在牛山那里斋戒吗?"景公答道:"是我让他这样做的,我想请来五帝的神灵帮助我彰明德行,神灵将降福于我,那将对我的事业大有帮助啊!"

晏子说:"君主您的话大错特错了!古代称王称帝的人,都是道德淳厚,能够使社会安定;德行广博,能够接纳广大民众。诸侯们都拥戴他，尊奉为君长；百姓们都归附他，称之为父母。因此，天地四时运行和谐，不失次序；日月星辰顺应规律，不乱秩序。他们道德淳厚，品行广博，能与上帝相匹配，与四时相符合，然后才成为五帝三王那样的君主，成为英明神圣的国君。古时候的君主治理国事都不敢怠慢，祭祀天地鬼神都不频繁，都不放弃自身的努力而去依赖巫师的祈祷。现在朝廷的政事混乱，行事不正，却想祈求五帝神灵彰显德行；抛弃贤人，信用巫师，却想祈求使自己变成像五帝那样的圣君（这是不可能的）。要知道，民众是不会无缘无故地感激君主，神明也不会随随便便地把福气降临至君主身上。君主您想成为圣明的帝王恐怕很难实现吧！可惜您虽然身居国君高位，说出的话却水准很低。"

景公说："是裔款把楚巫推荐给我，说：'不妨见见他，看看他的话有无道理。'我见了他，很喜欢他，相信了他的法术，就按照他的话做了。现在先生谴责这件事情，（使我明白了这种做法很荒谬）请让我驱逐楚巫，拘禁裔款（以挽回不好的影响）。"

晏子说："楚巫不可以驱逐出国。"景公问道："这是为什么呢？"晏子回答说："如果将楚巫驱逐出国，其他诸侯就会有人收留他。您因为听信他的话而在齐国做出错事，这是不聪明的表现；如果将他驱逐出境，使别的诸侯国君受他迷惑，也做出错事，这是不仁德的行为。请您把楚巫遣送到东方海边，把裔款拘捕起来吧。"景公答应了晏子的请求，当即把楚巫发送到东海之滨，同时把裔款拘禁在都城之内。

景公欲祠灵山河伯以祷雨晏子谏第十五

齐大旱逾时[①]，景公召群臣问曰："天不雨久矣，民且有饥色②。吾使人卜，云祟在高山广水③。寡人欲少赋敛以祠灵山④，可乎？"群臣莫对。晏子进曰："不可。祠此无益也。夫灵山固以石为身，以草木为发。天久不雨，发将焦，身将热。彼独不欲雨乎？祠之无益。"

公曰："不然⑤，吾欲祠河伯⑥，可乎？"晏子曰："不可。河伯以水为国，以鱼鳖为民。天久不雨，水泉将下，百川将竭，国将亡，民将灭矣。彼独不欲雨乎？祠之何益？"

景公曰："今为之奈何？"晏子曰："君诚避宫殿暴露，与灵山、河伯共忧，其幸而雨乎！"

于是景公出野暴露，三日，天果大雨，民尽得种时⑦。景公曰："善哉，晏子之言！可无用乎？其维有德⑧。"

[注释]

①逾时：超过播种季节。②且：将要。③祟（suì）：古人想象中的鬼怪，或者是鬼怪出而祸人。引申为灾祸。④祠（cí）：祭祀。⑤不然：不这样，这样不行。⑥河伯：河神。⑦时：通"莳"（shì），种植。⑧维：语气词，无实义。

[译文]

有一年春天，齐国遇上大旱，已经过了播种季节仍未下雨。景公召集群臣商议此事，问道："天不下雨已经很长时间了，百姓（在这青黄不接的时候）快要显出饥饿不支的样子了。我让人去占卜（问一问天不下雨的原因是什么），占卜的人说是由于高山和大河的神灵作怪，降此灾祸。我想向老百姓稍微征收一些赋税，用这些钱财祭祀山神，可以不可以？"大臣们无人回答。晏子上前回答说："不可以这样做。祭山神没有好处。灵山本来是用石头作它的身躯，用草木作它的毛发。天久不下雨，它的'毛发'将被晒焦，'身躯'将被晒得炽热。难道它就不愿意下雨吗？所以说祭祀灵山没有用处。"

景公又说:"如果不祭祀灵山,我想祭祀河神,这样做可以吗?"晏子回答说:"也不可以。河神把水域作为自己的国家,把鱼鳖作为自己的百姓。天久不下雨,源泉水位将会下降,大小河流将会枯竭,它的'国家'将要灭亡,它的'百姓'将要绝灭。难道河神就不盼望下雨吗?所以,祭祀它也没有用处。"

景公说:"那么现在究竟应该怎么办?"晏子说:"如果您能够离开宫殿,置身于露天之下,与灵山、河神共忧患,或许能幸运地降下雨吧!"

景公接受了晏子的规劝,于是迁出宫殿,住到野外露天之下。过了三天,果然下了大雨,农民们都得以完成播种工作。景公很有感触地说:"晏子说的话真对真好!怎么可以不按他说的办呢?他真是为国家立了功德啊!"

景公贪长有国之乐晏子谏第十六

景公观于淄上①,与晏子闲立。公喟然叹曰②:"呜呼③!使国可长保而传于子孙,岂不乐哉?"

晏子对曰:"婴闻明王不徒立④,百姓不虚至⑤。今君以政乱国,以行弃民久矣,而欲保之,不亦难乎!婴闻之,能长保国者,能终善者也⑥。诸侯并立,能终善者为长;列士并学⑦,能终善者为师。昔先君桓公,方任贤而赞德之时,亡国恃以存⑧,危国仰以安⑨,是以民乐其政而世高其德。行远征暴,劳者不疾⑩;驱海内使朝天子⑪,而诸侯不怨。当是时也,盛君之行不能进焉⑫。及其卒而衰,怠于德而并于乐⑬,身溺于妇侍,而谋因于竖刁⑭,是以民苦其政,而世非其行。故身死乎胡宫而不举⑮,虫出而不收⑯。当是时也,桀、纣之卒不能恶焉。《诗》

曰：'靡不有初，鲜克有终[17]。'不能终善者，不遂其君[18]。今君临民若寇仇[19]，见善若避热，乱政而危贤，必逆于众。肆欲于民而虐诛于下[20]，恐及于身[21]。婴之年老，不能待君使矣。行不能革[22]，则持节以没世耳[23]。"

[注释]

①旧作"将观于淄上"，王念孙谓"将"字后人所加，当删。淄上：淄水岸上。②喟（kuì）：叹息。③呜呼：叹词。④徒：空，白白地。引申为无所作为。立：当，担任。指担任君王之位。⑤虚：空，平白无故。至：到，来。引申为归附。⑥终：此为从始至终之意。⑦列士：犹言诸士，指众多的读书人。并学：共同学习。⑧恃：依靠，凭借。⑨仰：仰仗，依仗。⑩疾：痛苦。或释为"憎恨"。⑪驱：驱策，驱使，此处当"号令"讲。海内：全国。此指全国诸侯而言。⑫进：超过。⑬怠：懈怠。并：竞，争相。⑭竖刁："竖"即内竖，宦官；"刁"为名字。齐桓公时的宦官，有宠。⑮不举：不发丧。⑯虫出：尸体腐败生虫，爬出门外。⑰此句引自《诗经·大雅·荡》。靡不：无不，没有谁不是，往往都是。初：开始。此指好的开始。鲜：少。克：能。终：结束。此指好的结局。⑱遂：终，竟。⑲临：居高向下。引申为治理。⑳虐诛：旧作"诛虐"，据王念孙说改。㉑及：至。㉒革：改变。㉓持节：把握节度，有所节制。没世：终此一生。

[译文]

有一次景公与晏子到淄水边游玩，二人悠闲地站在岸边观赏美景，（面对大好河山）景公长叹一声说："唉！假如我能长久保有国家，并能传给子孙后代，岂不是很高兴的事情吗？"

晏子回答说："我听说，英明的国王不是毫无作为就可以随便担当的，老百姓也不会平白无故就来归附的。现在国君您所施行的政令导致了国家的混乱，您的所作所为抛弃老百姓也有很长时间了，您还想保有国家，恐怕是很难做到了！我听说，能长久保有国家的人，是能始终行善的人。当今各诸侯并存于世，只有始终实行善政的人才能当上霸主；犹如在众多读书人中，只有始终学习成绩优秀的人方能成为老师。从前我们的先君桓公，当他能够任用贤能之人、崇尚道德之时，即将灭亡的国家依靠他得以延续，面临危险的国家仰仗他才得以转危为安。因此人民拥护他的政令，世人推崇他的品德。他率军远行，征讨暴虐的诸侯，服役的士兵和国内百姓并不觉得痛苦；他号令诸侯们拥戴和朝见周天子，诸侯们并无怨言。那时候，古代所谓盛世君主的行为也不过如此。可是到了桓公晚年，政治衰微，道德荒怠，纵情享乐，沉溺于女色，政事谋划都依赖于竖刁等谄佞之人。因此人民在他治理下生活非常痛苦，世人都谴责他的荒诞行为。结果是，他死在胡宫里却无人为他发丧，尸体腐败蛆虫爬出门外也无人为他收殓。那种情景，就是夏桀、商纣王死亡的情形，也不会比他更悲惨了。《诗经》上说：'做事情人们往往会有良好的开始，但很少有人能坚持到底。'治理国家若不能始终如一地实行善政，也就不能始终坐稳君主的位置。现在您治理人民如同对待仇敌一般，凡是利国利民的好事您就像遇到火热一样避而远之，搞乱了政治，伤害了好人，也必然违背了民心。您肆意搜刮民财，残暴地诛杀无辜之人，恐怕灾祸就要临到您的身上了。我已经老了，不能供您驱使了。您的行为看来不可能有大的改变，如果能略加节制和收敛，或许在您有生之年还能保住君位。"

景公登牛山悲去国而死晏子谏第十七

景公游于牛山，北临其国城而流涕曰："若何滂滂去此而死乎^①？"艾孔、梁丘据皆从而泣，晏子独笑于旁。公刷涕而顾晏子^②，曰："寡人今日之游悲，孔与据皆从寡人而涕泣，子之独笑，何也？"

晏子对曰："使贤者常守之，则太公、桓公将常守之矣^③；

使勇者常守之，则灵公、庄公将常守之矣④。数君者将守之，则吾君安得此位而立焉？以其迭处之⑤，迭去之，至于君也。而独为之流涕，是不仁也。不仁之君见一，谄谀之臣见二⑥，此臣之所以独窃笑也。"

[注释]

①滂滂：气势盛大。②刷：擦拭。涕：眼泪。③太公：姓姜，吕氏，名望，一说字子牙。周代齐国始祖。有太公之称，俗称姜太公。④灵公：名环，庄公之父。⑤迭：更替，轮换。⑥见二：见到两个。

[译文]

景公与大臣们登上牛山游览，望见北面宏伟的齐国都城临淄，（想到自己虽然贵为国君，然而人生却很短暂，不能永享荣华富贵）不由得流下了眼泪，说："我为什么要抛下这强大雄伟的国家而死去呢？"艾孔和梁丘据（为了讨好景公）都陪着哭泣，只有晏子在一旁独自发笑。景公一面擦着眼泪，一面回头望着晏子，说："我今天到此游览，触发了心中的悲伤。艾孔和梁丘据理解我的心情，都陪着我哭泣，你却独自发笑，这是为什么呢？"

晏子回答说："（人总是要死的，哪里有长生不死的国君呢？）假使贤德的君主能长生不死，永远保有国家，那么像太公、桓公就应当永居君位；假使勇武的君主能长生不死，永远保有国家，那么像灵公、庄公就应当永在君位。如果那几位先君永远在位，国君您怎么能得到这个位置而被立为君主呢？就因为以前的那些国君交替地当君主，又交替地离开君位，这才轮到您当国君啊。（先君们都没有为此流泪）只有您（害怕离去）为此哭泣，（不愿君位一代一代传承下去）真是很缺乏仁德之心啊。今天我看到一位不仁德的君主，又看到两个善于阿谀谄媚的臣子，这就是我独自发笑的原因啊。"

景公游公阜一日有三过言晏子谏第十八

景公出游于公阜①,北面望,睹齐国,曰:"呜呼!使古而无死,何如?"晏子曰:"昔者上帝以人之死为善,仁者息焉,不仁者伏焉。若使古而无死,太公、丁公将有齐国②,桓、襄、文、武将皆相之③,君将戴笠衣褐,执铫耨,以蹲行畎亩之中④,孰暇患死?"公忿然作色,不说。

无几何,而梁丘据乘六马而来⑤。公曰:"是谁也⑥?"晏子曰:"据也。"公曰:"何以知之⑦?"曰:"大暑而疾驰,甚者马死,薄者马伤,非据孰敢为之?"公曰:"据与我和者夫⑧!"晏子曰:"此所谓同也⑨。所谓和者,君甘则臣酸,君淡则臣咸。今据也君甘亦甘⑩,所谓同也,安得为和?"公忿然作色,不说。

无几何,日暮,公西面望,睹彗星⑪,召伯常骞使禳去之⑫。晏子曰:"不可。此天教也。日月之气,风雨不时,彗星之出,天为民之乱见之,故诏之妖祥⑬,以戒不敬。今君若设文而受谏⑭,谒圣贤人,虽不去彗,星将自亡。今君嗜酒而并于乐,政不饰而宽于小人⑮,近谗好优⑯,恶文而疏圣贤人,何暇去彗?茀又将见矣⑰!"公忿然作色,不说。

及晏子卒,公出屏而泣⑱,曰:"呜呼!昔者从夫子而游公阜,夫子一日而三责我,今谁责寡人哉?"

[注释]

①公阜:齐国地名。②丁公:太公之子,名伋。③相:官名。辅佐国君执政的最高行政长官。战国后称丞相、相国,通称宰相。④畎(quǎn)亩:田地。⑤乘:旧作"御",依孙星衍说改。⑥是:此,这个人。⑦何以知之:此句旧作"何如",据王念孙说改。⑧和:和谐。⑨同:指喜好相同。⑩君甘

亦甘：旧作"甘君亦甘"，据王念孙说改。⑪彗星：是绕太阳运行的一种天体，俗称扫帚星。古人迷信，称为"妖星"，认为彗星出现是灾祸的预兆。⑫伯常骞：字伯常，名骞。禳（ráng）：祭祷消除灾害。⑬妖祥：妖指凶兆，祥指吉兆，此处单指凶兆。⑭设文：修治文德。⑮饰：整治。⑯优：优伶，倡优，古代以乐舞戏谑为业的艺人。⑰芓：通"孛"，彗星的别称。⑱屏：宫门当门的小墙。旧作"背"，据王念孙说改。

[译文]

景公与大臣们到公阜去游玩，向北瞭望，看到了齐国的都城，他说："啊！假使自古以来人都不会死，那会是什么情形呢？"晏子回答说："从前上帝让人有生就有死，认为这是有益的事情，因为仁德的人为国为民操劳一生，到时候就应当让他休息了；不仁德的人干了不少坏事，到时候就应当将他埋在地下，让他不能再为非作歹。假使从有人类开始都不死亡，您的祖先太公、丁公就将永远掌管齐国大权，而桓公、襄公、文公、武公也都永远活着做他们的相，那么今天您只能戴着斗笠，穿着粗布衣服，手持锄头、耙子等农具，蹲在农田中劳作，哪里还有工夫忧虑死亡的事情呢？"景公听了非常气愤，脸色大变，心中很不高兴。

过了一会儿，梁丘据乘坐着六匹马拉的车从远处奔驰而来。景公问身边大臣："来的那个人是谁呀？"晏子回答说："是梁丘据。"景公说："您怎么知道是他？"晏子说："在这大暑酷热的天气里，却敢赶着马奔跑，重者马会累死，轻者马也会受伤。如果不是梁丘据，谁敢这么干？"景公听到晏子指责梁丘据，便辩解说："梁丘据和我相处得很和谐啊！"晏子反驳说："您和他的关系只能称之为爱好相同，而不能称之为和谐。所谓和谐，是指要善于让您发扬优点克服缺点，就如同善于调和味道的厨师，君主的味道过甜，臣下就应该给加些酸味；君主的味道过淡，臣下就应该给加些咸味，这样才能调出美味来，这才是真正的和谐。现在梁丘据的做法是，君主喜欢甜的,他就甜上加甜,这叫做气味相同,怎么能称得上是和谐呢?"景公听了晏子的逆耳之言,心中愤愤不平,显出一脸不高兴的样子。

过不多时,日落西山,天色渐暗。景公仰望西方天空,看到彗星掠过长空,便召来伯常骞,让他祭祷以消除灾害。晏子制止说:"不可以这样做。这是上帝在告诫人们啊。太阳周围出现日晕、月亮周围出现月晕,风雨失调,彗星出现,乃是上帝看到人间社会出现混乱现象,才显示出这些不祥的征兆以警示当政者。现在国君您如果能修治文德,虚心纳谏,访求任用贤德之人,即使不祭祷去除彗星,彗星也会自行消失。可是您现在的做法是,嗜酒成性,纵情作乐,不理朝政,纵容小人,亲近佞臣,喜好倡优,厌恶文德,疏远贤人,在这种情况下,旧的彗星还没有来得及消除,新的彗星又将出现了!"景公听了怒形于色,心中很不高兴。

等到晏子死后,景公从屏门中出来,哭着说:"唉!从前先生跟随着我去游公阜,一天之内曾三次责备我的过错,现在还有谁能直言不讳地指出我的过错呢?"

景公游寒途不恤死胔晏子谏第十九

景公出游于寒途①,睹死胔②,默然不问。晏子谏曰:"昔吾先君桓公出游,睹饥者与之食,睹疾者与之财,使令不劳力③,藉敛不费民④。先君将游,百姓皆说曰:'君当幸游吾乡乎!'今君游于寒途,据四十里之氓,殚财不足以奉敛⑤,尽力不能以周役⑥。民氓饥寒冻馁,死胔相望,而君不问,失君道矣。财屈力竭,下无以亲上;骄泰奢侈,上无以亲下。上下交离,君臣无亲,此三代之所以衰也。今君行之⑦,婴惧公族之危,以为异姓之福也⑧。"

公曰:"然。为上而忘下,厚藉敛而忘民,吾罪大矣。"于是敛死骴,发粟于民,据四十里之氓,不服政其年⑨,公三月不出游。

[注释]

①寒:指寒冬。途:道路。或作"涂"。②骴(zī):腐烂的尸骨。③不劳力:不过分役使民力。④藉敛:征收钱财。⑤殚:竭尽,用尽。⑥周:全,遍。⑦行之:指重蹈夏、商、周三代衰亡的覆辙。⑧异姓:国君姜姓之外的姓。此指势力日益强大的田氏。⑨政:此指徭役。其:通"期",一周年,全年。

[译文]

在寒冷的冬天里,景公带领大臣们在道路上巡游。沿路两旁有不少冻饿而死的人,尸体已经腐烂。景公见此惨状却无动于衷,默不作声,不予理会。晏子规劝道:"从前我们的先君桓公出游时,遇到饥饿的人,就送给他们食物;遇到有病的人,就赠给他们钱财。不让过分役使民力,不让过分征敛民财。所以百姓听说先君将要出游,都高兴地说:'君主最好能到我们这里游玩!'现在您在严寒的冬天上路游玩,周围四十里之内的百姓,把钱财都拿出来也不足以供奉您的赋敛,使尽全部力气也干不完您所派遣的徭役。百姓饥寒交迫,死尸随处可见,可是身为国君的您却不闻不问,失去了国君应尽的责任。人民财穷力尽,怎么可能热爱自己的君主;君主骄纵奢侈,又怎能关心民众疾苦。上下离心离德,君臣无亲无爱,这就是夏、商、周三代所以衰亡的根源。现在您走的正是三代衰亡的老路。我真害怕您的宗族将面临危险,而为异姓之人(田氏)创造夺取权力的条件。"

景公说:"你说得很有道理。当国君的居然忘了关心自己的臣民,只顾加重赋税而忘了民众的疾苦,我的罪过实在太大了!"于是下令将路边的尸骨收殓埋葬，把府库的粮食拿出来散发给贫苦百姓，免除周围四十里之内的民户一年之内的劳役。景公三个月没有外出游玩。

景公衣狐白裘不知天寒晏子谏第二十

景公之时，雨雪三日而不霁①。公被狐白之裘②，坐于堂侧阶③。晏子入见，立有间④，公曰："怪哉！雨雪三日而天不寒。"晏子对曰："天不寒乎？"公笑。晏子曰："婴闻古之贤君，饱而知人之饥，温而知人之寒，逸而知人之劳。今君不知也。"公曰："善。寡人闻命矣。"

乃令出裘发粟，以与饥寒者⑤。令所睹于途者，无问其乡；所睹于里者，无问其家；循国计数⑥，无言其名。士既事者兼月⑦，疾者兼岁⑧。

孔子闻之曰："晏子能明其所欲⑨，景公能行其所善也。"

[注释]

①雨（yù）雪：下雪。雨，落下。霁（jì）：雨、雪停止，天转晴。此处指雪停转晴。②狐白之裘：用狐狸腋下白毛部分制成的皮衣。③此句旧作"坐堂侧陛"，据王念孙说改。④有间：一会儿。⑤此句旧作"与饥寒"，据王念孙说补。⑥循国：巡视国内。⑦事：指冠、婚、丧、祭等花费多的事情。兼月：两个月。指发给两个月的粮食。⑧兼岁：两年。指发给两年的粮食。⑨明：表明。

[译文]

景公在位的时候，有一年冬天连着下了三天大雪也不转晴。景公身穿白色狐狸皮衣，坐在殿堂侧面的台阶上观赏雪景。晏子进宫谒见景公，待了一会，景公说："真奇怪呀！下了三天雪天气却不寒冷。"晏子反问道："天气真的不寒冷吗？"景公不好意思地笑了。晏子说："我听说古代的贤德君主，自己虽然吃了饱饭，却不忘记天下还有很多人在忍饥挨饿；自己虽然穿得很暖，却不忘记天下还有很多人在忍受寒冷；自己虽然清闲安逸，却不忘记天下还有很多人在辛苦劳作。现在您却不懂得这些道理。"景公听了很觉惭愧，说道："您说得很好。我接受您的教诲。"

景公于是下令拿出一些皮衣和粮食，发放给那些忍饥挨冻的人。下令在道路上看到这些人，不要查问他们是哪个乡的；在里中看到这些人，也不要查问他们家住哪里；在国内普遍巡察，统计受救济的人的数目，但不必查问他们的名字。士人家中举办冠礼、婚礼、丧礼、祭祀等花费多的事情，发给两个月的口粮；有病人之家发给两年的口粮。

孔子听到这件事后评论说："晏子能够明确提出自己所希望做的事情，景公能够实施自己认为美好的事情（仁政）。"

景公异荧惑守虚而不去晏子谏第二十一

景公之时，荧惑守于虚①，期年不去。公异之②，召晏子而问曰："吾闻之，人行善者天赏之，行不善者天殃之。荧惑，天罚也，今留虚，其孰当之？"晏子曰："齐当之。"

公不说，曰："天下大国十二，皆曰诸侯，齐独何以当之③？"晏子曰："虚，齐野也④。且天之下殃，固于富强。为善不用，出政不行；贤人使远，谗人反昌；百姓疾怨，自为祈祥；录录强食⑤，进死何伤。是以列舍无次⑥，变星有芒。荧惑回逆⑦，孽星在旁⑧。有贤不用，安得不亡？"

公曰："可去乎？"对曰："可致者可去，不可致者不可去。"

公曰:"寡人为之若何?"对曰:"盍去冤聚之狱⑨,使反田矣;散百官之财,施之民矣;振孤寡而敬老人矣。夫若是者,百恶可去,何独是孽乎?"公曰:"善。"

行之三月,而荧惑迁。

[注释]

①荧惑:火星。虚:二十八宿中的虚宿。古代迷信认为,荧惑是不祥之星,它出现于某方,预示着某方将有灾祸降临。②异:惊异,奇异。③独:单独,独自。④虚,齐野也:虚宿相对应的是齐国分野。古代星象家把天上的星宿和地面上的州国相配合,称之为分野。⑤录录:通"碌碌",无所作为。⑥列舍:即列宿(xiù),谓二十八宿。次:古代把周天分成十二等份,叫十二次,每一次都与二十八宿中的某些星宿相结合。⑦回:返回。逆:倒着。⑧孽星:妖星,灾星。⑨盍(hé):何不。

[译文]

景公在位之时,火星运行到二十八宿之一虚宿的位置上便停留不移,整一年也不离开。景公听到掌管天象官员的报告,感到很惊讶,召见晏子问道:"我听说有这样的道理,凡是贯于做善事的人,上天就会奖赏他;贯于做坏事的人,上天就会降下灾祸惩罚他。火星就是上天惩罚人们的标志。现在它停留在虚宿的位置上,谁将承受上天的惩罚呢?"晏子很肯定地说:"齐国应当承受上天的惩罚。"

景公听了很不高兴,说道:"天下称得上是大国的就有十二个,都称之为诸侯,为什么它们都无事,偏偏让齐国独自承受惩罚呢?"晏子回答说:"虚宿,恰好与齐国相对应,是齐国的分野。(火星停留在虚宿的位置上,正表明上天要给齐国降下灾祸)况且上天降灾惩罚下国,本来就是以富强的国家为主要对象(因为它们往往依仗富强有力,欺凌弱小,为非作歹)。现在齐国的状况是:行善的人被弃而不用,政令颁布后并不执行;贤德之人被疏远冷落,谗佞之人却得势猖狂;百姓都怨恨君主,君主只有自己为自己祈祷吉祥。

国事不理，碌碌无为；饱食终日，只图享乐；将要走向灭亡，自己却不知悲伤。齐国乱象感应上天，所以二十八宿的运行也就乱了次序，预兆灾变的彗星出现。火星逆行返回虚宿，妖星停留在旁边。出现异常天象警示灾祸的原因，就在于有贤德之人却不任用，齐国怎么会不灭亡呢？"

景公说："可以让火星离开虚宿吗？可以让齐国免去灾难吗？"晏子回答说："凡是因为人的行为招来的，也可以通过改变人的行为而让它离去；凡是人力无法招来的，也就没有办法让它离开。"景公说："我应该怎样做才能让火星离开呢？"晏子借机教导景公，说："你何不平反冤狱，释放被错抓错判的人，让他们回家种田；散发各级官府聚敛的钱财，施舍给民众；救济孤儿寡妇，敬养老人。如果这样去做，各种邪恶祸事都可以去除，岂止是这个妖星呢？"景公说："你说得很好。"

景公下令按照晏子的建议去做，实行了三个月，火星就移走了。

景公将伐宋梦二丈夫立而怒晏子谏第二十二

景公举兵将伐宋。师过泰山，公梦见二丈夫立而怒①，其怒甚盛。公恐，觉②，辟门召占梦者。至，公曰："今夕吾梦二丈夫立而怒，不知其所言，其怒甚盛。吾犹识其状，识其声。"占梦者曰："师过泰山而不用事，故泰山之神怒也。请趣召祝史③，祠乎泰山，则可。"公曰："诺。"

明日，晏子朝见，公告之如占梦之言也。公曰："占梦者之言曰：'师过泰山而不用事，故泰山之神怒也。'今使人召祝史祠之。"晏子俯有间④，对曰："占梦者不识也。此非泰山之神，是宋之先汤与伊尹也⑤。"公疑，以为泰山神。晏子曰："公疑之，则婴请言汤、伊尹之状也。汤皙而长⑥，颐以髯⑦，兑上丰下⑧，倨身而扬声⑨。"公曰："然，是已。""伊尹黑而短，蓬而髯⑩，丰上兑下，偻身而下声⑪。"公曰："然，是已。今若何？"晏子曰："夫汤、太甲、武丁、祖乙⑫，天下之盛君也，不宜无后。今惟宋耳⑬，而公伐之，故汤、伊尹怒。请散师以平宋⑭。"景公不用，终伐宋。晏子曰："公伐无罪之国，以怒明神，不易行以续蓄⑮，进师以近过，非婴所知也。师若果进，军必有殃。"

军进，再舍⑯，鼓毁，将殪⑰。公乃辞乎晏子⑱，散师，不果伐宋⑲。

[注释]

①丈夫：古时对成年男子的称谓。此处指不寻常的男子，犹言"大丈夫"。②觉：从睡梦中醒来。③趣（cù）：同"促"，紧急，催促。④俛：低头。有间：过了一会儿。⑤伊尹：商朝初期政治家。名伊，尹是官名。辅佐商汤灭掉夏桀。⑥皙（xī）：人皮肤色白。此指面孔白净。长：此指身躯高大。⑦颐：旧本作"颜"，据张纯一说改。⑧兑：通"锐"。丰：丰满。⑨倨：微曲。⑩蓬：散乱。髯：两颊上的长须。⑪偻：屈。⑫太甲、武丁、祖乙：都是商朝有作为的君主。⑬宋：古国名。开国君主是商纣王的庶兄微子启。周公平定商纣王的儿子武庚的叛乱后，把商的旧都周围的地区分封给微子启，建立宋国，建都商丘（今河南商丘）。⑭平：讲和，和好。⑮续：继续，延续。蓄：通"畜"，好。⑯舍：行军三十里为一舍。再：二。⑰殪（yì）：死。⑱辞：谢罪。⑲不果：没有实行，没有成为事实。

[译文]

景公发兵将要攻打宋国。齐国军队南下经过泰山，景公睡梦中见两个大丈夫站在面前怒目而视，非常生气。景公很害怕，从梦中惊醒，急忙打开门，召见占梦的人。占梦的人到了，景公对他叙述梦境说："今夜我梦见两个大丈夫站在我面前发怒，不知道他们说的是什么，他们的怒气却很大。我还能记得他们的样子，记得他们的声音。"占梦的人说:"我们的军队经过泰山,却没有祭祀泰山之神,所以泰山之神发怒了。请您赶快召来祝史,到泰山祭祀神灵,就可以消除神灵的怒气了。"景公说:"好吧。"

第二天,晏子朝见,景公把对占梦人所说的梦境又向晏子讲了一遍。景公说:"占梦人说:'军队经过泰山却没有祭祀泰山之神,所以泰山之神为此而发怒。'现在我已派人召祝史去祭祀泰山之神。"晏子低头思考了一会儿,回答说:"占梦人不认识那两个人,他们不是泰山之神,而是宋国的祖先汤和伊尹。"景公对晏子的说法表示怀疑,认为就是泰山之神。晏子说:"您怀疑我的话,那么请让我描述一下汤和伊尹的形象(看和您梦见的是否一样)。汤面容白净,身材高大,两腮长着长须,头颅略窄,下颚丰满,身体微向前曲,声音洪亮。"景公说:"是的,是这个样子。"(晏子接着说)"伊尹皮肤发黑,身材矮小,两颊的胡须长而散乱,头颅上宽下窄,背部佝偻,声音低沉。"景公点头道:"是的,是这个样子。现在应该怎么办呢?"晏子说:"商汤、太甲、武丁、祖乙,都是天下闻名的有盛德的君主,他们不应该没有后代。现在只有宋国国君是他们的后代,您却要进攻他的国家,所以汤和伊尹非常生气(托梦警示于您)。请您撤退军队,与宋国和好吧。"景公不接受晏子的意见,坚持攻打宋国。晏子警告说:"您攻打无罪的国家,已经惹得神明发怒,您如果不改变这种行为,继续维持和宋国的友好关系,那么军队继续向前进,就是向过错迈进,这种做法我真是难以理解。我军如果真的进攻宋国,必定会有灾祸发生。"

齐军向前开进了六十里,结果指挥进攻的战鼓破损了,将领也突然死亡。景公这才向晏子道歉,下令撤军,没有攻打宋国。

景公从畋十八日不返国晏子谏第二十三

景公畋于署梁①,十有八日而不返。晏子自国往见公,比至②，衣冠不正，不革衣冠③，望游而驰④。公望见晏子，下车逆劳⑤，曰："夫子何为遽⑥？国家得无有故乎⑦？"

晏子对曰："不亦急也。虽然，婴愿有复也⑧。国人皆以君为安于野而不安于国⑨，好兽而恶民，毋乃不可乎⑩？"

公曰："何哉？吾为夫妇狱讼之不正乎⑪？则泰士子牛存矣⑫。为社稷宗庙之不享乎⑬？则泰祝子游存矣⑭。为诸侯宾客莫之应乎？则行人子羽存矣⑮。为田野之不辟⑯，仓库之不实乎？则申田存矣⑰。为国家之有余不足聘乎⑱？则吾子存矣⑲。寡人之有五子，犹心之有四支⑳。心有四支，故心得佚焉。今寡人有五子，故寡人得佚焉，岂不可哉？"

晏子对曰："婴闻之与君言异。若乃心之有四支，而心得佚焉则可㉑。令四支无心十有八日，不亦久乎？"

公于是罢畋而归。

[注释]

①畋（tián）：打猎。署梁：齐国地名。②比：及，等到。③革：改变。引申为整理、更换。④游：同"斿"（liú）。古代君主打猎所乘之车称斿车，上插旌旗，旗上有下垂饰物，称之为斿。⑤逆：迎接。劳：慰劳。此句旧作"下而急带"，据孙星衍说改。⑥遽（jù）：急，骤然。⑦故：变故，事故。⑧复：告，禀告。⑨安：习惯于，安适于。国：都城。此句旧脱两"于"字，从黄以周说补。⑩毋乃：恐怕。⑪"吾"字为衍文，当删。⑫泰士：即太士，掌管狱讼的官员。⑬享：祭献。⑭泰祝：即太祝，掌管祭祀祝祷的官员。⑮行人：掌管朝觐聘问的官员。⑯辟：开垦。⑰申田：即"司田"，掌管农田及仓库的官员。⑱卢文弨谓"聘"字为衍文。⑲吾子：对对方的尊称，即"我的先生您"。⑳四支：四肢。㉑佚：通"逸"，安乐。此句"则可"旧作"可得"，据王念孙说改，属上句。

[译文]

有一回景公带着随从到署梁去打猎，过了十八天还不返回都城。晏子（看到君主迷恋田猎游乐，不理朝政，心中着急）从都城临淄出发去见景公。（晏子因匆忙赶路）到了田猎场所时衣冠弄得很不整齐，也来不及整理更换，望着景公所乘坐的插着旌旗的猎车直奔过去。景公看见晏子到来，下车迎接慰劳说："先生您为什么跑得这么急？莫非是国家出了什么变故吗？"

晏子回答说："倒没有什么紧急事情。虽然如此，我愿意把我的想法告诉您。国内的人都认为国君您喜好待在野外，却不喜欢待在都城里；认为您只喜欢野兽，却厌恶人民。这样做恐怕不合适吧！"

景公说："您指的是什么事呢？是因为对百姓诉讼的事不能公正地判决吗？那应当由泰士子牛负责处理。是因为祭祀社稷和宗庙的祭品没有及时充足供奉吗？那应当由泰祝子游去负责。是因为对诸侯宾客没有很好接待吗？那是行人子羽的职责。是因为田地未能开垦、仓库粮食不充足吗？那应当由司田负责管理。是因为国家的大政有做得过分或做得不够的地方吗？那是先生您的责任。我有你们五位大臣，就如同心脏有四肢一样。心脏只要有四肢为它效力，就可以放心安逸了。现在我有你们五位在朝，所以我可以安逸了。难道不可以这样吗？"

晏子回答说："我所听说的道理和您说的不一样。如果说心因为有了四肢，心就可以安逸，这话还有一定道理；但是，如果让四肢失去心脏十八天，不是太长久了吗？（怎么可以这样呢！）"

景公听了晏子的劝谏，于是停止打猎，返回都城。

景公欲诛骇鸟野人晏子谏第二十四

景公射鸟，野人骇之[①]。公怒，令吏诛之。

晏子曰:"野人不知也。臣闻赏无功谓之乱,罪不知谓之虐②。两者,先王之禁也。以飞鸟犯先王之禁,不可。今君不明先王之制,而无仁义之心,是以从欲而轻诛③。夫鸟兽,固人之养也,野人骇之,不亦宜乎?"

公曰:"善。自今已来④,弛鸟兽之禁⑤,无以苛民也⑥。"

[注释]

①野人:指百姓、农民。骇:惊吓,惊扰。②罪:治罪,惩罚。③从:同"纵",放纵。④旧作"自今以后",据王念孙说改。来:往。⑤弛:解除。⑥苛:苛刻,骚扰。

[译文]

有一回,景公(在野外看到一只鸟)正要张弓去射,一个农夫突然走过来,把鸟吓跑了。景公大怒,命令官吏杀死那个农夫。

晏子劝解说:"这个农夫并不知道您在射鸟呀(所以才走过这里)。我听古人说过,赏赐没有功劳的人,叫做乱政;惩罚不知道实情的人,叫做暴政。这两种做法,都是先王明令禁止的事情。只因为惊飞一只鸟(就要处死),显然违反了先王的禁令,绝对不可以这样做。现在君主您既不明白先王的制度,又没有仁义心肠,所以才放纵自己的私欲,轻易杀人。鸟兽这类东西,本来就是供养人民的食物,农夫吓跑它,不是很正常的吗?"

景公说:"您说得很好。从今以后,解除限制捕杀鸟兽的禁令,不再因此而苛刻地对待百姓。"

景公所爱马死欲诛圉人晏子谏第二十五

景公使圉人养所爱马①,暴病死②。公怒,令人操刀解养马者③。是时晏子侍前,左右执刀而进,晏子止之④,而问于公曰:

"古时尧、舜支解人,从何躯始?"公懅然曰⑤:"从寡人始⑥。"遂不支解。公曰:"以属狱⑦。"晏子曰:"此不知其罪而死。臣请为君数之⑧,使自知其罪⑨,然后属之狱。"公曰:"可。"

晏子数之曰:"尔罪有三:公使汝养马而杀之,当死罪一也。又杀公之所最善马⑩,当死罪二也。使公以一马之故而杀人,百姓闻之,必怨吾君;诸侯闻之,必轻吾国;汝一杀公马⑪,使公怨积于百姓⑫,兵弱于邻国,当死罪三也⑬。今以属狱。"

公喟然叹曰:"夫子释之!夫子释之!勿伤吾仁也。"

[注释]

①圉(yǔ)人:养马人。②此句旧无"病"字,据王念孙说补。③解:肢解,古代分裂肢体的酷刑。④止:制止。此句旧无"之"字,从卢文弨说据《群书治要》补。⑤懅(jué):惶恐惊异的样子。或作"戄",义同。⑥此句是景公仓促回答的话,语义不全。⑦属:交付。狱:狱吏。⑧数:数说,列举。旧无"请"字,从王念孙说补。⑨旧无"自"字,据卢文弨说补。⑩善:喜爱。⑪此句旧无"一"字,据孙星衍说补。⑫旧无"公"字,从张纯一说据《太平御览》补。⑬旧云"汝当死罪三也",据苏舆说删"汝"字。

[译文]

景公把自己最心爱的一匹马交给圉人喂养,马突然得病而死。景公大怒,命令侍卫拿刀肢解养马人。这时候晏子正陪伴着景公,景公的侍卫拿着刀正要前往,晏子上前拦住他们。晏子问景公道:"古时候尧、舜肢解人,先从人体的哪一部分开始?"景公听到这样的问话,猛然醒悟自己的做法不当,惶恐不安地说:"肢解人的事(不可以)从我开始。"于是就不再肢解养马人。景公又说:"把他交付狱吏治罪吧。"晏子说:"这个人现在还不知道自己犯的是什么罪就要被处死。请让我替您数说他的罪状,让他知道自己犯了什么罪,然后再交给狱吏治罪。"景公说:"可以。"

晏子便数说养马人的罪行，说道："你有三大罪状：君主让你养马，你却把马杀死（晏子故意说他犯了杀死御用马匹之罪），这是第一条应当处死的罪行；你杀死的又是君主最喜爱的马，这是第二条应当处死的罪行；让君主为了一匹马死亡而杀人，百姓听说这事后，一定会怨恨我们的君主，诸侯们听说后，一定会轻视我们的国家，你杀死了君主的马，使老百姓积下对君主的怨恨，使我国的军队比邻国弱，这是第三条应当处死的罪行。现在就把你交给狱吏治罪吧！"

景公（知道晏子借此事批评他的过错）叹息着说："先生您放了他吧！先生您放了他吧！不要为这件事损害了我仁德的名声。"

内篇谏下第二

景公藉重而狱多欲托晏子晏子谏第一

景公藉重而狱多①，拘者满圄②，怨者满朝。晏子谏，公不听。

公谓晏子曰："夫狱，国之重官也，愿托之夫子。"晏子对曰："君将使婴敕其功乎③？则婴有一妾能书④，足以治之矣；君将使婴敕其意乎？夫民无欲残其家室之生以奉暴上之僻者，则君使吏比而焚之而已矣⑤。"景公不说，曰："敕其功，则使一妾；敕其意，则比而焚。如是，夫子无所谓能治国乎？"

晏子曰："婴闻与君异。今夫胡貉戎狄之蓄狗也⑥，多者十有余，寡者五六，然不相害伤。今束鸡豚妄投之⑦，其折骨决皮⑧，可立见也⑨。且夫上正其治，下审其论⑩，则贵贱不相逾越。今君举千钟爵禄，而妄投之于左右，左右争之，甚于胡狗，而公不知也。寸之管无当，天下不能足之以粟。今齐国丈夫耕，女子织，夜以接日，不足以奉上，而君侧皆雕文刻镂之观⑪，此无当之管也，而君终不知。五尺童子操寸之熛⑫，天下不能足之以薪⑬。今君之左右，皆操熛之徒，而君终不知。钟鼓成肆⑭，干戚成舞⑮，虽禹不能禁民之观。且夫饰民之欲⑯，而严其听，禁其心，圣人所难也，而况夺其财而饥之，劳其力而疲之，常致其苦而严听其狱⑰，痛诛其罪，非婴所知也。"

[注释]

①藉：赋敛。狱：狱讼。②圄（yǔ）：囹圄，监牢。③敕（chì）：通"饬"，治理，整顿。④妾，旧作"妄"，据俞樾说改。⑤比：接连，逐个。⑥胡貉戎狄：我国古代北方民族名。貉当作"貊"（mò），通"貊"。⑦豚（tún）：小猪，也泛指猪。此处指猪肉。⑧决：通"抉"，挖掉，撕裂。⑨立：旧作"得"，据俞樾说改。⑩论：通"伦"，理。⑪镂：雕刻。观：指观赏之物。⑫熛（biāo）：迸飞的火焰。此指火炬。旧作"烟"，据王引之说改。⑬薪：柴草。"之"字旧脱，从王念孙说补。⑭肆：列。⑮干：盾。戚：长柄的斧。⑯饰：修饰。引申为增加、放纵。⑰听：处理，判断。

[译文]

景公当政的时候，国家横征暴敛，百姓负担沉重；刑罚严酷，狱讼繁多，被拘禁的犯人塞满了监狱；心怀怨恨的人充满了朝廷。晏子多次劝谏景公（实行仁政），景公都不听从。

景公对晏子说："掌管诉讼和监狱，是国家重要的职位，我希望把此重任托付给先生您。"晏子回答说："您是想让我整顿关于狱讼的具体事务吗？（这事情很容易办）我有一个能书写的妾，（她能看懂法律，又有妇人的仁慈之心，让她去做）足以把狱讼之事治理好。您是想让我把民心收拢过来吗？当老百姓的没有人愿意毁掉身家性命以供奉暴君奢侈淫乐的，您只要让官吏挨家挨户把征收赋役的簿籍都烧掉，民心就顺畅了。"景公听了很不高兴，说："说到整顿狱讼之事，您说让一个妾去就能做好；说到理顺民意，您就让挨家挨户把赋税簿籍都烧掉。如此看来，先生您并不是所谓能治理好国家的人才啊！"

晏子说："我所知道明君治理国家的方法与您说的不一样。比如胡貉戎狄等族的人家中都养着狗，多的有十几只，少的也有五六只，平时这些狗之间并不互相伤害。但是，如果把鸡肉和猪肉随意扔到它们中间，立刻可以看到狗与狗之间互相激烈争抢，乃至发生咬折骨头、撕裂皮肉的景象。再说君主在上能够公正地处理政事，臣民在下就能够按伦理行事，那样就能保证贵贱之间等级分明，不会发生下级超越和侵犯上级的事情。现在国君您拿着千钟的俸禄，随便地扔在您左右亲信之人中间，左右亲信之人为了争夺俸禄，厮咬得比胡人的狗还要厉害，可是您对此却一无所知。一寸长的竹管虽然很短，但如果没有底，全天下的人都拿来粮食也不能把它装满。现在齐国的男子种田，女子纺织，他们日夜不停地劳作，生产的东西也不够供奉国家的征敛，而您周围的宫殿和陈设都是些精雕细刻、彩绘装饰、供人观赏的奢侈品，这些耗费就是无底的竹管呀，可是您却始终不明白这个道理。让个子不高的儿童手里拿着一寸长的火把去点燃柴草，全天下的人都拿来柴草也不够他去烧。现在您身边的宠臣侍从，都是些手持火把之人（他们的贪欲犹如无底洞，是无法满足的），可是您却始终不明白这个道理。让乐队陈列好钟鼓等乐器演奏动听的乐曲，让舞蹈队员拿着盾牌长斧等道具表演好看的舞蹈，即使是大禹那样有威望的君主也不能禁止人们去观赏。况且一面引诱和放纵人们的欲望，一面却又严厉限制人们的视听，控制人们的思想，这样的事连圣人也难以做到。更何况剥夺人民的钱财，让他们忍饥挨饿；摊派沉重的劳役，使他们筋疲力竭；经常给人民带来痛苦，却严厉处理他们的诉讼，加重处罚他们的罪过。这些做法都是我所不能理解的。"

景公欲杀犯所爱之槐者晏子谏第二

景公有所爱槐，令吏谨守之，植木县之①，下令曰："犯槐者刑，伤槐者死②。"有不闻令，醉而犯之者。公闻之曰："是先犯我令。"使吏拘之，且加罪焉。

其子往辞晏子之家③，托曰："负郭之民贱妾④，请有道于相国⑤，不胜其欲⑥，愿得充数乎下陈⑦。"晏子闻之，笑曰："婴其淫于色乎？何为老而见奔⑧？虽然，是必有故。"令内之⑨。女子入门，晏子望见之，曰："怪哉！有深忧。"进而问焉，曰："所忧何也？"

对曰："君树槐悬令，犯之者刑，伤之者死。妾父不仁⑩，不闻令，醉而犯之，吏将加罪焉。妾闻之，明君莅国立政⑪，不损禄，不益刑，又不以私患害公法⑫，不为禽兽伤人民，不为草木伤禽兽，不为野草伤禾苗。吾君欲以树木之故，杀妾父，孤妾身⑬，此令行于民而法于国矣。虽然，妾闻之，勇士不以众强凌孤独，明惠之君不拂是以行其所欲⑭。此譬之犹自治鱼鳖者也，去其腥臊者而已。昧墨而与人比居⑮，庚肆而教人危坐⑯。今君出令于民，苟可法于国而益善于后世，则父死亦当矣，妾为之收亦宜矣。甚乎！今之令不然。以树木之故，罪法妾父⑰，妾恐其伤察吏之法⑱，而害明君之义也。邻国闻之，皆谓吾君爱树而贱人，其可乎？愿相国察妾言，以裁犯禁者⑲。"晏子曰："甚矣！吾将为子言之于君。"使人送之归。

明日，早朝，而复于公曰："婴闻之，穷民财力以供嗜欲谓之暴；崇玩好，威严拟乎君谓之逆；刑杀不称谓之贼⑳。此三者，守国之大殃也。今君穷民财力，以美饮食之具㉑，繁钟鼓之乐，极宫室之观，行暴之大者。崇玩好，县爱槐之令，载过者驰，步过者趋，威严拟乎君，逆民之明者㉒。犯槐者刑，伤槐者死，刑杀不称，贼民之深者。君享国，德行未见于众，而三辟著于国㉓，婴恐其不可以莅国子民也。"公曰："微大夫教寡人㉔，几有大罪，以累社稷。今子大夫教之，社稷之福，寡人受命矣。"

晏子出，公令吏罢守槐之役㉕，拔置县之木，废伤槐之法，出犯槐之囚。

[注释]

①植：立。县：同"悬"。②槐字旧作"之"，据孙星衍说改。③子：古代男、女皆可称"子"，此指女子。辞：说。④郭：外城。旧作"廓"，据孙星衍说改。⑤有道：有话陈说。⑥欲：希望，愿望。⑦下陈：后列。⑧奔：私奔，淫奔。⑨内：同"纳"。⑩不仁：不佞，不才。⑪莅（lì）：临，治理。⑫恚（huì）：愤怒。⑬孤：孤儿。此处为使动用法。⑭拂：违反。是：正确。⑮昧墨：黑暗。比居：并坐。⑯庚肆：露天市场。以上两句语义不明，姑且强作解释。⑰罪法：治罪，惩罚。张纯一以为"法"当作"杀"，可备一说。⑱察吏：明察是非的官吏。⑲裁：裁断，裁决。⑳不称：不相当。旧作"不辜"，依王念孙说据《太平御览》改。㉑美饮：旧作"美馁"，据卢文弨说改。㉒"民"字旧无，据张纯一说补。㉓三辟：指暴、逆、贼。辟，同"僻"，邪恶。㉔微：没有。㉕役：差役。"吏"旧作"趣"，从黄以周说据《太平御览》改。

[译文]

景公有一株很喜爱的槐树，命令官吏用心看守它，树旁立了一根木桩，上面悬挂着牌子，写着他下的命令："触碰槐树的人应受刑罚，损伤槐树的人应处死刑。"有一个人不知道这一命令，喝醉酒走路不稳，误撞了这棵槐树。景公得到守树人的报告，说："这是第一个触犯我命令的人。"让官吏拘捕了他，将要治他的罪。

犯槐者的女儿前往晏子家中，托守门人传话说："我是一个家在外城居住的女子，有话请转达相国，我有一个非常强烈的希望，甘愿充当您家中的侍妾。"晏子听了这话，笑着说："我难道是个好色之人吗？为什么我这么老了还有女子私奔于我？虽然这么说，这里面一定有原因吧。"于是命令把女子带进来。那女子进了门，晏子远远望见她，说："奇怪呀！从她脸色上看，心中一定有深深的忧伤。"等她进到屋内，晏子问她说："是什么事情让你忧伤呢？"

女子回答说："国君种了棵槐树，旁边悬挂着命令：碰了槐树的受刑，伤了槐树的处死。我的父亲迟钝愚昧，没有听到命令，喝醉酒后触碰了槐树，违犯了命令，官吏将要治他的罪。我听说过这样的道理：英明的君主治理国家设置政令，不随意削减俸禄，不私自增加刑罚，也不因为私怨而破坏国家颁布的法令；不因为保护禽兽而伤害人民，不因为保护草木而伤害禽兽，不因为保护野草而伤害禾苗。我们的国君因为要保护他所喜爱的树木，就要杀死我的父亲，让我成为孤儿。这个命令已经对人民实行，成为国家的法令了。虽然如此，但是我听说过这样的话：勇敢之士决不凭着人多力强去欺凌孤单弱小的人，英明仁慈的君主决不背离正道而按照自己的私心做事。这就好比亲手烹治鱼鳖的人那样，只要去掉它们的腥臊部分就可以了（不应该把好肉也扔掉）；又好比在黑暗中让人并坐不动，在露天闹市中让人端坐不动（都是不合理的要求）。现在君主向人民发布的命令，如果有利于在国内建立良好的法制秩序，而且对后世也有好处，那么我父亲被处死也是应该的，我为他收尸也是应该的。现在的命令却不是这样，它太严酷了！因为碰了一下树木就治我父亲的罪，我担心这样做会伤害明察是非的官吏所执掌的法令，损害英明君主的道义。邻国的人听到这事，都会议论说齐国的君主喜爱树木而轻贱人命，怎么可以这样呢？希望相国明察我的话，正确裁决违反君主禁令的人。"晏子说："这样太过分了！我将替你向君主解说这件事情。"说罢就派人把她送回家去。

第二天上早朝时，晏子向景公（提出忠告）说："我听说过这样的道理：榨尽人民的财力来满足君主的嗜好贪欲，叫做贪婪残暴；崇尚自己喜好玩赏的东西，把它们抬高到与君主的权威相似的地位，叫做悖逆正道；随心所欲地处以重刑或死刑，罚不当罪，叫做残忍酷虐。暴、逆、贼这三种行为，乃是维护国家政权的大祸害。现在国君您肆意耗费人民的财力，置办了丰盛奢侈的膳食和漂亮的用具，准备了众多的钟鼓乐器和歌儿舞女，修建了极度豪华美观的宫室殿堂，这是最大的暴政。您崇尚观赏玩乐的东西，为所喜爱的槐树悬挂上特别保护的命令，凡乘车经过的要加快车行速度，步行经过的要快步离开，槐树的威严竟然和君主相当，这分明是悖逆民心的做法。触碰槐树的要受刑，伤害槐树的要处死，这分明是罪与刑不相当，轻罪或无罪却处以重刑或死刑，这乃是对人民最严酷的残害。君主您享有国家，没有向人民展现出仁义道德的行为，而暴、逆、贼这三种邪僻的行为在国内却很盛行。我以为这样做是不能够治理国家、爱护人民的。"景公说："如果没有您教诲我，我几乎要犯大罪，从而连累到国家的安危。现在得到大夫您的教导，乃是国家的福气，我接受您的教诲了！"

晏子退朝以后，景公立即下令撤除了看守槐树的差役，拔掉悬挂令牌的木桩，废除伤害槐树治罪的法令，释放了因触犯槐树而被拘捕的囚犯。

景公逐得斩竹者囚之晏子谏第三

景公树竹，令吏谨守之。公出，过之，有斩竹者焉。公以车逐，得而拘之，将加罪焉。

晏子入见，曰："君亦闻吾先君丁公乎？"公曰："何如？"

晏子曰："丁公伐曲城①，胜之，止其财，出其民，公日自莅之。有舆死人以出者，公怪之，令吏视之，则其中有金与玉焉②。吏请杀其人，收其金玉。公曰：'以兵降城，以众图财，不仁。且吾闻之，君人者宽惠慈众③，不身传诛④。'令舍之。"公曰："善。"

晏子退，公令出斩竹之囚。

[注释]

①曲城：旧作"曲沃"，据张纯一说改。②"有"字旧无，据王念孙说补。③君人者：旧作"人君者"，据张纯一说改。④传诛：妄诛。传同"专"。或释为"不亲自传令杀人"。

[译文]

景公让人种了一片竹林，命令官吏认真守护它。有一次景公外出，经过竹林，看到有人砍伐竹子，就驱车追赶，抓住砍竹子的人，将他囚禁起来，要治他的罪。

晏子（听到这件事后）入宫去见景公，说："您听说过我们先君丁公的事吗？"景公说："什么事啊？"晏子说："丁公攻打曲城，取得了胜利。下令城里的财物一律不许运出城去，而只把城中的居民迁移出去，丁公每天都亲自去察看。有一次看见有人用车载着死人出城，丁公觉得很可疑，令官吏上前查看，发现棺材里装的都是金玉财物。官吏请求杀掉偷运的人，没收他的财宝。丁公却说：'用军队攻陷城邑，靠人多势众谋取财物，其实是不仁德的行为。况且我听说，当人民君主的人，应当对民众宽厚慈爱，不亲自下令杀人。'于是下令放了那个人。"景公听后说："你说得很好。"

晏子离开后，景公下令释放了那个因砍竹子而被囚禁的人。

景公以抟治之兵未成功将杀之晏子谏第四

景公令兵抟治①，当腾冰月之间而寒②，民多冻馁，而功不成。公怒曰："为我杀兵二人！"晏子曰："诺。"

少为间，晏子曰："昔者先君庄公之伐于晋也，其役杀兵四人。今令而杀兵二人，是杀师之半也。"公曰："诺。是寡人之过也。"令止之。

[注释]

①抟（tuán）治：用泥土制砖。②臘：同"腊"。本指阴历十二月举行的祭祀，称腊祭，始于周代。后称阴历十二月为腊月。冰月：农历十一月。

[译文]

景公命令士兵制作砖坯，正当十一月、腊月间，天气寒冷，水凝成冰，服役的士兵又冷又饿，制作砖坯的工作未能完成。景公很生气，命令晏子说："给我处死两个士兵（以警告大家）。"晏子当时答应说："好吧。"（心中却深怕激发兵变）

过了一会儿，晏子（见景公怒气稍消）对景公说："从前我们的先君庄公攻打晋国的时候，在那次战役中曾处死没有过错的士兵四人（不久自己就被崔杼杀死了）。现在您命令杀死两个士兵，相当于庄公杀死士兵数目的一半（其后果会相当严重啊）。"景公听了晏子的劝谏，说道："好吧！这是我的过错。"于是下令不杀士兵了。

景公冬起大台之役晏子谏第五

晏子使于鲁，比其返也，景公使国人起大台之役。岁寒不已，冻馁者乡有焉，国人望晏子。

晏子至，已复事，公延坐①，饮酒，乐。晏子曰："君若赐臣，臣请歌之。"歌曰："庶民之言曰：冻水洗我若之何？太上靡散我若之何②？"歌终，喟然叹而流涕。公就止之③，曰："夫子曷为至此④？殆为大台之役夫⑤！寡人将速罢之。"

晏子再拜，出而不言，遂如大台⑥，执朴鞭其不务者⑦，曰："吾细人也，皆有盖庐⑧，以避燥湿。今君为壹台而不速成，何以为役⑨？"国人皆曰："晏子助天为虐⑩。"

晏子归，未至，而君出令趣罢役，车驰而人趋。

仲尼闻之，喟然叹曰："古之善为人臣者，声名归之君，祸灾归之身。入则切磋其君之不善⑪，出则高誉其君之德义。是以虽事惰君，能使垂衣裳⑫，朝诸侯，不敢伐其功⑬。当此道者⑭，其晏子是耶！"

[注释]

①延：请。②靡散：离散。③就：走近。④曷：通"何"。⑤殆：大概。⑥如：往，去。⑦朴：木棒。鞭：鞭打。⑧盖庐：房屋。盖为"盍"之误。盍，通"阖"。⑨旧无"以"字、"役"字，据苏舆说补。⑩天：此指国君景公。⑪切磋：商讨。引申为规劝。⑫垂衣裳：亦称"垂拱"，垂衣拱手而天下治，即无为而治的意思。⑬伐：自我夸耀。⑭当此道者：符合上述原则的人。

[译文]

有一次晏子被派遣出使鲁国，在他快要返回的时候，景公征发国人服役修建大台。当时正值冬季岁末，天气一直很寒冷，每个乡里都有不少受冻挨饿的人，齐国人都盼望晏子快点回来（劝景公不要修建大台）。

晏子回到齐国，禀报完出使的事情后，景公请他入席，一起饮酒，十分高兴。晏子说："如果蒙您恩准，请允许臣唱支歌。"于是唱道："百姓们都唱这样的歌：冰冷的水湿透了我们的身体，我们该怎么办？君主离散我们的家庭，我们该怎么办？"唱完歌，晏子深深叹息，流下了眼泪。景公走上前劝慰他，说："先生您为什么如此悲伤？大概是为了修建大台的事吧！我将很快停止修建大台。"

晏子对景公拜了两拜（感谢他停建大台的决定），出朝廷后对景公许诺的话一句也不向外人泄露。随后他到了修建大台的工地，手执木棒鞭打那些不努力干活的人，训诫他们说："我们虽然是些小民，却都有房屋居住，可以躲避炎热和潮湿。现在君主要建一个大台，却不能很快建成，你们是怎么干活的！"国人得知晏子的言行，都说："晏子在帮助君主干暴虐的事啊！"

晏子督责役人之后便往家走，还没有走到家，景公停止修建大台的命令便传达到工地，令大家赶快停止服役。于是工地上一片欢腾景象，服役的车马奔驰而去，服役的人们很快向各自家中跑去。

孔子听到这件事，很有感慨地说："古代那些善于当臣下的人，都是把好名声让给君主，把灾祸和坏名声留给自己。入朝能对君主的过错直言规劝，离开朝廷则能盛赞君主的美德和仁义（讳言君主的缺点）。因此，即使是侍奉怠惰的君主，也能让他稳坐朝中，无为而治；让诸侯都来朝拜（使其称霸于诸侯）；自己即使有大贡献也不敢夸耀自己的功劳。当今之世，能符合这些条件的，大概就是晏子吧！"

景公为长庲欲美之晏子谏第六

景公为长庲①，将欲美之。有风雨作，公与晏子入坐，饮酒，致堂上之乐。酒酣，晏子作歌曰："穗兮不得获②，秋风至兮殚零落。风雨之拂杀也③，太上之靡弊也④。"歌终，顾而流涕，张躬而舞⑤。公就晏子而止之，曰："今日夫子为赐而诫于寡人⑥，是寡人之罪。"遂废酒罢役，不果成长庲。

[注释]

①庲（lái）：房舍。②兮：旧作"乎"，据王念孙说改。③拂：击。杀：同"毅"，放散。④靡弊：离散。⑤躬：身体。王念孙谓"躬"通"胲"，胳

脾。⑥为赐：赐教。

[译文]

景公兴建一座长大的宫殿，将要把它装饰得美丽豪华。有一天风雨大作，景公和晏子一起设席饮酒，招来乐人在堂上演奏乐曲。喝酒喝到畅快的时候，晏子起身唱歌道："庄稼已结穗啊却不能收割，秋风刮来啊全都凋落。风雨打落了禾穗，君主害得我们家庭离散没法活。"唱完了歌，转过头流下悲伤的眼泪，又张开双臂跳起了舞。景公走到晏子身边劝他不要悲伤，说："今天蒙先生赐教，用唱歌指出我的过错，告诫我不要那样做，那确实是我的过错啊！"于是撤掉了酒席，停止了徭役，最终没有修成长大的宫殿。

景公为邹之长涂晏子谏第七

景公筑路寝之台①，三年未息。又为长庲之役，二年未息。又为邹之长涂②。

晏子谏曰："百姓之力勤矣③！公不息乎？"

公曰："涂将成矣，请成而息之。"

对曰："君屈民财者不得其利，穷民力者不得其乐④。昔者楚灵王作顷宫⑤，三年未息也。又为章华之台，五年又不息也。乾溪之役八年⑥，百姓之力不足而息也。灵王死于乾溪，而民不与君归⑦。今君不遵明王之义，而循灵王之迹，婴惧君有暴民之行，而不睹长庲之乐也，不若息之。"

公曰："善。非夫子者，寡人不知得罪于百姓深也。"于是令勿委坏⑧，余财勿收，斩板而去之⑨。

[注释]

①路寝：即正寝，古代君主处理政事的宫室。②涂：通"途"，道路。

③勤：劳苦。④旧"君"上有"明"字，"屈"上、"穷"上俱有"不"字，据王念孙说删。⑤楚灵王：熊虔，公元前540年至前529年在位。楚公子比叛乱，攻入楚都，灵王自缢而死，谥"灵"。⑥乾溪之役：公元前530年楚伐徐以威吓吴国，民疲于役，怨王。⑦不与：不许，不赞成。⑧坏：孙诒让谓"坏"乃"壤"字之误。委壤：征用土地。⑨斩板：斩断捆板的绳子。

[译文]

　　景公下令修筑路寝之台，连续三年没有停止。又修建长大的宫室，连续两年没有停止。接着又修筑通往邹邑的通行车马的驰道（征调大量民工去服劳役）。

　　晏子规劝道："百姓连年从事繁重的徭役太劳苦了！您还不停止施工，让百姓休息吗？"

　　景公说："驰道快要修成了，请等修成后再停止徭役吧。"

　　晏子回答说："君主如果把民众的钱财征敛殆尽，君主最终也得不到好处；如果让民众服劳役而筋疲力尽，君主最终也得不到快乐。从前楚灵王修建顷宫，三年没有停止；又修建章华台，连续五年没有停止；楚国与吴国的乾溪之役打了八年，老百姓财尽力竭，再也承受不了繁重的徭役与兵役，于是自动罢工不干了。后来楚灵王在乾溪自缢而死，民众不允许把他的尸体运回都城（这些都是历史的教训）。现在您不遵循古代明君所施行的道义，却沿着楚灵王通向灭亡的道路走，我很担心您现在干着残害民众的事情，将来却看不到修好长大的宫室带来的欢乐。不如现在就停止徭役为好。"

　　景公说："好！如果不是先生您的这一番话，我还不知道已经深深地得罪了老百姓啊！"于是下令不再征用农民的耕地，不再征收余下的赋税，斩断捆绑夹板的绳子，让服役民众都回家去了。

景公春夏游猎兴役晏子谏第八

　　景公春夏游猎，又起大台之役。晏子谏曰："春夏起役且游猎，夺民农时，国家空虚，不可。"景公曰："吾闻相贤者国治，臣忠者主逸。吾年无几矣①，欲遂吾所乐②，卒吾所好，子其息矣。"

晏子曰："昔文王不敢盘游于田③，故国昌而民安。楚灵王不废乾溪之役，起章华之台，而民叛之。今君不革，将危社稷，而为诸侯笑。臣闻忠不避死，谏不违罪④。君不听臣，臣将逝矣⑤。"景公曰："唯唯，将弛罢之。"未几，朝韦冏解役而归⑥。

[注释]

①无几：不多时，不久。②遂：竟，终。③盘：乐。田：狩猎。④违：避。⑤逝：离去。⑥朝：通"召"。韦冏：人名，主持修建工程的官吏。

[译文]

景公无论春天还是夏天，都到野外去游玩打猎，又征调民夫兴建大台。晏子劝谏说："在春季和夏季征发徭役和游玩打猎，耽误了农民耕种的时机，（农业没有收成，征收不来赋税）国家财政就会空虚，这样做是不可以的。"景公说："我听说，相国贤能，国家就会治理好；臣下忠诚，君主就能享安逸（有你主持朝政我很放心）。我年事已高，寿命不长了，想尽情地做我高兴的事情，尽情地做我所爱好的事情。你还是不要干预我的事为好。"

晏子回答说："从前周文王因为不敢享受游玩打猎的快乐（专心致志治理国家），所以才使国家昌盛，人民生活安定。楚灵王不肯停止乾溪的战役，又兴建章华之台，因而人民背叛了他。现在您如果不改变（春夏游猎、大兴土木的）做法，必将使国家遭受危难，被诸侯们耻笑。我听说忠臣如果需要为国而死，决不会逃避；如果为劝谏君主的过失而受到处罚，也决不会害怕。您如果不听从我的劝告，我将要离您而去。"景公（觉得晏子说得有理，怕他辞官而去）说道："好，好，我将停止游猎和徭役。"不久，景公下令召回主持工程的官吏韦冏，将服役的人遣散回家。

景公猎休坐地晏子席而谏第九

景公猎，休，坐地而食。晏子后至，灭葭而席①。公不说，曰："寡人不席而坐地，二三子莫席②，而子独搴草而坐之③，何也？"

晏子对曰："臣闻介胄坐陈不席④，狱讼不席，尸坐堂上不席⑤。三者皆忧也，故不敢以忧侍坐。"

公曰："善⑥。"令人下席⑦，曰："大夫皆席，寡人亦席矣。"

[注释]

①灭：砍断。葭：初生的芦苇。席：用作动词，意为设席，当席子坐。②二三子：指国君身边的大臣。莫席：没有人坐席。③搴（qiān）：拔取。④介胄：甲胄。介为铠甲，胄为头盔。⑤尸：尸体。坐：王念孙谓"坐"为"在"字之误。⑥善：旧作"诺"，据王念孙说改。⑦下席：铺下席子。

[译文]

景公带着大臣们在野外打猎，休息时与大臣们就地坐下吃饭。晏子到后，割了一些苇草铺在地上当席子坐。景公很不高兴地说："我不铺席子，直接坐在地上，身边的人也都不坐席子，只有你拔些苇草当席子坐，这是为什么呢？"

晏子回答说："我听说（按照礼制有这样的规矩），身披铠甲的将士在战阵前就座不设席子，审案断狱不坐席子，尸体在堂上守灵的人不坐席子。以上三种不坐席子的情况，都是面临凶险而忧虑的事情，现在并不属于以上情况，所以我不敢用表示忧虑的方式陪您坐着。"

景公说："你说得有道理。"于是命令给每位大臣都铺下席子，说："大夫们都坐上席子，我也坐席子了。"

景公猎逢蛇虎以为不祥晏子谏第十

景公出猎,上山见虎,下泽见蛇。归,召晏子而问之曰:"今日寡人出猎,上山则见虎,下泽则见蛇,殆所谓不祥也?"

晏子对曰:"国有三不祥,是不与焉①。夫有贤而不知,一不祥;知而不用,二不祥;用而不任,三不祥也。所谓不祥乃若此者。今上山见虎,虎之室也;下泽见蛇,蛇之穴也。如虎之室、如蛇之穴而见之②,曷为不祥也?"

[注释]

①与:参与。此指"在其中"。②如:往,去。

[译文]

景公外出打猎,上山看见了老虎,在沼泽地看见了蛇(心中忐忑不安)。回来后召见晏子问道:"今天我外出打猎,上山看见了老虎,下沼泽又看见了蛇,这大概就是人们所说的不祥之兆吧?"

晏子回答说:"对国家而言,确实有三件不吉祥的事情,但您所说的事情并不包括在其中。国内有贤德之人而国君却不知道,这是第一件不吉祥的事;知道国中有贤人却不使用他,这是第二件不吉祥的事;虽然使用了贤人,却不能予以信任、委以重任,这是第三件不吉祥的事。所谓不祥的事,乃是如上所说的事情。今天您上山看见了老虎,因为那里本是老虎居住的地方;您下沼泽看见了蛇,因为那里本是蛇的洞穴所在。您去到老虎的住处、蛇居的洞穴而看到它们是很正常的,怎么能算不吉祥呢?"

景公为台成又欲为钟晏子谏第十一

景公为台,台成,又欲为钟。晏子谏曰:"君国者不乐民之哀。君不胜欲①，既筑台矣，今复为钟，是重敛于民，民必哀矣。夫敛民之哀而以为乐②，不祥，非所以君国者。"公乃止。

[注释]

①胜：尽。指欲望无穷尽。或作"克制"解，指不能克制自己的私欲。②敛民之哀：因聚敛民财而给人民带来的哀痛。

[译文]

景公先修建一座高台，高台修成后，又想铸造一口钟。晏子劝谏说："当国家君主的人，不能把自己的快乐建立在人民的痛苦之上。您不能克制自己的私欲，已经修成了高台，现在又要制造钟，这就必定要加重对人民的赋敛，人民一定很悲哀。用横征暴敛造成民众的哀痛为代价，来满足自己的欢乐，是很不吉祥的。这不是当国家君主的人应做的事。"齐景公这才取消了造钟的计划。

景公为泰吕成将以燕飨晏子谏第十二

景公为泰吕成①，谓晏子曰："吾欲与夫子燕②。"

对曰："未祀先君而以燕，非礼也。"

公曰："何以礼为？"

对曰："夫礼者，民之纪③，纪乱则民失④。乱纪失民，危道也。"

公曰："善。"乃以祀焉。

[注释]

①泰吕：即"大（tài）吕"，钟名。②燕：通"宴"，亦作"宴飨"、"燕飨"，指国君宴饮臣下。③纪：纲常，礼法。④民失：人民失去行动准则。

[译文]

景公下令铸造的泰吕钟制成后，对晏子说："（为了庆祝泰吕钟的制成）我想和先生一起饮酒作乐以表庆贺。"

晏子回答说："还没有用它在宗庙中祭祀先君，却先用来作乐宴饮，这样做是不符合礼法的。"

景公问道："礼法有什么作用？"

晏子答道："礼法是所有的人都应当遵守的纲纪。纲纪混乱了，人民就失去了行动的准则。纲纪混乱，民失准则，国家就走上了危险的道路。"

景公说："您说得很好。"于是用泰吕钟去祭祀先君。

景公为履而饰以金玉晏子谏第十三①

景公为履②，黄金之綦③，饰以银，连以珠，良玉之绚④，其长尺。冰月⑤服之以听朝。晏子朝，公迎之，履重，仅能举足。问曰："天寒乎？"

晏子曰："君奚问天之寒也？古圣人制衣服也，冬轻而暖，夏轻而清⑥。今金玉之履⑦，冰月服之，是重寒也。履重不节，是过任也⑧。失生之情矣⑨。故鲁工不知寒温之节，轻重之量，以害正生，其罪一也；作服不常⑩，以笑诸侯，其罪二也；用财无功，以怨百姓，其罪三也。请拘而使吏度之⑪。"

公曰："鲁工苦，请释之⑫。"晏子曰："不可。婴闻之，苦身为善者，其赏厚；苦身为非者，其罪重。"公不对。

晏子出，令吏拘鲁工，令人送之境，使不得入⑬。公撤履，不复服也。

[注释]

①旧脱"而"字，据目录补。②履：鞋。③綦（qí）：鞋带。④绚（qú）：鞋头的装饰。⑤冰月：农历十一月。这里泛指寒冬。⑥清：凉爽。

⑦此句旧作"今君之履",王念孙以为当作"今金玉之履",于义为长,故据改。⑧任:负担。⑨生:通"性"。⑩常:常规。⑪度(duó)之:审查他的罪行。⑫此句旧作"公苦请释之",据王念孙说改。⑬使:旧作"吏",据孙星衍说改。

[译文]

景公(让鲁国的工匠为他)做了一双鞋子,用黄金做鞋带,用白银做装饰,把珍珠缀在鞋面上,用美玉做鞋头的饰物,鞋子足有一尺长。在寒冷的月份穿着这双鞋子上朝听政。晏子上朝,景公上前迎接他,因为鞋子很重,勉强能抬起脚来走路。景公问晏子:"外面天气冷吗?"

晏子说:"您为什么要问天气寒冷呢?古代圣人制作衣服鞋子的原则是,冬天穿着轻便暖和,夏天穿着轻便凉爽。现在您的这双用金玉装饰的鞋子,在寒冷的月份穿上它,只会让脚更加寒冷。鞋子过重,穿着不合适,加重了脚的负担,这就失去了穿鞋的本意。所以,这个鲁国工匠不知道调配冷暖的需求,不知道掌握轻重的分量,伤害了人体正常的生理需求,这是他的第一条罪状;制作的鞋子违背常规,会招致诸侯们的耻笑,这是他的第二条罪状;耗费钱财而不实用,反而招致百姓的怨恨,这是他的第三条罪状。请您下令拘捕他,让官吏量刑治罪。"

景公说:"那个鲁国工匠干活很辛苦,还是放了他吧。"晏子说:"不可以。我听说过,为了做好事而甘付辛苦的,应当给予优厚的赏赐;为了做坏事而不辞劳苦的,则应当加重治罪。"景公无言答对。

晏子出了朝堂,命令官吏拘捕了鲁国工匠,派人将他送到边境上(将其驱逐出境),不许他再进入齐国。景公换下那双鞋子,再也不穿它了。

景公欲以圣王之居服而致诸侯晏子谏第十四

景公问晏子曰:"吾欲服圣王之服①,居圣王之室,如此,则诸侯其至乎?"

晏子对曰:"法其节俭则可②,法其服,居其室,无益也。三王不同服而王③,非以服致诸侯也。诚于爱民,果于行善,天下怀其德而归其义,若其衣服节俭而众说也④。夫冠足以修敬⑤,不务其饰;衣足以掩形御寒,不务其美。衣不务于隅眦之削⑥,冠无觚嬴之理⑦,身服不杂采,首服不镂刻。且古者尝有紩衣挛领而王天下者⑧,其义好生而恶杀,节上而羡下⑨,天下不朝其服,而共归其义。古者尝有处橧巢窟穴而不恶⑩,予而不取⑪,天下不朝其室,而共归其仁。

"及三代作服,为益敬也。首服足以修敬而不重也,身服足以行洁而不害于动作。服之轻重便于身,用财之费顺于民。其不为橧巢者,以避风也;其不为窟穴者,以避湿也。是故明堂之制⑫,下之润湿不能及也,上之寒暑不能入也。土事不文⑬,木事不镂⑭,示民知节也。及其衰也,衣服之侈过足以敬⑮,宫室之美过避润湿。用力甚多,用财甚费,与民为雠。

"今君欲法圣王之服室⑯,不法其制。法其节俭也,则虽未成治,庶其有益也。今君穷台榭之高⑰,极污池之深而不止⑱,务于刻镂之巧、文章之观而不厌,则亦与民为雠矣⑲。若臣之虑,恐国之危而公不平也⑳。公乃愿致诸侯,不亦难乎?公之言过矣。"

[注释]

①前"服"字之义为"穿",后"服"字之义为"衣服"。②法:效法。

③三王：指尧、舜、禹。④若：顺。王念孙谓"若"乃"善"之误。⑤修敬：展现肃敬。⑥隅：角。肶：当为"眦"（zì），"訾"的异体字，本指衣的交领。引申为差、斜之意。削：此指裁剪。⑦觚（gū）：棱角。引申为方形花纹。嬴：当作"蠃"（luó），通"螺"。引申为圆形花纹。理：花纹。⑧紩（zhì）：缝，补缀。挛：卷曲。⑨羡：盈余。⑩橧（zēng）：聚积柴木以作住处。⑪予而不取：给予而不索取，谓对人民只给予财物，而不征敛赋税。⑫明堂：天子处理政事的朝堂。⑬土事：指修建墙壁之事。文：绘画。⑭木事：指修制栋梁。镂：雕刻。⑮过：超过。⑯旧无"室"字，据张纯一说补。⑰台：累土而成的高台。榭：建筑在高土台上的有屋顶而无墙壁的敞屋。⑱污：小池。⑲雠：敌。⑳平：平安。

[译文]

景公问晏子说："我想穿上古代圣王所穿的衣服，居住古代圣王所住的房屋，这样做了，诸侯们大概就会来归附吧？"

晏子回答道："您如果效法古代圣王的节俭，那是有好处的；如果只是效法他们的衣服，居住像他们那样的官室，那就没有什么好处了。尧、舜、禹三位圣王并不穿同样的衣服，可是都做了诸侯的共主，君临天下，他们并不是靠所穿的衣服让诸侯们来归附的。他们诚心爱民，不懈行善，天下的人都怀念他们的恩德，归顺他们的道义，赞美他们的衣服节约俭朴，因而民众都很喜欢他们。帽子只要能表示肃敬就可以了，不必在装饰上下工夫；衣服只要能遮蔽身体、抵御寒冷就可以了，不必在美观上下工夫。衣服不求裁剪出斜、角等花样，帽子也不装饰方形、圆形等花纹，衣服只用单色而不搭配多种颜色，帽子上装饰的玉也不加雕刻。况且远古时代的圣君，曾经有人身穿缝制简陋、领子卷曲的衣服却能君临天下，他们遵循的道义是爱护民生，憎恶杀戮，自己生活节俭，却让民众家有余财。天下诸侯不是因为他们的衣服才来朝拜，而是共同归顺他们的道义。还有的圣君曾经住在柴草筑成的巢内或洞穴之中，并不厌恶艰苦的生活条件；只给人民创造生产生活条件而不征敛赋税。天下诸侯不是因为他们的居室才来朝拜,而是归服他们的仁德。

"到了夏、商、周三代,当其兴盛的时候,那些英明君主制作衣服的原则是,充分显示君主的尊严,使人敬仰。头上戴的帽子足以展示肃敬,但不沉重;身上穿的衣服足以显示庄严整洁,但不妨碍行动。衣服的轻重以便于身体行动为原则,钱财消费的多少以顺应民心为原则。他们所以不再筑巢居住,是为了躲避风雨;他们所以不再挖洞穴居住,是为了躲避潮湿。所以他们修建明堂的原则是,使地下的潮湿之气不能上侵,天上的寒暑之气不能侵入;修建墙壁不在上面彩绘图案,修制栋梁也不在上面雕刻花样,向人民表示君主是知道节俭的。到了夏、商、周三代衰落的时候,那些昏庸无道的君主所穿衣服十分华丽,大大超过了表示尊严的需要;居住的宫殿十分华美,大大超过了避免潮湿的需要;役使大量民力,耗费巨额资财,这完全是与民为敌的做法。

"现在您只想效法古代圣贤君王的衣服和住房,却不效法他们的原则和制度。您如果能效法他们的节俭精神,那么即使不能完全治理好国家,于国于民仍然会有好处。现在您把台榭越修越高,把水池越挖越深,不知适可而止;宫室建筑致力于雕刻的精巧、彩绘的美观,不知满足,您这样的做法也是与人民为敌啊!依我看来,恐怕国家将有危险,国君您也不会平安。您还想让诸侯们来归附和朝拜,那不是很困难吗?您的话错了。"

景公自矜冠裳游处之贵晏子谏第十五

景公为西曲潢①,其深灭轨②,高三仞③,横木龙蛇,立木鸟兽。公衣黼黻之衣④,素绣之裳⑤,一衣而五采具焉。带球玉而冠且⑥,被发乱首⑦,南面而立,傲然。

晏子见，公曰："昔仲父之霸何如？"晏子抑首而不对。公又曰："昔管文仲之霸何如⑧？"晏子对曰："臣闻之，维翟人与龙蛇比⑨。今君横木龙蛇，立木鸟兽，亦室一就矣⑩，何暇在霸哉？且公伐宫室之美，矜衣服之丽，一衣而五采具焉。带球玉而乱首被发，亦室一容矣⑪。万乘之君而壹心于邪⑫，君之魂魄亡矣，以谁与图霸哉⑬？"

公下堂就晏子曰："梁丘据、裔款以室之成告寡人，是以窃袭此服⑭，与据为笑，又使夫子及⑮。寡人请改室易服而敬听命，其可乎？"晏子曰："夫二子营君以邪⑯，公安得知道哉？且伐木不自其根，则蘖又生也⑰。公何不去二子者，毋使耳目淫焉。"

[注释]

①曲：弯曲。潢：积水池。②灭：没。轨：车轴的两端，即轴头。③仞：古代长度单位，周制八尺为一仞。④黼黻（fǔ fú）：古代礼服上所绣的花纹。黻为黑青相间的花纹，作亚形；黼为黑白相间的花纹，作斧形。⑤素：白色丝织品。绣：五彩齐备。⑥球：通"璆"，美玉。且：俞樾谓当作"组"，系帽子的丝带。⑦被：通"披"，散开。⑧管文仲：孙星衍谓当为"管敬仲"。张纯一谓当作"仲父"。指管仲，辅佐桓公称霸诸侯，桓公尊之为"仲父"。⑨翟人：即狄人，中国境内少数民族。比：亲近，并列。⑩亦室一就矣：或曰此句文义不通，当作"一室亦就矣"。就，高。意为"今与鸟兽聚于一室，亦甚高矣"。或释为"也只不过是建成一室罢了"。就，成。⑪亦室一容矣：或曰此句文义不通，当作"一室亦容矣。"容，盛也；盛，大也。其意为"在一室之内亦足以自大矣"。或释为"也只不过是把自己容纳在屋里罢了"。⑫万乘：指拥有万辆兵车的大国。壹心：专心。⑬谁与：宾语前置，即"与谁"，和谁一起。⑭袭：穿。⑮及：赶上（此事）。⑯营：通"萦"，惑乱。⑰蘖（niè）：树木的嫩芽；也指树木被砍伐后所生的新芽。

[译文]

景公在宫殿区的西面挖掘了一片弯弯曲曲的池塘，池水的深度可以没过车轴，水池中央修建了一座两丈多高的楼台，楼台的横梁上都雕刻着龙蛇,立柱上都雕刻着鸟兽。景公穿着庄重的礼服:上衣绣着黑白、青黑相间的花纹,下衣在白缯上绣着彩色图案,一身衣裳具备了五色纹饰。腰带上戴着美玉,帽子上系着丝带,头上长发披散而蓬乱,脸朝南面站立着,神情高傲。

晏子去见景公,景公问道:"从前管仲(辅佐桓公)称霸诸侯时是什么情形?"晏子低头沉思,不作回答。景公又追问道:"从前管仲是如何(辅佐桓公)称霸诸侯的?"晏子回答说:"我听说只有狄人生活在水乡泽国,才喜欢与龙蛇亲近为伍。现在您横梁上雕刻着龙蛇,立柱上雕刻着鸟兽,也不过是和龙蛇鸟兽聚居一室,哪里有工夫考虑称霸诸侯的事业?况且您夸耀宫室的华美,炫耀服饰的绚丽,一身衣裳就具备了五色纹饰;还佩戴着美玉,披散着头发,也只不过把自己容身于一间宫室之内而已。身为拥有万乘兵车的大国君主,却把心思都用在邪僻的事情上(您已迷失了正道),您的魂魄都丢失了,还能跟谁一起去图谋霸业呢?"

景公(听了晏子的批评)急忙下堂走到晏子跟前说:"梁丘据、裔款把宫室建成的事告诉了我,因此我私下里穿上这身衣服,只不过是与梁丘据他们取乐罢了,不料让先生您碰上了。请允许我改修宫室,更换衣服,恭敬地听从您的指教,这样可以了吧?"晏子说:"(梁丘据、裔款)这两个人用歪门邪道的事情迷惑您,您哪里还能知道当君主应该遵循的原则呢?况且砍伐树木如果不从根部砍断,就又会生出新芽来。您何不将这两个人从身边赶走,不要再让他们迷惑您的视听、搞乱您的思想。"

景公为巨冠长衣以听朝晏子谏第十六[①]

景公为巨冠长衣以听朝,疾视矜立[②],日晏不罢[③]。

晏子进曰："圣人之服中侻而不驵④,可以导众;其动作侻顺而不逆⑤,可以奉生⑥。是以下皆法其服,而民争学其容⑦。今君之服驵华,不可以导众民;疾视矜立,不可以奉生。日晏矣,君不若脱服就燕⑧。"

公曰："寡人受命。"退朝,遂去衣冠,不复服。

[注释]

①标题旧脱"为"字,据目录及正文补。②疾视:怒目而视。③晏:晚。④中侻(tuō):适中,合身。驵(zǎng):粗大,肥大。⑤侻顺:简易而顺情。不逆:不违背常情。⑥奉生:养性。生,通"性"。⑦容:仪容。⑧燕:通"宴",休息。

[译文]

有一次景公戴着高大的帽子,穿着长大的衣服上朝听政。他一直瞪大双眼,怒目而视,傲慢地站着,天晚了也不退朝。

晏子上前规劝道:"圣人所穿的衣服应当是适合身体而不宽大,可以做众人的表率;他们的行动应当简易而合乎情理,不可怪异而违背常情。这有利于修身养性。因此下面的人都效法他们的服装,民众都争着学习他们的仪容。现在您的衣服长大而华丽,不可以做民众的表率;怒目而视,傲慢而立,不利于修身养性。天晚了,您不如脱去这套衣服回宫安歇吧。"

景公说:"我接受你的意见。"于是退朝回宫,脱去长衣服,摘下大帽子,不再穿戴这套衣帽了。

景公朝居严下不言晏子谏第十七

晏子朝,复于景公曰:"朝居严乎?"公曰:"朝居严①,则曷害于治国家哉?"

晏子对曰:"朝居严则下无言,下无言则上无闻矣。下无言,则吾谓之喑②;上无闻,则吾谓之聋。聋喑,非害国家而如何也?且合升鼓之微③,以满仓廪;合疏缕之纬④,以成帏幕⑤。太山之高⑥,非一石也,累卑然后高⑦;夫治天下者,非用一士之言也。固有受而不用⑧,恶有拒而不受者哉?⑨"

[注释]

①旧作"严居朝",据王念孙说改。②喑(yīn):哑。③鼓:古量器名,即斛。④纬:织物的横线。旧作"绨",从王念孙说依《说苑》改。⑤帏幕:帐幕。⑥太山:即泰山。⑦累:积。卑:低。⑧固:本来。引申为"应当"。⑨恶(wū):何,哪里。

[译文]

有一次晏子上朝,对景公说:"您主持朝会愿意表现出很威严的样子吗?"景公说:"主持朝会表现威严,对治理国家难道会有什么妨害吗?"

晏子回答说:"主持朝政时态度很严厉,臣下就不敢讲真话。臣下不敢讲真话,君主就听不到好意见。臣下不讲真话,我称之为哑;君主听不到好意见,我称之为聋。君主和臣下又聋又哑,不是对国家有害又是什么呢?应当知道,只有把一升一斛的粮食会聚起来,才能装满粮仓;只有把一根一根的经纬线会集起来,才能织成帷幕。泰山所以高大,并不是只用一块石头就能实现;把一块块细小的石头累积起来,才形成了高大的泰山。治理天下也是同样的道理,不能只听信一个人的意见(而应广开言路,虚心纳谏)。虽然说有的意见听了可以不采纳,但是哪有拒绝听取各种意见的道理呢?"

景公登路寝台不终不说晏子谏第十八

景公登路寝之台,不能终①,而息乎陛,忿然而作色,不说，曰："孰为高台？病人之甚也！"

晏子曰："君欲节于身而勿高②，使人高之而勿罪也。今高，从之以罪；卑，亦从之以罪。敢问使人如此，可乎？古者之为宫室也，足以便乎生，不以为奢侈也。故节于身，谓于民③。及夏之衰也，其王桀背弃德行，为璇室玉门④。殷之衰也，其王纣作为倾宫灵台。卑狭者有罪，高大者有赏，是以身及焉⑤。今君高亦有罪，卑亦有罪，甚于夏、殷之王。民力殚乏矣，而不免于罪。婴恐国之流失⑥，而公不得享也。"

公曰："善。寡人自知诚费财劳民，以为无功，又从而怨之，是寡人之罪也。非夫子之教，岂得守社稷哉？"遂下，再拜，不果登台。

[注释]

①不能终：不能登到最高处。银雀山汉墓竹简文为"不能终上"，文义更明。②而：则。③谓于民：银雀山汉墓竹简文作"调于民"。王念孙云："案'谓'当为'调'，形相似而误也……调者，和也，言不为奢侈以劳民，故节于身而和于民也。"王说甚是。④璇（xuán）室：雕饰华丽、结构精巧的宫室。璇，美玉。⑤身及焉：自身遭到灾祸。及，至。引申为赶上。焉，犹言"之"，此指灾祸。⑥流失：丢失，丧失。俞樾以为"流"为"危"字之误。

[译文]

景公登路寝台，因为台高阶多，不能一气登到顶端，中途坐在台阶上休息，心中气愤变了脸色，不高兴地说："是谁修建了这么高的台？让人登着太累了！"

晏子说："您如果想节省体力，就不要让人修这么高的台；既然让人修了这么高，就不要怪罪修建的人。现在嫌修高了，跟着就给加上罪名；如果当初修低了，也会跟着给加上罪名。我大胆地问一句，这样役使人的做法可行吗？古时候君主修建宫室，只是为了方便生活，不是用来奢侈享受。所以他们既能节省体力，又使人民能和谐生活。到了夏朝衰亡的时候，它的末代国王桀背弃了为君的德行，修建了用美玉装饰的宫室门户。商朝衰亡的时候，它的末代国王纣修建了倾宫和灵台。（他们都大兴土木，宫室楼台越建越高大）修得低矮狭窄的有罪，修得高大宽敞的有赏，（因为他们耗费了大量的人力财力，奢侈腐败）自身都遭到了祸害。现在您的做法是，修高了有罪，修低了也有罪，这比夏桀、商纣王的做法还要厉害。老百姓的人力财力都已匮乏殆尽，仍然免不了承担罪责。我非常担心国家将有覆亡的危险，您也不能享有齐国了。"

景公说："您说得好。我自己知道大兴土木确实劳民伤财，可是我不但不认为百姓有功劳，反而怨恨他们，这真是我的罪过了。如果不是先生您不断教诲我，我哪里能守得住齐国呢？"于是下了路寝台，对晏子拜了两拜，不再去登台了。

景公登路寝台望国而叹晏子谏第十九

景公与晏子登路寝之台而望国①，公愀然而叹曰②："使后嗣世世有此，岂不可哉？"

晏子曰："臣闻明君必务正其治，以事利民，然后子孙享之。《诗》云：'武王岂不事？贻厥孙谋，以燕翼子③。'今君处佚怠④，逆政害民有日矣，而犹出若言⑤，不亦甚乎？"

公曰："然则后世孰将把齐国⑥？"

对曰："服牛死⑦，夫妇哭，非骨肉之亲也，为其利之大也。欲知把齐国者，则其利之者邪？"

公曰："然，何以易⑧？"

对曰："移之以善政。今公之牛马老于栏牢，不胜服也⑨；车蠹于巨户⑩，不胜乘也；衣裘襦袴⑪，朽弊于藏⑫，不胜衣也；

醯醯腐⑬，不胜沽也；酒醴酸⑭，不胜饮也；府粟郁积⑮，不胜食也⑯。又厚藉敛于百姓，而不以分馁民。夫藏财而不用，凶也。财苟失守，下，其报环至⑰；其次昧财之失守，委而不以分人者⑱，百姓必进自分也。故君人者，与其请于人，不如请于己也⑲。"

[注释]

①路寝之台：旧只作"寝"，据俞樾说改。②愀（qiǎo）：忧愁，悲伤。③此句引自《诗经·大雅·文王有声》。贻：给。厥：其。燕：通"宴"，安。翼：辅助。④佚怠：安逸懈怠。⑤若：此。⑥把：掌握。⑦服牛：驾车的牛。服，驾驭。⑧易：改变。⑨不胜：禁不住。意思是不能再用。⑩蠹：蛀虫。引申为坏，损害。⑪襦（rú）：短衣。或曰里衣。袴（kù）：本作"绔"，古时指套裤，即无裆之裤。⑫藏：指储物之所。⑬醯（xī）：醋。醢（hǎi）：肉酱。⑭醴（lǐ）：甜酒。⑮郁：腐臭。积：旧作"而"，据卢文弨说改。⑯也：旧脱，据卢文弨说补。⑰此句费解。或以为"失"当为"矢"之误。矢，誓也。下：下策。报：报怨。或将"失守"解为丢失。⑱委：委积，储藏。或解为"丢弃"。⑲请：求。

[译文]

景公和晏子一起登上路寝的高台，瞭望齐国雄伟繁华的都城，景公很忧伤地感叹道："让我的子孙世代享有齐国，难道做不到吗？"

晏子说："我听说英明的国君一定要努力使国家的治理走上正道，所做的事情对人民有利，然后子孙才能享有国家。《诗经》中说：'周武王难道不是努力为民谋利吗？他把好的谋略传给子孙，帮助他们安定王业。'现在您一直处于安逸怠惰的状态，暴政害民已有很长时间了，可是您还说出让子孙世代享国的话来，岂不是太过分了吗？"

景公说："如果是这样的话，以后谁将掌握齐国的政权？"

晏子回答道："家中驾车耕田的牛死了，夫妻都会为之悲伤哭泣,并不是他们和牛有骨肉亲情,而是因为牛给他们带来很大的利益。想要知道将来掌握齐国政权的人是谁,那应当是能让人民得到利益的人吧。"

景公说:"既然如此,用什么办法能改变这种情况?"

晏子回答说:"只有用良好的政绩来改变这种情况。现在的情况是:您豢养了许多牛马在圈栏里一天天衰老,不能驾车耕田了;许多辆车子在车棚里腐朽损坏,不能再乘坐了;许多丝绸袄裤和裘皮衣袍藏在柜中破损腐朽,不能再穿了;储存的大量醋和肉酱已经变质,不能再食用了;大量的美酒已经变酸,不能再饮用了;府库里积存的粮食已经腐败发臭,不能再吃了。可是却依然对百姓横征暴敛,而不肯把粮食财物分给饥饿贫困的民众。只顾把聚敛的财物储藏起来,不肯用来救济贫苦百姓,这是很凶险的事情。如果死死地守住聚敛来的财物,不肯分给贫民,乃是下策,百姓就会连连发出抱怨之声;如果仍然不明白死守钱财的危害性而执迷不悟,放在府库中宁可腐败损坏也不分给平民百姓,那么就会逼得老百姓闯进府库中自己分拿财物了。所以说,当君主的如果想把君位传给子孙,与其求助于人,不如求助于自身。"

景公路寝台成逢于何愿合葬晏子谏而许第二十

景公成路寝之台。逢于何遭丧①,遇晏子于途,再拜乎马前。晏子下车挹之②,曰:"子何以命婴也?"对曰:"于何之母死,兆在路寝之台牖下③,愿请命合骨。"晏子曰:"嘻!难哉!虽然,婴将为子复之。适为不得④,子将若何?"对曰:"夫君子则有以⑤。如我者侪小人⑥,吾将左手拥格⑦,右手梱心⑧,立饿枯槁而死,以告四方之士曰:'于何不能葬其母者也。'"晏子曰:"诺。"

遂入见公,曰:"有逢于何者,母死,兆在路寝当庯下⑨,愿请合骨。"公作色不说,曰:"自古及今,子亦尝闻请合葬人主之宫者乎⑩?"

晏子对曰:"古之人君,其宫室节,不侵生人之居⑪;其台榭俭⑫,不残死人之墓。故未尝闻请葬人主之宫者也⑬。今君侈为宫室,夺人之居;广为台榭,残人之墓。是生者愁忧,不得安处;死者离易,不得合骨。丰乐侈游,兼傲生死,非仁君之行也⑭。遂欲满求,不顾细民,非存之道也⑮。且婴闻之,生者不得安,命之曰蓄忧;死者不得葬,命之曰蓄哀。蓄忧者怨,蓄哀者危。君不如许之。"公曰:"诺。"

晏子出,梁丘据曰:"自古及今,未尝闻求葬公宫者也,若何许之?"公曰:"削人之居,残人之墓,凌人之丧,而禁其葬,是于生者无施,于死者无礼也⑯。《诗》云:'縠则异室,死则同穴⑰。'吾敢不许乎?"

逢于何遂葬其母于路寝之台庯下⑱,解衰去绖⑲,布衣縢履⑳,玄冠呲武㉑,踊而不哭㉒,躄而不拜㉓,已乃涕洟而去㉔。

[注释]

①逢于何:人名,姓逢,名于何。逢(páng),通"逄"。遭:遇。②挹:通"揖",作揖打躬。③兆:墓地。庯:"墉"的俗字,墙。④适:如果,假如。⑤以:为,办法。⑥侪(chái):辈。⑦格:通"辂"(lù),车辕前的横木,用来牵引车。⑧椢心:拊心,拍击胸部。椢,通"掴",叩打。⑨庯下:旧作"如之何",据王念孙说改。⑩旧无"合"字,据卢文弨说补。⑪生人:旧作"生民",据王念孙说改。⑫台榭:台是高而平的建筑物,台基用土堆成。榭是建在高台上的敞屋。⑬"闻"下旧有"诸"字,据卢文弨说删。⑭"仁"旧作"人",据苏舆说改。⑮"也"字旧脱,据《群书治要》补。⑯"也"字旧脱,据苏舆说补。⑰所引诗句见《诗经·王风·大车》。

内篇谏下第二　115

縠：生。⑱旧脱"于"字、"台"字，据卢文弨说补。⑲衰（cuī）、绖（dié）：丧服。衰，古人丧服胸前当心处缀有长六寸、广四寸的麻布，名衰，因名此衣为衰。绖，古代丧服中用的麻带，围在头上的称"首绖"，围在腰间的称"腰绖"。⑳縢（téng）履：用麻绳缠束鞋子。縢，用绳约束。㉑芘：当作"苊"，与"纰"字通用，除丧后戴的帽子。武：通"帗"，古时冠上的结带。㉒踊：往上跳，此指顿足。㉓辟：当为"擗"，捶胸。㉔涕：眼泪。洟（yí）：鼻涕。

[译文]

　　景公建成了路寝台。逢于何的母亲刚去世，在路上碰到晏子，在晏子的马前连连作揖打躬。晏子下车向他作揖还礼，说："您对我有什么吩咐？"逢于何回答说："我的母亲死了，我家的墓地位于路寝台的墙旁边，希望您能请求君主允许我将母亲与父亲合葬在那里。"晏子说："唉！这事情难办啊！虽然如此，但我还是要为您禀报这件事，如果办不成，您将怎么办？"逢于何回答说："您在朝廷中有地位有影响，一定会有办法的。像我不过是一介小民，如果得不到允许，我将左手挽着灵车辕上的横木，右手捶打着胸膛，站在那里绝食，直到枯干而死。并且告诉四方来往的人士说：'于何是不能埋葬自己母亲的人啊！'"晏子说："好吧，我一定为你向君主请求。"

　　晏子于是入朝谒见景公，说："有个叫逢于何的人，他的母亲死了，他家的墓地在路寝台的墙旁边，希望您能允许其母与其父合葬在那里。"景公面带怒容，很不高兴地说："从古至今，您曾听说过请求在君主的宫殿旁合葬死人的吗？"

　　晏子回答说："古代的君主，他们修建的宫室规模不大，不会侵占活人的住地；他们修建的台榭占地不多，不会毁占死人的墓地。所以不曾听说过请求在君主宫殿之旁埋葬死人的事。现在您扩张宫室用地，侵夺了居民的住处；修建宽大的台榭，毁占了居民的墓地。这样做既让活着的人忧愁,不得安居;又让死了的人夫妻离散,不得合葬。您却过着丰盛欢乐奢侈游玩的生活,既轻慢活着的人,又轻慢死去的人,这绝不是仁慈的君主应做的事情。您的欲望均已得逞,需求都已满足,却不顾小民的死活,这绝不是保住国家的办法。况且我听说过,让活着的人不得安居,这叫做积蓄忧愁;让死了的人无处可葬,这叫做积蓄哀怨。忧愁积聚多了,人民就会怨恨您;哀怨积聚多了,就会对您有危害。您不如答应他为好。"景公说:"好吧。"

  晏子离开后,梁丘据对景公说:"从古至今,不曾听说过请求在君主宫室旁埋葬死人的,您为什么要答应呢?"景公说:"侵占人家的住处,残毁人家的坟墓,侵犯人家的丧事,禁止在人家墓地中埋葬,这样做就是对活着的人不施恩惠,对死去的人不讲礼仪。《诗经》上说:'活着不能住在同一屋内,死后也要葬在同一墓中。'我怎敢不答应呢?"

  逢于何于是把他母亲葬在路寝台的墙旁边,与其父合葬在一起。他脱去丧服,只穿着粗布衣服,鞋上捆着麻绳,头戴系着带子的黑帽子,脚用力踩地但不哭泣,手捶打胸口但不跪拜。埋葬完毕,才一把鼻涕一把泪地离开墓地。

景公嬖妾死守之三日不敛晏子谏第二十一

  景公之嬖妾婴子死,公守之,三日不食,肤著于席而不去。左右以复,而君无听焉。

  晏子入,复曰:"有术客与医俱言曰①:'闻婴子病死,愿请治之。'"公喜,遽起曰:"病犹可为乎?"

  晏子曰:"客之道也②,以为良医也,请尝试之。君请屏洁③,沐浴饮食,间病者之宫④,彼亦将有鬼神之事焉⑤。"公曰:"诺。"屏而沐浴。

晏子令棺人入敛,已敛而复曰:"医不能治病,已敛矣,不敢不以闻。"公作色不说,曰:"夫子以医命寡人,而不使视;将敛,而不以闻。吾之为君,名而已矣。"

晏子曰:"君独不知死者之不可以生邪?婴闻之,君正臣从谓之顺,君僻臣从谓之逆。今君不道顺而行僻⑥,从逆者迩,导害者远⑦。谗谀萌通⑧,而贤良废灭,是以谄谀繁于间⑨,邪行交于国也。昔吾先君桓公用管仲而霸,辟乎竖刁而灭。今君薄于贤人之礼,而厚嬖妾之哀。且古圣王畜私不伤行⑩,敛死不失爱⑪,送死不失哀。行伤则溺己⑫,爱失则伤生,哀失则害性,是故圣王节之也。死即毕敛⑬,不以留生事⑭;棺椁衣衾⑮,不以害生养;哭泣处哀,不以害生道。今朽尸以留生,广爱以伤行,修哀以害性⑯,君之失矣。故诸侯之宾客,惭入吾国;本朝之臣,惭守其职。崇君之行,不可以导民;从君之欲,不可以持国。且婴闻之,朽而不敛,谓之僇尸⑰;臭而不收,谓之陈骴⑱。反明王之性,行百姓之诽,而内嬖妾于僇骴⑲,此之为不可。"公曰:"寡人不识,请因夫子而为之。"

晏子复曰:"国之士大夫、诸侯四邻宾客皆在外,君其哭而节之。"

仲尼闻之,曰:"星之昭昭,不若月之曀曀⑳;小事之成,不若大事之废㉑;君子之非㉒,贤于小人之是也㉓。其晏子之谓欤!"

[注释]

①术客:有方术的人。②道:说。③屏(bǐng)洁:屏除不洁。或释为"退居洁室"。④间:隔离,离开。⑤鬼神之事:指施展方术,向鬼神祈祷。⑥道:行。⑦导害:王念孙以为"害"乃"善"字之误。导,从。或释为

"匡君之失，指称弊政"。⑧萌通：发生滋长。引申为做官显达。⑨间：其间，近旁。指朝廷中。⑩畜：取悦，讨好。私：指偏爱、宠爱之人。⑪不失爱：不超过喜爱的正常限度，即不过分喜爱。失，不自禁。引申为超过正常限度、失去分寸。⑫溺己：沉溺于私欲不能自拔。⑬旧无"死"字，据王念孙说补。⑭旧无"以"字，据张纯一说补。"留"字义不可通，疑当作"害"，言不以死人久不棺敛，妨害生人之事。或释为不保留尸体望其复生。⑮棺：指内棺。椁（guǒ）：指棺外的套棺。衾（qīn）：被子。⑯修哀：王念孙谓当为"循哀"，悲哀不止。循，遂，尽。⑰僇尸：陈列尸体，即羞辱尸体。僇，通"戮"，此处当羞辱解。⑱陈胔（zì）：腐烂的肉。⑲内：通"纳"。⑳瞳瞳（yì yì）：阴暗的样子。㉑废：废弃，不成。此处意为有缺陷。㉒非：过失，缺点。㉓是：正确，优点。

[译文]

景公的宠妾婴子死了，景公守在她的尸体旁，一连三天不吃不喝，坐卧在席上而不离开。身边的侍臣向他禀报事情，他都听不进去。

晏子（见此情景，心生一计）进去禀报说："有一个懂方术的客人和一个医生都说：'听说婴子得病而死，希望允许把她救活。'"景公听后非常高兴，急忙站起身来说："婴子的病还能治好吗？"

晏子说："据客人说，他是一个高明的医生，请让他试试看。请您退居清静之室，洗澡吃饭，远离病人的宫室。他们将施展方术，向鬼神祈祷。"景公爽快地答应说："好吧。"于是离开停尸房间洗澡去了。

晏子待景公离开后，立即命令管棺材的人把尸体装入棺中。等收殓完毕后，向景公禀报说："医生不能救活婴子，已经把尸体收殓起来了，不敢向您隐瞒不报告。"景公脸色大变，很不高兴，说道："先生您拿医生的话命令我，不让我在场看着；要收殓尸体，又不让我知道。我这个当君主的只是徒有其名罢了。"

晏子对景公解释道："君主您难道不知道死了的人是不可能复

生的吗？我听说，君主办事正确，臣下服从叫做顺理；君主办事邪僻，臣下服从叫做悖逆。现在您不做合情合理的事情，却做邪僻的事情，跟着您干邪僻事情的人您就亲近，匡正您过失的人您就疏远。阿谀奉承的人步步高升，官运亨通；贤德有才之人却被抛弃罢黜，因此谄媚阿谀之人充斥于朝廷之内，邪僻悖逆的行为不断在国内出现。从前我们的先君桓公，起先因为能任用管仲这样的贤臣，所以才称霸诸侯；后来因为宠信竖刁等谗佞之人，因而遭到灭亡。现在您对贤德之人礼节轻薄，而对宠妾却哀痛深切。从历史上看，古代的圣明君主，他们虽然也取悦自己所宠爱的人，但以不伤害自己的德行为限度；他们为宠爱的人入殓，不会表现得过分亲爱；为其出殡虽然也很悲伤，但不会悲哀过分。要知道，伤害自己的德行，就会沉溺于私欲之中不能自拔；亲爱失之太过，就会伤害身体；哀痛失之太过，就会伤害精神。所以圣明的君主对这些事情都要有所节制。人死了就要即时入殓，不要停尸过久而妨害生人的事情；棺椁衣被不可过分铺张耗费，不让这些妨害对生人的供养；哭泣悲哀应有节制，不让它伤害养生之道。现在她的尸体已经开始腐烂，您却留住不葬，希望她死而复生；过分地表示对宠妾的亲爱和留恋，因而伤害了您的德行；您为她悲痛不止，因而伤害了您的精神。您的做法错了。所以，诸侯的使者以到我国来吊唁而感到羞惭，朝廷的大臣们以担任职务而感到羞愧。如果推崇您的行为，是不可以引导人民的；如果放纵您的私欲，是不可以保住国家的。我还听说过，尸体腐烂了却不入殓，这叫做羞辱尸体；尸体腐臭了还不收殓，这叫做陈列臭肉。这样做，违反了英明君主的德性，做了让百姓非议的事情，把宠妾已经腐烂的尸体陈放在那里，予以羞辱，实在是不应该的。"景公说："我过去不懂这些道理。请允许我依靠先生您处置这些事情吧。"

晏子又提醒景公："我国的士大夫们以及诸侯四邻来吊唁的使

者宾客都在外面,您哭的时候还是加以节制为好。"

仲尼听说晏子对这件事的处置后,说:"夜空中的众星虽然闪闪发光,但是还赶不上被浮云遮住的月亮光明。小事情做得虽然圆满成功,却比不上虽有缺陷却能做成大事情。君子虽然难免有缺点,却远胜过也有某些优点的小人。这大概说的就是晏子这样的人吧!"

景公欲厚葬梁丘据晏子谏第二十二

梁丘据死。景公召晏子而告之曰:"据忠且爱我,我欲丰厚其葬,高大其垄①"。晏子曰:"敢问据之忠与爱于君者,可得闻乎?"公曰:"吾有喜于玩好,有司未能我共也②,则据以其所有共我,吾是以知其忠也③;每有风雨,暮夜求之必存④,吾是以知其爱也。"

晏子曰:"婴对则为罪,不对则无以事君,敢不对乎?婴闻之,臣专其君⑤,谓之不忠;子专其父,谓之不孝;妻专其夫,谓之嫉妒⑥。事君之道,导君以亲于父兄⑦,有礼于群臣,有惠于百姓,有信于诸侯,谓之忠;为子之道,导父以钟爱其兄弟⑧,施行于诸父⑨,慈惠于众子,诚信于朋友,谓之孝;为妻之道,使其众妾皆得欢忻于其夫,谓之不嫉。今四封之民⑩,皆君之臣也,而维据尽力以爱君⑪,何爱者之少邪?四封之货⑫,皆君之有也,而维据也以其私财忠于君,何忠者之寡邪?据之防塞群臣,壅蔽君⑬,无乃甚乎⑭?"公曰:"善哉!微子,寡人不知据之至于是也。"

遂罢为垄之役,废厚葬之令。令有司据法而责⑮,群臣陈过而谏⑯。故官无废法⑰,臣无隐忠⑱,而百姓大说。

[注释]

①垄:坟墓。②共:同"供",供奉。③旧脱"吾"字,据王念孙说补。④旧脱"之"字,据苏舆说补。存:在。⑤专:单独占有。⑥旧脱"妬"字,据《群书治要》补。⑦旧脱"君以"二字,据王念孙所见《群书治要》补。⑧旧脱"导父"二字,据《群书治要》补。⑨诸父:称父亲的兄弟为诸父,即伯父、叔父。⑩四封:四境,即国境之内。⑪此下文字各本俱脱,从王念孙说据《群书治要》补。⑫货:财物。⑬壅蔽:隔绝,蒙蔽。⑭无乃:莫非,岂不是。⑮责:负责。⑯陈:陈述。过:过错。⑰废法:废弃法律,不遵守法律。⑱隐忠:隐藏忠心。

[译文]

景公的宠臣梁丘据死了。景公召见晏子,告诉他说:"梁丘据对我既忠诚又热爱,我想用隆重的礼仪为他办丧事,给他修一座高大的坟墓。"晏子问道:"请问梁丘据对您的忠诚和热爱有哪些表现,可以说给我听听吗?"景公说:"我有喜爱的玩物,主管官吏不能供给我的,梁丘据就把他所有的拿来奉献给我,因此我知道他对我是忠诚的;遇到刮风下雨的日子,就是夜里找他,他也一定在等候我的召唤。因此我知道他对我是热爱的。"

晏子说:"对于这件事情我如果回答您,就会因违反您的意愿而获罪;如果不回答您,就违反了事君之道。我怎敢不回答呢?我听说过这样的道理:臣下如果单独享有君主的宠爱,那是不忠的表现;儿子如果单独享有父亲的疼爱,那是不孝的表现;嫡妻如果单独享有丈夫的宠幸,那是嫉妒的表现。臣下侍奉君主的原则是:善于引导国君对父兄要亲近,对群臣要以礼相待,对百姓要给予恩惠,对诸侯要讲信义,这样做才能称之为忠;儿子侍奉父亲的原则是:善于引导父亲钟爱他的兄弟以及他的伯父、叔父,慈爱他所有的儿子,要以诚信对待朋友,这样做才能称之为孝。妻子侍奉丈夫的原则是:让所有的妾都能得到丈夫的宠幸,这样做才能称之为不嫉妒。现在齐国境内的人都是您的臣民,可是只有梁丘据一个人尽心竭力热爱您,为什么热爱您的人这样少呢?齐国境内的财物都归您所有,可是只有梁丘据一个人愿意献出他的私财以表示对您的忠诚,为什么忠于您的人这样少呢?这表明梁丘据竭力堵塞群臣对您的尽忠之路,竭力阻隔和蒙蔽您,他的做法岂不是太过分了吗?"景公连连点头说:"您说得太好了!如果没有您开导,我真不知道梁丘据的为人竟到了这种地步。"

景公于是停止了为梁丘据修坟墓的徭役,收回了厚葬梁丘据的命令。命令各级官吏均应依法行事,臣下看到君主的过失都应当面指出,予以劝谏。所以官吏没有不遵守法律的,臣下没有隐藏忠心而不表露的,全国百姓都非常高兴。

景公欲以人礼葬走狗晏子谏第二十三

景公走狗死①,公令外共之棺,内给之祭。晏子闻之,谏。公曰:"亦细物也②,特以与左右为笑耳③。"

晏子曰:"君过矣!夫厚藉敛不以反民④,弃货财而笑左右⑤,傲细民之忧而崇左右之笑⑥,则国亦无望已。且夫孤老冻馁,而死狗有祭;鳏寡不恤⑦,而死狗有棺。行僻若比,百姓闻之,必怨吾君;诸侯闻之,必轻吾国。怨聚于百姓,而权轻于诸侯,而乃以为细物,君其图之。"

公曰:"善。"趣庖治狗以会朝属⑧。

[注释]

①走狗:指猎犬。②细物:小事。物,事。③为笑:搞笑,取乐。④反:同"返"。⑤笑左右:使左右笑。笑,用作使动词。⑥傲:轻视。崇:看重。⑦鳏(guān):老而无妻之人。寡:老而无夫之人,亦泛指丧夫之妇女。

⑧趣：催促。庖（páo）：厨师。

[译文]

景公喜爱的一只猎犬死了，景公命令宫外给狗准备棺材，宫内给狗准备祭品，要用葬人的礼仪葬猎犬。晏子听说后，劝景公不要这样做。景公说："这不过是一件小事，只是借此和身边的人取乐而已。"

晏子说："您的做法过头了！您对人民加重赋敛，不把取之于民的钱财返还给人民，却随意糟蹋财物，供身边的人玩笑取乐；您对平民百姓的忧愁痛苦漠不关心，对让身边的人玩笑开心的事却十分重视，这样去做，国家就没有治理好的希望了。况且，现在国内有许多孤儿老人受冻挨饿，您却给死去的狗大摆祭品；有许多鳏夫寡妇得不到国家的救济，您却给死去的狗备置棺材。您干的这些荒唐事情，让百姓听到了，必定怨恨我们的君主；让诸侯们听到了，必定轻视我们的国家。在百姓中聚积对您的怨恨，诸侯们又轻视您的权威，而您却认为用葬人的礼仪葬狗是小事情。希望您认真考虑此事。"

景公说："您说得好。"于是催促厨师将狗宰杀烹治，用来宴请群臣。

景公养勇士三人无君臣之义晏子谏第二十四

公孙接、田开疆、古冶子事景公，以勇力搏虎闻①。晏子过而趋，三子者不起。晏子入见公，曰："臣闻明君之蓄勇力之士也，上有君臣之义，下有长率之伦②；内可以禁暴，外可以威敌；上利其功，下服其勇。故尊其位，重其禄③。今君之蓄勇力之士也，上无君臣之义，下无长率之伦；内不以禁暴，外不可威敌。此危国之器也④,不若去之。"

公曰:"三子者,搏之恐不得,刺之恐不中也。"

晏子曰:"此皆力攻勍敌之人也⑤,无长幼之礼。"因请公使人少馈之二桃⑥,曰:"三子何不计功而食桃?"

公孙接仰天而叹曰:"晏子,智人也,夫使公之计吾功者⑦。不受桃,是无勇也。士众而桃寡,何不计功而食桃矣。接一搏猏而再搏乳虎⑧,若接之功,可以食桃而无与人同矣。"援桃而起⑨。

田开疆曰:"吾仗兵而却三军者再⑩,若开疆之功,亦可以食桃而无与人同矣。"援桃而起。

古冶子曰:"吾尝从君济于河⑪,鼋衔左骖⑫,以入砥柱之流⑬。当是时也,冶少不能游⑭,潜行,逆流百步,顺流九里,得鼋而杀之。左操骖尾,右挈鼋头⑮,鹤跃而出⑯。津人皆曰河伯也⑰,视之则大鼋之首也。若冶之功,亦可以食桃而无与人同矣。二子何不反桃⑱?"抽剑而起。

公孙接、田开疆曰:"吾勇不子若⑲,功不子逮⑳,取桃不让,是贪也。然而不死,无勇也。"皆反其桃,挈领而死㉑。

古冶子曰:"二子死之,冶独生之,不仁;耻人以言而夸其声,不义;恨乎所行不死,无勇。虽然,二子同桃而节㉒,冶专桃而宜㉓。"亦反其桃,挈领而死。

使者复曰:"已死矣。"公殓之以服,葬之以士礼焉。

[注释]

①搏虎:空手与虎搏斗。②长率:长幼。率,此处当为"少"义。③尊其位,重其禄:使其位尊,使其禄重。尊和重皆为使动用法。④器:此处指人。是对人轻蔑的说法,犹言"东西"。⑤勍(qíng):强。⑥少:三人馈以二桃,故言少。馈:送给人食品;也泛指送人东西。⑦夫:彼,他。⑧猏(jiān):同"豣",本指三岁的猪。此处泛指三岁的兽。⑨援:拿取。⑩仗:

凭借，依仗。引申为率领。再：两次。⑪济：渡。⑫鼋（yuán）：大龟，背甲近圆形，头有疙瘩，俗称"癞头鼋"，生活于河中。骖（cān）：辕马两旁的马为骖。在辕马左边的叫"左骖"。⑬砥柱：山名，亦名三门山，原在黄河中。今因修三门峡水库，山已不见。⑭少：稍，逐渐。⑮挈（qiè）：提着。⑯鹤跃：像鹤那样跳起。⑰津人：渡船的船夫。河伯：河神。⑱反：同"返"，返还。⑲不子若：宾语前置，即"不若子"。若，如。⑳逮：及。㉑挈领：即"契领"，刎颈。契，绝，断。领，颈。㉒节：节制，处置。㉓专：独享。

[译文]

公孙接、田开疆、古冶子三人都是侍奉景公的武士，凭着勇猛有力能赤手空拳搏击猛虎而闻名于世。有一次三位力士一起坐着，晏子经过他们面前时小步快行表示尊敬，三个人却高傲地坐着并不起身答礼，晏子对他们不懂礼数很是气恼。晏子入朝见景公，说："我听说英明的君主供养的勇力之士，对上应当遵守君臣之间的道义，对下应当懂得长幼尊卑之间的伦理；对内可以制止凶暴之人，对外可以威服敌人；上面得利于他们的功劳，下面佩服他们的勇敢。所以给他们以尊贵的地位，让他们享受丰厚的俸禄。现在您供养的这三位勇士则不然，对上不懂得君臣之间的道义，对下又不懂得长幼之间的伦理；对内不能靠他们制止凶暴之人，对外不可以靠他们威慑敌国。他们都是些对国家有危害的人，不如除掉他们为好。"

景公说："这三个人，搏击他们恐怕无人能敌，刺杀他们恐怕难以刺中。"

晏子说："这些人都是单凭勇力攻击强敌的人，根本不懂遵守长幼之间的礼节（留着他们是很危险的，我有办法除掉他们）。"于是请景公派人只赐给三人两个鲜美的桃子，对他们说："你们三位何不用比较功劳大小的办法，来决定谁该吃桃子？"

公孙接听罢仰面朝天感慨道："晏子真是有智慧的人啊，他这是让国君考量我们功劳大小啊。如果不能得到桃子,就是不勇敢的人。三个人却只有两个桃子,何不用比较功劳大小的办法来决定谁该吃桃子。我有一次徒手打死一只三岁的猛兽,又一次徒手打死一只幼虎。像我这样的功劳,是可以吃桃子的,别人是无法和我相比的。"说完这话,就拿了一个桃子站起身来。

田开疆说:"我曾经两次率兵打退敌人的大军。像我这样的功劳,也有资格吃桃子,别人是无法和我相比的。"说完这话,也拿了一个桃子站起身来。

古冶子说:"我曾经跟随君主渡黄河,河中蹿出一只大龟咬住左边驾车的马,沉入砥柱山旁的水中。在那个时候,我渐渐地不能游水了,就潜入水底行走,逆水行走百步,又顺水前进了九里,才捉住大龟杀死了它。我左手拽住马的尾巴,右手举着大龟的头,像仙鹤那样跃出水面,那些在河上驾渡船的船夫们都以为是河神出现,仔细一看,原来是大龟的头。像我这样的功劳,才可以吃桃子,别人不配和我同吃。你们两人为何不把桃子交回来?"说完这番话,就拔剑站起来。

公孙接、田开疆听了古冶子所讲的功劳,都说:"我们的勇猛不如你,功劳也比不上你,我们只顾抢拿桃子,没有谦让之心,实在是太贪婪了。像我们有这样的行为而不去死,那就是不勇敢的表现。"于是两人都交回桃子,刎颈而死。

古冶子见二人自杀,说道:"他们两位为了争桃而死,我却独自活着,是不仁德的表现;用言语羞辱别人,夸耀自己的名声,是不仗义的表现;痛恨自己不仁不义的行为,若不去死,是不勇敢的表现。虽说如此,但如果公平处置,让他们两人同吃一个桃子,我独自吃一个桃子才是合适的办法。"说完这话,也交回桃子,刎颈而死。

使者回去向景公报告说:"三个人都已经自杀而死。"景公给他们换上礼服,按照对待士的礼仪埋葬了他们。

景公登射思得勇力士与之图国晏子谏第二十五

景公登射①,晏子修礼而侍。公曰:"选射之礼,寡人厌之矣。吾欲得天下勇士,与之图国。"

晏子对曰:"君子无礼,是庶人也;庶人无礼,是禽兽也。夫臣勇多则弑其君②,子力多则弑其长③,然而不敢者,维礼之谓也。礼者,所以御民也;辔者,所以御马也。无礼而能治国家者,婴未之闻也。"

景公曰:"善。"乃饰射④,更席,以为上客,终日问礼。

[注释]

①登射:进入射箭位置。②旧无"臣"字,从孙星衍说据《说苑》补。③旧无"子"字,从孙星衍说据《说苑》补。④饰:通"饬",整备。

[译文]

(景公率领群臣举行大射之礼)景公首先进入射场位置,晏子在旁边引导景公举行进退周旋的礼节仪式。景公说:"通过大射之礼选拔人才的这套礼仪程序,我已经很厌烦了。我只希望得到天下闻名的勇士,跟他们一起谋划治理国家的大事。"

晏子回答说:"君子如果不遵循礼仪,那就和平民百姓一样了;平民百姓如果不遵循礼仪,那就和禽兽没有区别了。做臣下的如果只有勇力,就有可能杀死他们的国君;做儿子的如果只有勇力,就有可能杀死他们的长辈,然而他们所以不敢这样做,就是因为有礼仪制度在约束着他们。礼仪,是用来统治人民的;就和缰绳是用来驾驭马匹的作用一样。不要礼仪却能治理好国家,这样的事情我还从来没有听说过呀。"

景公说:"你说得好。"于是整备好大射的礼仪,更换坐席,把晏子待为上宾,一整天都在向晏子询问以礼治国的事情。

内篇问上第三

庄公问威当世服天下时耶晏子对以行也第一

庄公问晏子曰:"威当世而服天下,时耶?"晏子对曰:"行也。"公曰:"何行?"对曰:"能爱邦内之民者,能服境外之不善;重士民之死力者①,能禁暴国之邪逆;中听任贤者②,能威诸侯;安仁义而乐利世者,能服天下。不能爱邦内之民者,不能服境外之不善;轻士民之死力者,不能禁暴国之邪逆;愎谏傲贤者③,不能威诸侯;倍仁义而贪名实者④,不能服天下⑤。威当世而服天下者,此其道也已。"而公不用,晏子退而穷处。

公任勇力之士,而轻臣仆之死。用兵无休,国罢民害⑥。期年,百姓大乱,而身及崔氏祸。

君子曰:"尽忠不豫交⑦,不用不怀禄,晏子可谓廉矣⑧。"

[注释]

①重:看重。死:指生命。力:指气力。②旧为"听赁贤者",据王念孙说改。③愎(bì):执拗,固执。旧"者"下有"之言"二字,从王念孙说删。④倍:通"背"。实:利,钱财。⑤旧脱"服天下"三字,据卢文弨说

补。⑥罢：通"疲"。⑦豫：通"预"，预先，事先。⑧句首旧有"其"字，据王念孙校删。

[译文]

庄公问晏子说："在当今之世树立威望，让天下诸侯和民众归服，靠的是时机吧？"晏子回答说："靠的是实际行动。"庄公问道："如何行动？"晏子回答说："只有能关爱国内人民的君主，才能使国外的不善之人归服；只有珍惜百姓的生命和力气的君主，才能制止强暴国家的邪行逆施；只有能听信中正之言、任用贤德之人的君主，才能在诸侯中树立威望，令其归服；只有能推行仁义之政、给世人带来快乐和利益的君主，才能使天下民众倾心归附。反之，不关爱本国人民的君主，也就不能让国外的不善之人归服；不珍惜人民的生命和力气的君主，也就不能制止强暴国家的侵犯；固执己见听不进正确意见的君主，也就不能在诸侯中树立威望；违背仁义、贪图名利的君主，也就不能让天下民众倾心归附。想在当今之世树立威望，让天下诸侯和民众都甘心归附，就应当实行这样的办法啊。"可是庄公不实行晏子的主张，晏子便辞去官职，隐居不仕。

庄公任用有勇力的人，不珍惜臣下的生命。无休止地对外用兵打仗，使得国家财力匮乏，人民深受灾难。过了一年，百姓起来造反，庄公自己也遭到被崔杼杀害的灾祸。

当时的君子评论说："遇事能尽忠竭力，但不预先结交和讨好君主，不被任用也不贪恋禄位，晏子真可以说是廉正刚直啊。"

庄公问伐晋晏子对以不可若不济国之福第二

庄公将伐晋，问于晏子，晏子对曰："不可。君得合而欲多①，养欲而意骄②。得合而欲多者危，养欲而意骄者困。今君任勇力之士，以伐明主③，若不济④，国之福也。不德而有功，忧必及君。"公作色不说。

晏子辞，不为臣，退而穷处，堂下生蓼藿⑤，门外生荆棘。

庄公终任勇力之士，西伐晋，取朝歌，及太行、孟门，兹于兑⑥。期而民散，身灭于崔氏。崔氏之乱⑦，逐群公子。及庆氏亡⑧……

[注释]

①合：通"给"，满足。②养：长，增长。③明：通"盟"。明主即盟主。④济：成，成功。⑤蓼藿（liǎo huò）：皆为野草。⑥兹于兑：此句当依《左传·襄公二十三年》作"且于之隧"。且于，莒国之邑。兑当读为隧。隧，隧道。⑦乱：旧作"期"，依孙星衍校据《左传》改。⑧庆氏：庆封，齐大夫，与崔杼一起杀庄公，立景公，居相位。此句下有脱文，本书《内篇杂下》第十五章首言"庆氏亡"，盖与此章相接。

[译文]

庄公将要攻打晋国，向晏子征求意见，晏子回答说："不可以。您所得到的已经很多了，可是您的欲望还在不断增长；欲望不断增长，意志就会更加骄横。得到的已经很多，却还贪得无厌，必然会遭到危险。恣意放纵私欲，思想骄横妄为，必然会遇到困难。现在您重用勇猛有力之士，去攻打诸侯的盟主晋国，如果不能成功，那才是齐国的福气。在国内不实行德政，即使攻打晋国取得胜利，也不会给齐国带来好处，相反必然会有忧患降临到您的头上。"庄公听了晏子的话沉下脸来，很不高兴（仍然执行攻打晋国的计划）。

晏子毅然辞去官职，解除了与庄公的君臣关系，回家闭门谢客，隐居不仕。庭院里长满了野草，大门外长满了荆棘。

庄公终于任用勇力之士为将帅，向西攻打晋国，夺取了朝歌，登上太行山，进入通向晋国的隘道孟门。齐军攻晋得胜后，于返回途中又攻打莒国，通过名叫且于的隧道。（由于庄公连年用兵，国力大耗，民不聊生）人民离心离德，崔杼乘机发动叛乱，杀死庄公。崔杼作乱的时候，把公室的公子们都放逐在外。（立景公为君，由崔杼和庆封任左、右相，专齐国之政）等到庆封逃亡国外的时候……

景公问伐鲁晏子对以不若修政以待其乱第三

景公举兵欲伐鲁，以问晏子，晏子对曰："不可。鲁公好义而民戴之①。好义者安，见戴者和。伯禽之治存焉②，故不可攻。攻义者不祥，危安者必困。且婴闻之，伐人者德足以安其国，政足以和其民。国安民和，然后可以举兵而征暴。今君好酒而辟，德无以安国；厚藉敛而急使令③，政无以和民④。德无以安之则危，政无以和之则乱。未免乎危乱之理，而欲伐安和之国，不可。不若修政而待其君之乱也。民离其君，上怨其下⑤，然后伐之，则义厚而利多。义厚则敌寡，利多则民欢。"公曰："善。"遂不果伐鲁。

[注释]

①鲁公：鲁昭公，名稠。公元前541年至前510年在位。②伯禽：周公旦长子，始封于鲁，为鲁国始祖。③旧脱"而"字，据上句增。"急"旧作"意"，依王念孙说改。银雀山汉墓竹简之文正作"急使令"。④旧无"政"字，依张纯一说补。⑤旧作"其君离上怨其下"，依王念孙说改。

[译文]

景公兴师动众要攻打鲁国，问晏子是否可行，晏子回答说："不可以。鲁国的君主能实行道义而得到人民的拥戴。君主能实行道义，国家就能安定；君主能得到人民拥戴，上下就能和谐一致。看来鲁国始祖伯禽所确立的治理国家的原则，仍然在鲁国保持着，所以鲁国是不可以攻打的。攻打有道义的国家，会给自己带来不祥；危害安定的国家，会让自己陷入困境。况且我听说过这样的道理，君主若想讨伐别的国家，必须具备这样的条件：君主的德行要能使自己的国家安定，他所推行的政策足以使人民和谐。只有自己国内安定，人民和谐，然后才可以发兵征讨残暴的国家。现在您的情形正好相反，嗜酒无度，不行正道，德行不足以安定国家；赋税沉重，徭役繁急，不能使人民和谐。德行无法让人民和谐，就会引发混乱。自己的国家尚不能避免危险和混乱局面的发生，却想去征伐安定和谐的国家，这是不可以的。您不如首先将自己国家的政治整顿好，然后等待鲁国国君自己搞乱他的国家，等到鲁国出现人民与君主离心离德，上下相互怨恨的局面时，再去攻打鲁国，就会既赢得道义上的胜利，又获得丰厚的物质利益。道义胜利，与您为敌的人就少；利益丰厚，人民就会欢喜和拥戴您。"景公说："您说得很有道理。"于是取消了攻打鲁国的计划。

景公伐斄胜之问所当赏晏子对以谋胜禄臣第四

景公伐斄①，胜之，问晏子曰："吾欲赏于斄，何如？"对曰："臣闻之，以臣谋胜国者②，益臣之禄；以民力胜国者，益民之利。故上有羡获③，下有加利④。君上享其名，臣下利其实⑤。故用智者不偷业⑥，用力者不伤苦，此古之善伐者也。"公曰："善"。

于是破斄之臣，东邑之卒，皆有加利。是上独擅名⑦，利下流也。

[注释]

①斄：即"菜"，国名，位于齐国东面。②旧脱"臣"字，依张纯一说

补。③美获：额外的收获。美，余，额外。④加利：增加的利益。⑤实：指财货。⑥偷：苟且。⑦独：单，只。擅：专，据有。

[译文]

景公出兵攻打东方的莱国，取得了胜利，问晏子说："我想奖赏攻打莱国有功的人，应该如何行赏？"晏子回答说："据我所知，采用臣下的谋略战胜敌国的，应当增加出谋之臣的俸禄；依靠人民的力量战胜敌国的，应当增加人民的利益。这样做的结果，是君主有额外的收获，臣民有增加的利益；君主享有好的名声，臣下得到实际利益。这就会让从事脑力劳动的人更加尽心地贡献智谋，从事体力劳动的人更加不辞辛苦地为国效力。这就是古代善于攻战的人所采用的办法。"景公说："您的意见很好。"

于是那些攻破莱国的有功之臣和攻打城邑冲锋陷阵的士兵，都得到了应有的奖赏。这就是君主独享好的名声，物质利益则分归于臣民。

景公问圣王其行若何晏子对以衰世而讽第五①

景公外傲诸侯，内轻百姓，好勇力，崇乐，以从嗜欲②。诸侯不说，百姓不亲。公患之，问于晏子曰："古之圣王，其行若何？"

晏子对曰："其行公正而无邪，故谗人不得入；不阿党，不私色，故群徒之卒不得容③；薄身厚民，故聚敛之人不得行；不侵大国之地，不耗小国之民，故诸侯皆欲其尊；不劫人以兵甲，不威人以众强，故天下皆欲其强；德行教训加于诸侯，慈爱利泽加于百姓，故海内归之若流水。今衰世君人者，辟邪阿党，故谗谄群徒之卒繁；厚身养，薄视民，故聚敛之人行；侵大国之地，耗小国之民，故诸侯不欲其尊；劫人以兵甲，威人以众强，故天下不欲其强；灾害加于诸侯，劳苦施于百姓，故雠敌进伐，天下不救，贵戚离散，百姓不与④。"

公曰："然则何若？"对曰："请卑辞重币以说于诸侯，轻罪省功以谢于百姓，其可乎！"公曰："诺。"

于是卑辞重币而诸侯附，轻罪省功而百姓亲。故小国入朝，燕、鲁共贡。

墨子闻之，曰："晏子知道。道在为人，而失在为己⑤。为人者重，自为者轻。景公自为，而小国不与⑥；为人，而诸侯为役。则道在为人，而行在反己矣。故晏子知道矣。"

[注释]

①"其行"之文与正文同，目录原作"之行"，当改。②从：同"纵"。③群徒之卒：文义不明，似指君主所宠幸的臣妾。④与：亲附。旧作"兴"，依王念孙说改。⑤而失在为己：旧作"而失为己"，"在"字错置下文"不为与"下，依孙星衍、王念孙说移此。⑥而小国不与：旧作"小国不为与在"，"在"字已依孙、王校移前。"为"字依王念孙说删。

[译文]

景公对外骄傲自大、蔑视诸侯，对内则不爱惜民力、轻视人民的力量，喜好勇力之士，崇尚寻欢作乐，肆意放纵自己的嗜好和私欲。因此，诸侯们都不与他交好，百姓们都心怀怨恨而不亲附于他。景公对此深感忧虑，向晏子请教说："古代的圣明君王，他们的行为是怎么样的？"

晏子回答说："他们都很公平正直，没有邪僻的行为，所以善进谗言的人没有空子可钻，不能入朝当官；他们不结党营私，不沉溺女色，所以那些靠谗言和色诱取宠的臣妾都不得容留在身边；他们薄养自身，厚爱人民，所以那些善于聚敛民财的人不得施展他们的做法；他们不侵占大诸侯国的土地，也不耗费小诸侯国的人力物力，所以天下的诸侯们都希望他们地位尊贵；他们不靠武力胁迫诸侯，不靠人多势众威胁他人，所以天下诸侯和人民都希望他们势力强大；他们用高尚的道德教导感化诸侯，用慈爱和利益惠及百姓，所以四海之内的人民像河水流向大海那样归附于他们。当今处于社会衰落时代的君主，他们行为邪僻，不行正道，勾结党徒，谋求私利，所以身边多是阿谀谄媚之人；他们对自己供养丰厚，对人民轻薄苛刻，所以那些善于聚敛民财的人得到重用，大行其道；他们侵占大国的土地，耗费小国人民的财力，所以诸侯们都不希望他们地位尊贵；他们靠军队胁迫诸侯，凭人多势强威逼人民，所以天下诸侯和人民都不希望他们势力强大；他们把灾害加于诸侯头上，把劳苦加于百姓身上，所以敌国进攻他们时，天下诸侯都不去援救，贵族大臣们四散逃离，百姓们都不援助他们。"

　　景公说："这种情况该怎么办呢？"晏子回答道："请您用谦卑的言辞和丰厚的财物去取悦诸侯，用减轻刑罚、减少徭役的办法以减轻人民的负担和苦难，以此表示对人民的道歉，这样做大概就可以了吧！"景公答应道："好吧，就这样去做。"

　　景公于是与诸侯交往时言辞谦卑，聘礼丰厚，因而诸侯们都归附于他；在国内减省严刑酷法，减少徭役负担，因而百姓都亲附于他。小国诸侯都到齐国来朝拜，燕国、鲁国这些大诸侯国也来向齐国进贡。

　　墨子听到晏子的所作所为后，评论说："晏子懂得治国之道。治国之道的关键在善于为他人谋利益，而失策在于为自己谋私利。能为人民谋利益的，就会得到人民的尊重；只为自己谋利益，就会被别人看轻。景公为自己打算时，小国都不与他交好；当他为别人打算时，诸侯们都甘心为他办事。由此可见，治国之道的关键在于为他人谋利益，君主的行为在于反躬自求，严格约束自己。所以晏子算是懂得治国之道了。"

景公问欲善齐国之政以干霸王晏子对以官未具第六

景公问晏子曰:"吾欲善治齐国之政,以干霸王之诸侯①。"晏子对曰:"官未具也②。臣数以闻③,而君不肯听也。故臣闻仲尼居处惰倦④,廉隅不正⑤,则季次、原宪侍⑥;气郁而疾,志意不通,则仲由、卜商侍⑦;德不盛,行不厚,则颜回、骞、雍侍⑧。今君之朝臣万人,兵车千乘,不善政之所失于下,陨坠于民者众矣,未有能士敢以闻者。臣故曰官未具也。"

公曰:"寡人今欲从夫子而善齐国之政,可乎?"对曰:"婴闻国有具官,然后其政可善。"

公作色不说,曰:"齐国虽小,则何谓官不具?"对曰:"此非臣之所复也。昔吾先君桓公,身体惰懈,辞令不给,则隰朋昵侍;左右多过,狱谳不中⑨,则弦宁昵侍;田野不修,民氓不安,则宁戚昵侍;军吏怠,戎士偷⑩,则王子成甫昵侍⑪;居处佚怠,左右慑畏,繁乎乐,省乎治,则东郭牙昵侍;德义不中,信行衰微,则管子昵侍。先君能以人之长续其短⑫,以人之厚补其薄,是以辞令穷远而不逆⑬,兵加于有罪而不顿⑭。是故诸侯朝其德,而天子致其胙⑮。今君之过失多矣,未有一士以闻者也⑯。故曰官不具。"公曰:"善。"

[注释]

①此句文义不明,疑有脱误。干:谋求。②具:完备,齐备。③数:屡次,多次。④故:从前,过去。或以为衍文,当删。⑤廉隅:品行端正,有志向气节。⑥季次:公皙哀,字季次。原宪:字子思。皆为孔子的学生。侍:进献,进言。引申为辅佐。⑦仲由:字子路。卜商:字子夏。皆为孔子的学生。

⑧颜回：字子渊。骞：闵损，字子骞。雍：冉雍，字仲弓。皆为孔子的学生。
⑨谳（yàn）：审判定案。⑩戎士：兵士。偷：苟且，不尽职尽责。⑪王子成甫：《韩非子》作"公子成父"。⑫续：连接，补足。⑬穷远：很远的地方。穷，极，尽。⑭不顿：很锋利。引申为很顺利，无挫折。顿，通"钝"，不锋利。⑮胙：祭祀用的肉。⑯旧无"者"字，依王念孙说补。

[译文]
景公问晏子说："我想把齐国的政治很好地加以治理整顿，以便谋求称霸于诸侯。"晏子回答说："现在齐国的官吏尚不齐备呀。我多次向您报告这一情况，可是您却听不进去。我曾经听说有关仲尼的事情，当他平时出现仪容举止懈怠疲倦、行为意志不够坚定的现象时，就有季次、原宪在一旁提醒他克服纠正；当他因血气闭塞而生病、心情不畅快时，就有仲由、卜商在一旁安慰开导；当他道德不够充实、品行不够淳厚时，就有颜回、闵子骞、冉雍在一旁提醒他、帮助他。现在您朝廷里的大臣有上万人，兵车有上千辆，不好的政令推行于下大失民心，给人民带来很多损失，可是却没有敢于把真实情况向您报告的贤能之士。所以我说官吏尚未齐备。"

景公说："我从现在起想跟随着先生您改善齐国的政治，是否可以呢？"晏子回答说："据我所知，只有国家的官吏齐备了，政治才可以治理好。"

景公听后不高兴地说："齐国虽然不大，但怎么能说官吏不齐备呢？"晏子回答说："这不是我所要告诉您的内容。从前我们的先君桓公，当他身体懈怠、言辞不敏捷时，就有隰朋在一旁提示他，帮他说话；当左右近臣过失很多、审判定案多有不当的时候，就有弦宁在一旁指出过错，予以纠正；当农田不得垦殖、民生不得安定时，就有宁戚在一旁帮助解决问题；当军吏怠惰、士兵苟且不尽职尽责时，就有王子成甫在一旁帮助整顿军队；当他平时安逸怠惰、近臣畏惧不言、忙于欢乐、简于治事时，就有东郭牙在一旁直言劝

内篇问上第三　139

谏；当他的德行道义不合标准，诚信品行有所下降时，就有管子在一旁帮助纠正过错、弥补缺失。先君桓公能够吸收别人的长处以弥补自己的短处，用别人的优点弥补自己的缺点，所以他颁布的政令可以推行到很远的地方而没有人违背，他用军队征讨有罪的国家而不会受到挫折。所以诸侯们因为他的道德高尚都来朝拜他，周天子也把祭祀用的肉赏赐给他。相形之下，现在您的过失太多了，可是却没有一个人把您的过失告诉您。所以我说官吏未齐备（还不具备各种类型的有才能的官吏）。"景公说："您说得很好。"

景公问欲如桓公用管仲以成霸业晏子对以不能第七

景公问晏子曰："昔吾先君桓公，有管仲夷吾保乂齐国①，能遂武功而立文德。纠合兄弟②，抚存冀州③。吴、越受令，荆楚惛忧④。莫不宾服，勤于周室⑤。天子加德，先君昭功⑥。管子之力也。今寡人亦欲存齐国之政于夫子⑦，夫子以佐佑寡人⑧，彰先君之功烈，而继管子之业。"

晏子对曰："昔吾先君桓公能任用贤，国有什伍⑨，治遍细民。贵不凌贱，富不傲贫。功不遗罢⑩，佞不吐愚⑪。举事不私，听狱不阿⑫。内妾无羡食⑬，外臣无羡禄，鳏寡无饥色。不以饮食之辟害民之财⑭，不以宫室之侈劳人之力。节取于民而普施之，府无藏，仓无粟。上无骄行，下无谄德。是以管子能以齐国免于难，而以吾先君参乎天子⑮。今君欲彰先君之功烈，而继管子之业，则无以多辟伤百姓，无以嗜欲玩好怨诸侯⑯，臣孰敢不承善尽力以顺君意？今君疏远贤人而任谗谀，使民若不胜⑰，藉敛若不得⑱。厚取于民而薄其施，多求于诸侯而轻其礼。府藏朽蠹，而礼悖于诸侯⑲；菽粟藏深，而怨积于百姓。君臣交恶⑳，而政刑无常。臣恐国之危失，而公不得享也。又恶能彰先君之功烈，而继管子之业乎？"

[注释]

①管仲：名夷吾，字仲，一字敬仲。春秋时期杰出的政治家，辅佐齐桓公成就霸业。乂（yì）：治理。②兄弟：谓兄弟之国，即与齐国有亲戚关系的诸侯国。此泛指其他诸侯国。③冀州：指中国。旧作"翼州"，依王念孙说改。④悟：通"䎽"，古"闻"字。或云通"闷"。忱：忧虑。⑤勤：为……尽力，帮助。⑥昭：彰明，显扬。⑦存：存放。引申为托付。⑧佐佑：当为"左右"，辅助。⑨国有什伍：指军事上推行"作内政而寓军令"的措施。什伍，是军事与行政相结合的组织。⑩罢：通"疲"，劳累。⑪倿：才能。吐：唾弃，抛弃。⑫阿（ē）：曲从，偏袒。⑬美：余。⑭辟：通"癖"，嗜好。⑮参：望。引申为比拟、并立。⑯玩好：或以为衍文，当删。⑰若不胜：好像没有满足。⑱若不得：好像没有得到。⑲悖（bèi）：谬误，混乱。⑳交恶（wù）：互相憎恨仇视。

[译文]

景公问晏子说："从前我的先君桓公，因为有管仲辅佐治理齐国，所以能成就武功，树立文德。能联合其他诸侯，安抚保存中原之国（不受夷狄的侵犯）。吴国、越国服从命令，楚国感到忧愁恐惧。天下诸侯都来服从归顺，还保护了周王室。使周天子增加了美德，使先君桓公彰显了功业，这些都是管子努力的结果啊。现在我也想把齐国的政事托付给先生您，让先生您辅佐我，发扬光大先君桓公的功业，继承管子的事业。"

晏子回答说："从前我们的先君桓公能担大任，重用贤人，实行兵民合一的制度，寓兵于民，管理遍及平民百姓。高贵者不得欺凌低贱者，富有者不得轻视贫穷者。重用有功之人，但不遗弃辛勤劳作而无大功的人；重用有才能的人，但不鄙弃愚笨的人。办事不徇私情，断案公正无私。宫内宠妾的膳食供应不超标准，朝廷大臣的俸禄也不额外增加,鳏夫寡妇也都能吃饱饭而面无饥色。君主不因为有特殊的饮食嗜好而耗费百姓的钱财,不因为要修建豪华的宫室而让人民出力受苦。向人民征收赋税能有所节制,国家的财物能普遍地施舍给人民,因此国家的府库里不积存过多的钱财,国家的粮库里也不积存过多的粮食。君主没有骄横的品行,臣下也没有谄谀的恶德。正因为如此,管子才能使齐国免于危难,让我们先君桓公的地位可以和周天子相比拟。现在您要想发扬光大先君桓公的功业,继承管子的事业,就应当不要因为您的嗜好过多而伤害百姓的利益,不要因为您索求私欲玩好之物而招致诸侯怨恨。这样,臣下谁敢不继承美好品德,尽心竭力办事,以实现您称霸诸侯的愿望?可是现在您的所作所为与此相反,您疏远有德有才之人,却重用谗佞谄谀之人,役使百姓好像从未满足,聚敛民财如同从未得到。您向人民收取的太多,施舍给人民的却很少;向诸侯索取的很多,却不能对诸侯以礼相待。仓库的东西已经腐烂生虫,可跟诸侯的交往却悖礼物薄;粮食钱财深藏于国库之中,而不满和怨恨却积聚于百姓心底。君臣之间互相憎恨仇视,政令和刑罚又反复无常。我担心国家有丧失的危险,您快不能享有齐国了,哪里还谈得上发扬光大先君桓公的功业,继承管子的事业呢?"

景公问莒鲁孰先亡晏子对以鲁后莒先第八

景公问晏子:"莒与鲁孰先亡?"

对曰:"以臣观之也,莒之细人①,变而不化②,贪而好假,高勇而贱仁;士武以疾忿,急以速竭③。是以上不能养其下,下不能事其上。上下不能相收④,则政之大体失矣⑤。故以臣观之也⑥,莒其先亡。"

公曰:"鲁何如?"对曰:"鲁之君臣,犹好为义,下之妥妥也⑦,奄然寡闻⑧,是以上能养其下,下能事其上。上下相收,政之大体存矣。故鲁犹可长守。然其亦有一焉⑨。彼邹、滕⑩,雉奔而出其地⑪,犹称公侯⑫。小之事大⑬,弱之事强久矣。彼晋者,周之树国也。鲁近齐而亲晋⑭,以变小国⑮,而不服于邻,以远望晋⑯,灭国之道也。齐其有鲁与莒乎!"

公曰:"鲁与莒之事,寡人既得闻之矣。寡人之德亦薄,然后世孰践有齐国者⑰?"对曰:"田无宇之后为几⑱。"公曰:"何故也?"对曰:"公量小⑲,私量大,以施于民。其与士交也,用财无筐箧之藏⑳,国人负携其子而归之,若水之流下也。夫先与人利而后辞其难,不亦寡乎?若苟勿辞也,从而抚之,不亦几乎?"

[注释]

①细人:小人,平民百姓。②变而不化:虽善于变化,但不向好的方向变。③急:急迫。竭:尽。④不能相收:不能互得利益。⑤大体:指根本方面,主要部分。⑥观之:旧作"之观",依卢文弨说改。⑦妥妥:安居乐业。妥,安。⑧奄然:暗昧不明的样子。⑨此句语义不明。大意是,鲁国也有一方面的失误。⑩邹、滕:都是国名,均在今山东省境内。⑪雉奔而出其地:野鸡一跑就出了国境,此喻国家很小。⑫犹称公侯:国家虽小,在国内犹称公,在国外犹称列侯。⑬小之事大:旧作"大之事小",依王念孙说改。⑭此句旧作"彼周者,殷之树国也,鲁近齐而亲殷",依孙星衍说改。⑮变:通"褊",狭小。⑯晋:旧作"鲁",依俞樾说改。⑰践:践祚,新君即位。⑱田无宇:即田桓子,名无宇,谥桓子。⑲量:指称粮食的量器。⑳筐箧(qiè):筐子和小箱子。

[译文]

景公问晏子:"莒国和鲁国哪一国先灭亡?"

晏子回答说:"以我的观察来看,莒国的平民虽然善于变化,但不向好的方向变；其民风贪婪，好弄虚作假，崇尚勇力而看轻仁德；莒国的士人喜欢炫耀武力，意气用事，行事急迫，不能持久。因此在上位的不能以仁爱节俭的品德教养在下位的士民，在下位的士民也不能尽心侍奉在上位的。上下之间不能互得利益，这样政治就失去了根本的方面。所以依我看来，莒国大概要先灭亡。"

景公又问："鲁国怎么样呢？"晏子回答说："鲁国的君臣，尚且保持着好行仁义的作风，士民都能安居乐业，思想保守，沉默少言。因此在上位的能教养在下位的，在下位的能侍奉在上位的。上下之间能互得利益，政治的根本方面仍然保存着。所以鲁国还可以长时期存在。然而鲁国的政策也存在一个大的失误。像邹国、滕国都是很小的国家，野鸡一跑就能跑出国境，但是它们仍然存在，其国君对内被称为公，对外被称为列侯，这是因为它们长期以来能做到以小事大，以弱事强。那晋国，是周王室分封的国家。鲁国靠近齐国，却去亲近距离较远的晋国。作为一个领土狭小的国家，却不顺从近邻大国齐国，而寄希望于远方的晋国，走的是使国家灭亡的道路啊。齐国大概会占有鲁国和莒国吧！"

景公说："关于鲁国与莒国的情况，我已经听您说过了。我的道德也很浅薄，我想知道将来什么人能登上君主之位而拥有齐国呢？"晏子回答说："田无宇的后代很可能会拥有齐国。"

景公问："这是什么原因呢？"晏子回答说："齐国公家用的量器小，而田氏私家用的量器大，（他用大量器借给百姓粮食，却用小量器收回）以此施惠于民。他与士人交往，舍得花费钱财，能倾其所有而毫无保留。所以国内的民众背着、领着自己的孩子投奔他的门下，就像水从高处往低处流那样，是无法阻挡的。试想，他先给民众以利益，民众得到他的好处却不与他共患难，这样的情况不是太少了吗？如果民众能与他共患难而不推辞，他紧接着对民众又进行安抚，（他的所作所为正是国君应做的事情）这岂不是有希望拥有齐国吗?"

景公问治国何患晏子对以社鼠猛狗第九

景公问于晏子曰:"治国何患?"

晏子对曰:"患夫社鼠①。"

公曰:"何谓也?"

对曰:"夫社,束木而涂之②,鼠因往托焉。熏之则恐烧其木,灌之则恐败其涂③。此鼠所以不可得杀者,以社故也。夫国亦有社鼠④,人主左右是也。内则蔽善恶于君上,外则卖权重于百姓⑤。不诛之则为乱,诛之则为人主所案据⑥,腹而有之⑦。此亦国之社鼠也。宋人有酤酒者⑧,为器甚洁清,置表甚长⑨,而酒酸不售。问之里人其故,里人曰:'公之狗猛,人挈器而入,且酤公酒,狗迎而噬之⑩,此酒所以酸而不售也。'夫国亦有猛狗,用事者是也⑪。有道术之士,欲干万乘之主⑫,而用事者迎而龁之⑬,此亦国之猛狗也。左右为社鼠,用事者为猛狗,主安得无壅⑭,国安得无患乎?"

[注释]

①社鼠:寄居于土地神坛中的老鼠。社,土神;祭祀土神的场所也叫社。此处"社"指后者。②束木:在社台周围树立木桩用绳索捆扎在一起作为墙壁。涂之:在木桩围成的墙上涂以泥灰。③败:毁坏。④社鼠:旧作"焉",据《说苑》、《群书治要》改。⑤权重:大权力,权威。⑥案据:把持,庇护。⑦腹:"覆"之假借,护翼。有:"宥"之假借,赦罪。⑧酤:通"沽",买酒或卖酒。此处指卖酒。⑨表:标志。此指酒家门外悬挂的幌子,亦称"酒帘"。⑩噬(shì):咬。⑪用事者:受君主宠爱而掌握权力的大臣。⑫干:求,此指求官。万乘之主:拥有万辆兵车的大国君主。⑬龁(hé):咬。⑭壅:堵

塞，阻隔。

[译文]

景公向晏子问道："治理国家最令人忧虑的是什么？"

晏子回答说："最令人忧虑的是那些社鼠。"

景公不明白晏子的用意，问道："您说的是什么意思？"

晏子回答说："祭祀土地神的坛，周围树立木桩围绕起来，上面涂上泥灰，老鼠于是就栖身于那里。（想要驱逐那里的老鼠是很困难的）若点燃柴草用烟熏它，担心烧坏了木桩围墙，若用水灌它，又担心冲毁了护墙的泥灰。这里的老鼠所以不能被消灭，就是因为有社坛的缘故。国家也有社鼠，那就是围绕在君主周围的宠臣。这些人在朝廷之内则向君主隐瞒善事与恶事（搅乱是非），在朝廷之外则向百姓卖弄权势（胡作非为）。如果不除掉这些人，就会祸乱朝政；如果要除掉他们，君主就会庇护他们，宽宥他们，这些人也就是国家的社鼠啊。（再讲一个故事给您听）宋国有一个卖酒的人，所用的盛酒器具非常清洁，酒店门口悬挂着长长的幌子，然而酒却放酸变质了也卖不出去。他向同里居住的人询问是什么原因，同里的人告诉他：'您店里养的狗太凶猛了，人们拿着器具进去要买您的酒，狗扑上来就咬人家，这就是酒放酸了也卖不出去的原因。'国家也有猛狗，掌权的宠臣就是。那些有着治国方略的人士，想要去大国君主那里谋求官职（为国家效力），当权的宠臣们就会迎上去咬他们（将他们赶跑），这些人就是国家的猛狗啊。君主左右的侍从都是社鼠，掌权的宠臣都是猛狗，君主的招贤之路怎么能不被堵塞和阻隔，国家（没有治国良臣）怎么能没有祸患呢？"

景公问欲令祝史求福晏子对以当辞罪而无求第十

景公问于晏子曰："寡人意气衰，身病甚[①]，今吾欲具圭璧牺牲②，令祝宗荐之乎上帝宗庙，意者礼可以干福乎③？"

晏子对曰："婴闻之，古者先君之干福也，政必合乎民，行必顺乎神。节宫室，不敢大斩伐，以无逼山林；节饮食，无多畋渔，以无逼川泽。祝宗用事，辞罪而不敢有所求也。是以神民俱顺，而山川纳禄④。今君政反乎民，而行悖乎神。大宫室，多斩伐，以逼山林；羡饮食，多畋渔，以逼川泽。是以神民俱怨⑤，而山川收禄。司过荐罪⑥，而祝宗祈福，意者逆乎！"

公曰："寡人非夫子，无所闻此，请革心易行。"

于是废公阜之游，止海食之献，斩伐者以时⑦，畋渔者有数。居处饮食，节之勿羡。祝宗用事，辞罪而不敢有所求也⑧。故邻国忌之⑨，百姓亲之。晏子没而后衰。

[注释]

①病：困乏，疲惫。②璧：旧作"璋"，依王念孙说改。③意者：心想，考虑。银雀山汉墓竹简文为"意者体可以奸福乎"。"体"读为"礼"，可通假。《说文》："礼，履也，所以事神致福也。"奸，同"干"，求也。④纳：致，献。禄：福，这里指财富。⑤神民：旧作"民神"，据上文及《群书治要》改。⑥司过：官名，即内史。⑦以时：按照合适的季节。指在秋冬季节砍伐，春夏生长的季节不得砍伐。⑧辞罪：谢罪。⑨忌：忌惮，畏惧。

[译文]

景公向晏子问道："我觉得近期精神衰退，身体很疲惫。现在我打算准备好圭璧和牛羊猪等祭品，让祝官和宗官用来敬献给上帝和祖先神灵，我想祭祀可以求得福气降临于我吧？"

晏子回答说："我听说过，古代君主求福的做法是，政治必须符合民心，行为必须顺应神意。修建宫室的数量和规模都要有所节制，不敢大量砍伐树木，以避免毁灭山上的森林；膳食简单节俭，不过多地打猎和捕鱼，以避免捕捞尽山川沼泽里的野兽和鱼类。祝官和宗官祭祀上帝和祖先神灵时，只求神灵免除自己的罪责，而不敢有所奢求。所以神灵和百姓都心气顺畅，山林川泽都献出财富。现在您的政治违背民心，行为违背神意；修建宏大的宫屋，砍伐大量的树木，毁坏了山上的森林；膳食丰盛奢侈，大量捕杀野兽、捕捞鱼虾，耗尽了山川沼泽中的野兽和鱼类。因此神灵和人民都生怨恨，高山和河流都收回自己的财富。司过祭祀时向上帝历数您的罪过（请求原谅），而祝官宗官却祈求上帝为您降福，我想这种做法岂不是自相矛盾吗？"

景公说："我要是没有先生您的教诲，是听不到这些道理的，请允许我改变自己的思想和行为。"

于是景公取消了去公阜游玩的打算，停止让滨海居民进献海产品，进山砍伐树木一定要在秋冬季节进行，打猎和捕鱼一定要有数量限制。官室的修建和饮食供应，都有所节制，不过分奢侈耗费。祝官和宗官祭祀的时候，只向神灵悔过，不敢祈求降福。这样做的结果，邻国都敬畏齐国，百姓都亲附景公。直到晏子死后，齐国的政治才衰落下去。

景公问古之盛君其行如何晏子对以问道者更正第十一

景公问晏子曰："古之盛君，其行如何？"

晏子对曰："薄于身而厚于民，约于身而广于世。其处上也，足以明政行教，不以威天下；其取财也，权有无，均贫富，不以养嗜欲；诛不避贵，赏不遗贱；不淫于乐，不遁于哀[①]；尽智导民而不伐焉，劳力事民而不责焉[②]；政尚相利，故下不以相害为行[③]；教尚相爱，故民不以相恶为名；刑罚中于法，废置顺于民[④]。是以贤者处上而不华，不肖者处下而不怨[⑤]。四海之内，社稷之中，粒食之民，一意同欲，若夫私家之政。生有厚利，死有遗教⑥。此盛君之行也。"

公不图。晏子曰⑦："臣闻问道者更正⑧，闻道者更容。今君税敛重，故民心离；市买悖⑨，故商旅绝；玩好充，故家货殚。积邪在于上，蓄怨藏于民。嗜欲备于侧，毁非满于国。而公不图。"公曰："善。"

于是令玩好不御⑩，公市不豫⑪，宫室不饰，业土不成⑫，止役轻税。上下行之，而百姓相亲。

[注释]

①遁：通"循"。②事民：旧作"岁事"，依王念孙说改。③旧"行"上"为"字错置"政"上，从王念孙说改。④置：旧作"罪"，据俞樾说改。⑤不肖：不贤，不善。⑥此句旧作"生有遗教"，从王念孙说补。⑦"公不图。晏子曰"：王念孙以为此句乃衍文，当删。⑧更正：指端正心思。⑨市买悖：张纯一以为"买"为"贾"之伪，"贾"与"价"同。悖，乱也。⑩御：进奉，进献。⑪豫：诳。⑫土：指土木工程。

[译文]

景公问晏子道："古代有盛大美德的君主，他们行政处世的行为是怎样的？"

晏子回答说："他们把自身看得很轻，而把人民看得很重；自己的生活很节俭，对人民则能广施恩惠。他们身居君位，能够使政治清明，德教大行，而不以武力威胁天下；他们征收赋税，则要权衡有无（富有者多征，贫穷者少征），均衡贫富，不用人民的财富来满足自己的嗜好与私欲；诛罚有罪之人虽对权贵也不回避，赏赐有功之人虽属地位低贱也不遗漏。他们不过分享乐，也不过度悲哀；尽其才智引导人民向善，但不夸耀自己的功劳；他们推行政治崇尚相互有利的原则，所以人民不以互相伤害当做好品行；他们推行教化崇尚相互爱护，所以人民不把互相憎恶当做好名声。他们施行刑罚能够符合法律，升降官吏能够顺应民心。因此，贤德的人虽处于上位但不浮华，不贤德的人虽处于下位但不怨恨。四海之内，全国之中，所有的人民都能同心同德，对待国家的事情就像对待自己家的事情一样（积极认真地去做）。他们活着的时候，能有厚利施于人民，他们死后则有德教流传于后世。以上所说就是有盛大美德的君主的所作所为。"

　　景公对晏子所说的话不予考虑。晏子又对他说："我听说询问治国之道的人首先要端正自己的思想，听到治国之道的人则应当有严肃认真的态度。现在您对人民横征暴敛，赋税沉重，所以人民和您离心离德；市场管理混乱，买卖欺诈行为严重，所以商人都不来经营；您宫殿里积聚了许多珍宝玩赏之物，却把百姓们弄得倾家荡产。您让邪僻之人在朝廷中执政，百姓们的怨恨则积藏于心中。您的身边都是一些阿谀奉承、陪您玩乐的人，国内则充斥着对您诅咒责骂的声音。可是您对此严重局面竟然不予考虑。"景公听了晏子的一番话深有触动，说："您说得好。"

　　于是下令玩赏之物不要再向朝廷供奉，市场上严禁欺诈行为，宫室不再搞豪华的装修，已经动土开工的工程停止进行，停止向百姓摊派徭役，减轻赋税的征收。这些政策都自上而下得以推行，因而百姓们都亲附景公。

景公问谋必得事必成何术晏子对以度义因民第十二

　　景公问晏子曰："谋必得，事必成，有术乎？"晏子对曰："有。"公曰："其术如何？"晏子曰："谋度于义者必得，事因于民者必成。"

公曰:"奚谓也?"对曰:"其谋也,左右无所系,上下无所縻①,其声不悖,其实不逆,谋于上不违天,谋于下不违民。以此谋者必得矣。事大则利厚,事小则利薄。称事之小大,权利之轻重②。国有义劳③,民有加利④。以此举事者必成矣。夫逃义而谋⑤,虽成不安;傲民举事,虽成不荣。故臣闻:义,谋之法也⑥;民,事之本也。故反义而谋,倍民而动,未闻存者也⑦。昔三代之兴也,谋必度于义⑧,事必因于民。及其衰也,建谋不及义⑨,兴事伤民。故度义因民,谋事之术也。"

公曰:"寡人不敏⑩,闻善不行,其危如何?"对曰:"上君全善,其次出入焉⑪,其次结邪而羞问⑫。全善之君能制出入之君。时问之君虽日危,尚可以没身⑬。羞问之君,不能保其身。今君虽危,尚可没其身也。"

[注释]

①縻:系缚。②权:权衡,称量。③义劳:劳苦而符合道义。④加利:旧作"如利",依王念孙说改。指增加的利益。⑤逃义:旧作"逃人",依王念孙说改。指违背道义。⑥也:旧作"者",或作"以",据王念孙说改。⑦此句旧作"故及义而谋,信民而动,未闻不存者也"。依王念孙说改,于义为长。⑧"于"旧作"其",依王念孙说改。⑨顾广圻谓此句当作"建谋反义"。⑩不敏:不聪明。⑪出入焉:有时入于善,有时出于善;有时善,有时不善。⑫羞问:羞于问善,以问善为羞。⑬此句之句读或为"全善之君能制。出入之君时问,虽日危,尚可以没身。"可备一说。没身,终其一生。

[译文]

景公问晏子说:"要想做到谋划必定能实现,做事必定能成功,有什么好办法吗?"晏子回答说:"有这样的办法。"景公问道:"那是什么样的办法呢?"晏子回答说:"谋划若能符合道义就一定能实现,做事情若能依靠人民的力量就一定能成功。"

景公说:"这话是什么意思呢?"晏子回答说:"谋划的时候,

不要受左右亲信的牵制，不要受上下官吏的约束，其名声与事实不互相违背，对上谋划不违背大意，对下谋划不违背民心。根据这些原则去谋划，必定能够实现。做大事情得利就多，做小事情得利就少。要善于估量事情的大小，衡量利益的轻重。国家举事兴役应符合道义，应当让人民得到好处。按照这些原则去做事，一定能够成功。违背道义的谋划，即使能获得暂时成功，终究要遭遇失败；傲视人民的力量去做事情，虽然能够成功，也不荣耀（必将遭到人民的唾骂）。所以我听说，道义是谋事的法则，人民是成事的根本。所以，违背道义而谋划，违背民意而行动，还没有听说过能够成功的。从前夏、商、周三代兴盛的时候，谋划必定考虑符合道义，做事必定凭借人民的力量。等到三代衰落的时候，谋划违背道义原则，做事伤害人民利益（所以走向灭亡）。所以说，符合道义、依靠人民乃是君主谋划和做事应遵循的根本原则。"

景公说："我不聪明，听到好的意见却不能实行，那会有什么危险呢？"晏子回答说："头等君主能做到尽善尽美；次一等的君主有些事做得对，有些事做得不对（不能做到尽善尽美，介于善与不善之间）；最下等的君主习惯于邪僻之行，而且以向人请教做善事为羞耻。能做到尽善尽美的君主就能制服那些介于善与不善之间的君主，称霸于诸侯；介于善与不善之间的君主有时还向人请教为善之道，虽然日渐陷于危险境地，但还可能保全自身。以问善为可耻的君主，则不能保全自身。现在您（属于有时还能问善的君主）虽然有危险，但还可以保全自身（一直到死）。"

景公问善为国家者何如晏子对以举贤官能第十三

景公问晏子曰："莅国治民，善为国家者何如？"晏子对曰：

"举贤以临国①，官能以敕民，则其道也。举贤官能，则民与君矣②。"

公曰："虽有贤能，吾庸知乎③？"晏子对曰："贤而隐，庸为贤乎？吾君亦不务乎是，故不知也。"

公曰："请问求贤？"对曰："观之以其游④，说之以其行⑤，无以靡曼辩辞定其行⑥，无以毁誉非议定其身。如此，则不为行以扬声⑦，不掩欲以荣君⑧。故通则视其所举⑨，穷则视其所不为；富则视其所分，贫则视其所不取⑩。夫上士难进而易退也，其次易进而易退也⑪，其下易进而难退也。以此数物者取人⑫，其可乎！"

[注释]

①临国：治国。②君：旧作"若"，据卢文弨说改。与：亲近。或曰：若，你。与若，亲近你。③庸：岂，怎么。④游：交游，指交结的朋友。⑤说：评论。⑥旧句首有"君"字，从苏舆说删。靡曼：指言辞华丽。⑦为：通"伪"，伪装，伪托。⑧荣：通"营"，迷惑。⑨通：指官位显赫。举：推举。⑩此句旧作"富则视其所不取"，依王念孙说改。中脱"分贫则视其所"六字，从王念孙说补。⑪"而"字旧脱，据《群书治要》补。⑫物：事。

[译文]

景公问晏子道："关于治理国家、管理人民的事情，那些善于治理国家的君主是怎样做的？"晏子回答说："选拔贤德之人来治理国家，委任有才能的人当官来管理人民，这就是他们的方法。只要能选拔贤德之人，委任有才能的人当官，人民就会和君主亲近。"

景公说："虽然有贤德的人和有才能的人，我怎么能知道他们呢？"晏子回答说："贤德的人如果隐居起来（不为君主所用），怎么能算得上贤德呢？您又不以求贤为急务，所以不知道谁是贤德之人。"

景公说："请您说说求贤的方法。"晏子回答说："应当通过他

内篇问上第三 153

和什么样的人交游来了解他的为人和品德，通过他的所作所为对他进行评价，而不要根据他的华丽辞藻、能言善辩判定他的品行，也不要根据别人对他的非议诋毁或者赞誉判定他的为人。这样，人们就不会假装做出所谓高尚的行为为自己扬名，不会伪装廉洁简朴以掩盖自己的贪欲来迷惑和蒙骗君主。所以，对于已经官高爵显的人，就看他推举的是什么样的人；对于官位低下的人，就看他做什么事情不做什么事情（以判断他的品行）；对于富有的人，就看他是否肯分财予人和分财给什么样的人（善人还是恶人）；对于贫穷的人，就看他是否不贪财是否有操守。（士人大致可以分为三类）上等的士难于请来做官，但容易辞官而退；次一等的士容易请来做官，也容易辞去官职；下等的士容易请来做官，但轻易不肯辞去官职。根据以上几种情况来了解和选拔人才，大概就可以了吧！"

景公问君臣身尊而荣难乎晏子对以易第十四

景公问晏子曰："为君身尊民安，为臣事治身荣，难乎？易乎？"晏子对曰："易。"公曰："何若？"对曰："为君节养其余以顾民，则君尊而民安；为臣忠信而无逾职业①，则事治而身荣。"

公又问："为君何行则危？为臣何行则废？"晏子对曰："为君厚藉敛而托之为民，进谗谀而托之用贤，远公正而托之不顺，君行此三者则危；为臣比周以求进②，逾职业防下隐利而求多③，从君不陈过而求亲，人臣行此三者则废。故明君不以邪观民④，守则而不亏，立法仪而不犯。苟有所求于民，不以身害之⑤。是故刑政安于下，民心固于上⑥。故察士不比周而进⑦，不为苟而求，言无阴阳⑧，行无内外，顺则进，否则退，不与上行邪。是以进不失廉，退不失行也。"

[注释]

①逾：超越。职业：职权，职守。②比周：结党营私。③防下：防遏下民。隐利：隐匿私利。④观：示。⑤"不以"上旧有"而"字，从王念孙说删。⑥固：巩固。引申为紧密，密切。⑦察士：明察是非之人。⑧言无阴阳：言无面从背违，即不阳奉阴违。

[译文]

景公问晏子说："当君主的既能保持自身尊贵的地位，又能使人民生活安定；当臣下的既能把政事治理好，又能保持自身的荣华富贵。这些事难于做到呢，还是容易做到呢？"晏子回答说："容易做到。"景公问道："应该怎么做？"晏子回答说："当君主的应当节制自身供养的费用，减轻人民的负担，照顾人民的生活，这就能既保持自己的尊贵地位，又能使人民生活安定；做臣下的应当对国君忠诚守信，不做超越职权范围的事，这就能既做好自己的政事，又能保住荣华富贵。"

景公又问道："当君主的怎样做就会危险？当臣下的有什么行为就应当罢免他？"晏子回答说："当君主的，打着为人民的旗号而加重赋税征收，打着任用贤德之人的旗号却进用谗佞谄谀之人，以不能顺从自己为托词而疏远办事公平正直之人。君主做这三种事情，就走上了危险的道路。当臣下的，结成党羽互相勾结以求提拔重用；越权行事，遏制下民，暗谋私利，贪得无厌；侍奉君主不能直言劝谏匡正过失，而是阿谀奉承以求亲近。臣下有这三方面的表现就应罢免他。所以，英明的君主不做邪僻的事情让人民看，恪守道德准则而不做损德之事，确立法制礼仪而不做违法之事。如果对人民有所需求，也应当是为了国家，而不应为了自身的私利而损害人民的利益。只有做到这些，才能刑平政理，让人民生活安定，人民才能与君主紧密相连而无二心。所以明察是非的人士，不结成党羽互相援助以求得进用，不为满足不合理的私欲而贪求财利，说话讲信用而不阳奉阴违，品行忠诚表里如一，符合道义就入朝做官，不符合道义就辞官隐退，不附和君主去干奸邪之事。因此，当官时不丧失自己廉洁正直的品德，辞官隐退时也不丢失自己高尚纯洁的品行。"

景公问天下之所以存亡晏子对以六说第十五

景公问晏子曰："寡人持不仁，其无义耳也①。不然，北面与夫子而义②。"

晏子对曰："婴，人臣也。公曷为出若言？"

公曰："请终问天下之所以存亡③。"

晏子曰："缦密不能④，麤苴不学者诎⑤。身无以用人，而又不为人用者卑。善人不能戚⑥，恶人不能疏者危。交游朋友⑦，无以说于人，又不能说人者穷。事君要利⑧，大者不得，小者不为者馁。修道立义，大不能专，小不能附者灭。此足以观存亡矣。"

[注释]

①义：通"议"。②古代君主临朝皆面朝南面而坐，臣下则面朝北侍奉君主。景公要晏子面向南面，自己面朝北面，君臣互换位置而谈话，是要表示对晏子的尊重。③终问：刨根问底。终，穷尽，到底。④缦密：细密，精密。此指精细的事情。⑤麤苴：通"麤粗"，此指粗疏简单的事情。诎（qū）：穷。引申为挫折。"学"上旧脱"不"字，从王念孙说补。⑥戚：亲近。⑦"朋友"下旧有"从"字，依王念孙说删。⑧要：求，取。

[译文]

景公问晏子说："我不能推行仁政，也就没有资格议论（治国的道理）了。不然的话，我将面朝北面和先生您议论治国的道理。"

晏子回答说："我是做臣下的，您为什么说出（面朝北面和我议论）这样的话来？"

景公说："我想向您请教究竟为什么有的国家能够兴盛长存，而有的国家则衰落灭亡，其原因何在呢？"

晏子回答说："精细的事情做不来，粗疏的事情又不肯学习去做的人，必然要遭受挫折和失败。自己没有能力任用别人，而又不能为别人任用的人，必然处于卑贱的地位。对好人不能亲近，对坏人不能疏远的人，必将遭遇危险。与朋友交往，因缺乏才德而无法使别人喜欢自己，又不能悦服别人的人，必将穷困而不能通达。侍奉君主只为求得利益，大的职位得不到，小的职位又不肯做的人，必将遭受饥饿。在修养道德、树立道义方面，对于修大道、立大义的事情不能独立去做，对于修小道、立小义的事情又不能跟着别人去做，这样的人（专行不道不义之事）必将自取灭亡。根据这些方面就足以观察国家是存在还是灭亡了。"

景公问君子常行曷若晏子对以三者第十六

景公问晏子曰："君子常行曷若①？"

晏子对曰："衣冠不中②，不敢以入朝；所言不义，不敢以要君；身行不顺③，治事不公，不敢以莅众。衣冠无不中，故朝无奇僻之服；所言无不义，故下无伪上之报；身行顺，治事公，故国无阿党之义④。三者，君子之常行也⑤。"

[注释]

①常行：基本的品行。②不中：不符合礼仪的规定。③身行：旧作"行己"，依王念孙说及下文改。④阿党之义：结党营私的行为。⑤旧"行"下有

"者"字，依王念孙说据《群书治要》删。

[译文]

景公问晏子道："君子应当具备的基本品行是怎样的？"

晏子回答说："衣服帽子如果不符合礼仪的规定，就不敢穿戴着入朝；所说的话如果不符合道义，就不敢要求君主听从；如果自己的行为不合正道，处理政事不公正，就不敢去管理民众。衣服帽子没有不符合规定的，所以朝廷里就没有奇异邪僻的服装；所说的话没有不符合道义的，所以下属就没有欺骗上级的行为；自己的行为符合正道，处理事情公正，所以国内就没有结党营私的行为。这三个方面，就是君子应具备的基本品德。"

景公问贤君治国若何晏子对以任贤爱民第十七

景公问晏子曰："贤君之治国若何？"

晏子对曰："其政任贤，其行爱民，其取下节，其自养俭。在上不犯下，在治不傲穷。从邪害民者有罪，进善举过者有赏①。其政刻上而饶下②，赦过而救穷③。不因喜以加赏，不因怒以加罚。不从欲以劳民④，不修怒而危国⑤。上无骄行，下无谄德。上无私义，下无窃权⑥。上无朽蠹之藏，下无冻馁之民。不事骄行而尚同⑦，其民安乐而尚亲。贤君之治国若此。"

[注释]

①进善：向君主进善言。举过：指出君主的过失。②刻上：对上要求严格。饶下：对下宽容。③赦过：对过错行为从宽处理。④从：同"纵"。⑤修怒：发怒。⑥下无窃权：权力不下移。⑦尚同：旧作"尚司"，依卢文弨说改。银雀山汉墓竹简文正作"尚同"。

[译文]

景公问晏子说："贤明的君主治理国家的做法是怎样的？"

晏子回答说："他们的为政之道是任用贤人，他们的行为准则是爱护人民，他们向人民征收赋税是有节制的，他们自己的生活供养是很节俭的。在上位者不敢欺侮民众，掌权之人不敢轻视贫穷百姓。干奸邪之事伤害民众的要治罪，向君主进善言并能指出过失的则给予奖赏。他们的政令对为官在上之人要求严格，对平民百姓则宽容抚慰。对因无知而犯过错的从宽处理，对穷苦百姓给以救济。他们不因为自己高兴就滥施奖赏，也不因为自己恼怒而乱加处罚。不放纵自己的私欲而劳民伤财，不因为发怒而做出危害国家的事情。君主没有骄横的品行，臣下没有诌谀的恶德。君主没有自私自利的道义，臣下没有专权的行为。君主没有长期储存不用而致腐朽的财物，社会上没有挨饿受冻的民众。君主不做骄横放纵的事情，崇尚君民同心同德。人民安居乐业，崇尚相亲相爱。贤明的君主治理国家就是这个样子。"

景公问明王之教民何若晏子对以先行义第十八

景公问晏子曰："明王之教民何若？"

晏子对曰："明其教令，而先之以行义。养民不苛，而防之以刑辟①。所求于下者，必务于上②；所禁于民者，不行于身。守于民财，无亏之以利；立于仪法，不犯之以邪。苟所求于民，不以身害之。故下从其教也③。称事以任民，中听以禁邪④。不穷之以劳，不害之以罚⑤。苟所禁于民，不以事逆之⑥。故下不敢犯其上也。古者百里而异习，千里而殊俗⑦。故明王修道，一民同俗。上以爱民为法，下以相亲为义⑧，是以天下不相违⑨。此明王之教民也⑩。"

[注释]

①刑辟:刑法。辟,法。②此句旧作"不务上",据王引之说改。③此句旧作"故下之劝从其教也",从苏舆说据《群书治要》删"之劝"二字。④中:适中,恰当。听:指听讼。⑤此句旧作"不害之以实",依王念孙说改。⑥逆:违反。⑦殊:不同。俗:风俗,习俗。⑧此两句旧均脱"以"字,从王念孙说据《群书治要》补。⑨"违"旧作"遗",从王念孙说据《群书治要》改。⑩此句旧作"此明王教民之理也",依王念孙说据《群书治要》改。

[译文]

景公问晏子说:"英明的君王是怎样教育人民的呢?"

晏子回答说:"向人民阐明教令,自己带头实行道义。对待人民不苛刻,用刑法防止恶行暴行的发生。要求下面做到的事情,在上位者一定要首先做到。禁止人民去做的事情,自己一定不去做。保护人民的财物,不无故损害人民的利益。行为必须符合法律,不用自己的邪僻行为触犯法律。如果对人民有所求取,(也是出于国家的需要)不要因为自己的私欲而损害人民的利益。所以下面的人都听从他的教化。他们先衡量要办事情的大小轻重,以决定征用多少民力;听狱讼必须倾听原被告双方的意见,依法公正判案,以此打击邪恶的犯罪行为。不用繁重的徭役弄得人民筋疲力尽,不用严刑酷法轻罪重刑去迫害人民。如果对人民有所禁止,不为自己的私事做违反禁令的事。所以下面的人不敢侵犯他们的君主。在古代,相距百里的民众习俗就有差异,相距千里的居民风俗就大不相同,所以英明的君王特别注重整顿和弘扬道德,以此统一人民的思想和习俗。君主把爱民作为治国的准则,人民则以相亲相爱作为待人处世的道义,因此天下的人都和谐相处而不相背离。这就是英明的君王教育人民的方法。"

景公问忠臣之事君何若晏子对以不与君陷于难第十九

景公问于晏子曰:"忠臣之事君也何若?"

晏子对曰:"有难不死①,出亡不送②。"

公不说,曰:"君裂地而封之,疏爵而贵之③,君有难不死,出亡不送,其说何也④?"

对曰:"言而见用,终身无难,臣奚死焉?谋而见从,终身不亡⑤,臣奚送焉?若言不见用⑥,有难而死之,是妄死也⑦。谋而不见从⑧,出亡而送之,是诈伪也。故忠臣也者,能纳善于君,不能与君陷于难。"

[注释]

①有难:指君有难。不死:指臣不为君难而死。②出亡:指君逃亡国外。不送:指臣不送行。③疏爵:分给爵位。疏,分。④其说何也:此句从王念孙说据《群书治要》改。旧作"可谓忠乎",亦可。⑤亡:旧作"出",从卢文弨说据《论衡》、《说苑》改。⑥"见"字旧脱,依卢文弨说据《论衡》、《说苑》补。⑦妄死:胡乱死去,死得没有价值。⑧"谋"字或作"谏"。

[译文]

景公向晏子问道:"忠臣是怎样侍奉君主的?"

晏子回答说:"君主遇难而死,忠臣不必为他殉死;君主逃亡国外,忠臣不必为他送行。"

景公听了很不高兴,说:"君主分割国土赐给臣下作为封邑,赐给爵位让臣下显贵,可是君主遇难却不殉死,君主出亡却不送行,这种说法有什么道理呢?"

晏子回答说:"忠臣说的话如果被采用,君主终身都不会有难,臣下怎么会为君主殉死呢？忠臣出的计谋如果被听从，君主终身都不会逃亡国外，臣下怎么会为君主送行呢？如果忠臣说的话不被采用，君主有难而死，臣下为君主殉死，乃是白白送死，毫无价值；如果忠臣的计谋不被采纳，君主逃亡国外，臣子却为他送行，乃是虚伪欺诈的行为。所以忠臣的做法是，能给君主献出好的主意和计谋（把国家治理好），而不能（因为君主不采纳忠臣的好意见而遇难）跟着君主一起陷于死难的境地。"

景公问忠臣之行何如晏子对以不与君行邪第二十

景公问晏子曰："忠臣之行何如？"

对曰："不掩君过，谏乎前，不华乎外①。选贤进能，不私乎内②。称身就位③，计能受禄④。睹贤不居其上，受禄不过其量。不权居以为行⑤，不称位以为忠⑥。不揜贤以隐长⑦，不刻下以谀上。君在不事太子，国危不交诸侯。顺则进，否则退，不与君行邪也。"

[注释]

①华：通"哗"，喧哗。引申为宣扬。②私：偏私，偏向。内：指家族内的亲属。③称：衡量。位：爵位，官职。④受禄：旧作"定禄"，依王念孙说据《群书治要》改。⑤不权居以为行：不根据自身爵位的高低去决定为君主效力的大小。权，衡量，根据。⑥不称位以为忠：不根据自身官职的大小以决定对君主忠诚的程度。称，称量，依据。⑦揜（yǎn）：掩盖，遮蔽。隐：隐瞒。长：长处，优点。

[译文]

景公问晏子说："忠臣的行为应当是怎样的？"

晏子回答说:"忠臣不掩盖君主的过失,能当面对君主的过失提出规劝,但是不到外面去宣扬。忠臣能为君主选拔推荐有道德有才能的人,而不会偏向和选用自己家族中缺乏德才的人。忠臣能做到根据自身的品德担任适当的官职(不一味追求高职位),估量自身才能的大小接受与之相适应的俸禄(不一味追求高俸禄)。看到比自己贤德的人,则决不接受比他高的官职,也不接受超过他的俸禄。忠臣不会根据自身爵位的高低去决定为君主效力的大小,也不会根据自身官职的大小以决定对君主的忠诚程度。忠臣不会向君主掩蔽贤德之人,隐瞒他们的长处(而不去举荐他们);也不会苛刻地对待下级而对上级和国君阿谀奉承。忠臣不会当君主健在的时候就去交结太子,也不会当国家处于危亡的时候私自交结他国诸侯(为自己找靠山和退路)。君主能采纳自己的主张,能实现自己的抱负,就入朝做官;否则就隐退,决不跟君主一起干邪僻的事情。"

景公问佞人之事君何如晏子对以愚君所信也第二十一

景公问:"佞人之事君如何①?"

晏子对曰:"意难②,难不至也。明言行之以饰身③,伪言无欲以说人④,严其交以见其爱⑤。观上之所欲,而微为之偶⑥。求君逼迹,而阴为之与⑦。内重爵禄,而外轻之以诬行。下事左右,而面示公正以伪廉。求上采听,而幸以求进。傲禄以求多,辞任以求重。工乎取⑧,鄙乎予⑨。欢乎新,慢乎故。吝乎财,薄乎施。睹贫穷若不识,趋利若不及。外交以自扬,背亲以自厚。积丰羡之养⑩,而声矜恤之义⑪。非誉乎情⑫,而言不行身。涉时所议,而好论贤不肖。有之己,不难非之人;无之己,不难求之人。其言强梁而信⑬,其进敏逊而顺⑭。此佞人之行也。明君之所诛,愚君之所信也。"

[注释]

①佞人:善于巧言献媚的人。②意难:认为行义很难。③饰身:装扮自己,掩饰自己。④说人:讨人喜欢。说,同"悦"。⑤严:尊敬。⑥微:暗中。偶:合。⑦阴:暗中。⑧工:善于,擅长。⑨鄙:轻视。引申为吝啬。⑩美:旧作"义",依俞樾说改。美,饶也。⑪声:宣扬,宣称。⑫非:非议,责难。誉:赞扬。情:私情。⑬强梁:凶暴,强横。信:通"伸",不屈。⑭进:指入仕,当官。敏:快。逊:恭顺。

[译文]

景公问道:"奸佞之人是怎样侍奉君主的?"

晏子回答说:"他们感到遵行道义很难,因为很难,所以就畏缩不前。他们公开说要实行道义只是为了美化自己,他们假称不自私自利只是为了博取人们的好感。尊敬君主宠爱的人,以表明自己热爱君主。他们观察君主的爱好,暗中做好准备以迎合君主。他们巴结君主身边的宠臣,暗中和他们结成党羽。他们内心很看重爵禄,表面上却装出轻视的样子给人以假象。他们卑下地侍奉君主身边的宠臣,表面上却装出公正的样子以伪装清廉。他们希求君主能听信左右亲信的推荐,相信他所谓无欲廉洁的虚假名声,从而侥幸得到提拔重用。他们表面上轻视利禄,为的是求得更多的利禄;表面上辞谢官职,为的是求得更高的官职。他们善于敛取钱财,而舍不得给予他人。他们喜欢新权贵,轻慢老忠臣。他们吝啬钱财,很少施舍。看到贫穷的人装作看不见,看到利益急着去争抢,唯恐来不及。对外交结邻国以便自己扬名,不惜背叛亲友以便获取重利。家中聚积丰盛的钱财,对外却宣称有怜悯穷人的品行,非议人或赞扬人全凭自己的私情,口上讲一套实际做的又是一套。涉及到当时人们的议论,则喜欢评论别人的短长,而不自我检讨。自己做到的，就会轻易地责难别人没有做到；自己做不到的，却会轻易地要求别人去做到。他们对一般人说话强横而不屈，钻营官职则敏捷恭顺，所以仕途很顺利。以上所说就是奸佞之人的所作所为。这些人是英明的君主要加以责罚的，却是愚昧的君主所信任的。"

景公问圣人之不得意何如晏子对以不与世陷乎邪第二十二

景公问晏子曰："圣人之不得意何如？"

晏子对曰："上作事反天时，从政逆鬼神，藉敛殚百姓。四时易序①，神祇并怨②。道忠者不听③，荐善者不行。谀过者有赉④，救失者有罪。故圣人伏匿隐处，不干长上，洁身守道，不与世陷乎邪。是以卑而不失义，瘁而不失廉⑤。此圣人之不得意也。"

公曰⑥："圣人之得意何如？"

对曰："世治政平，举事调乎天⑦，藉敛和乎民，百姓乐其政⑧，远者怀其德。四时不失序，风雨不降虐。天明象而致赞⑨，地长育而具物。神降福而不靡⑩，民服教而不伪。治无怨业⑪，居无废民⑫。此圣人之得意也。"

[注释]

①四时：四季。易序：改变顺序，指气候反常。②神：指天神。祇（qí）：指地神。③道：说。④赉：赏赐。⑤瘁：困病。⑥旧无"公曰"二字，从王念孙说据《群书治要》补。⑦调：协调，和谐。⑧此句旧作"藉敛和乎百姓乐及其政"，文义参差不协，从王念孙说据《群书治要》改。⑨象：征兆，此指吉兆。赞：助。"赞"上旧无"致"字，依王念孙说据《群书治要》补。⑩靡：尽，止。⑪怨：通"蕴"，蓄积。业：事。⑫废民：无正当职业

的人。

[译文]

景公问晏子说:"(有智慧有道德的)圣人不称心如意的时候是怎样的情况?"

晏子回答说:"(圣人不得意时的情形是)君主的所作所为违反天的运行规律,所推行的政治违背鬼神的意志,横征暴敛榨尽了百姓的钱财。四季次序混乱(气候反常),天神和地神都发出不满的征兆。讲真话的不被听信,进善言的不被任用。阿谀奉承而掩盖君主过失的受到赏赐,补救和纠正君主过失的受到责罚。(在这种政治形势下)圣人藏伏隐居,不求取官职,洁身自好,恪守道义,不与世人一起陷于邪僻的境地(不同流合污)。因此他们虽然地位低下,但不丧失高尚的道义;虽然生活贫困,但不丧失廉洁正直的品德。这就是圣人不得意时的表现。"

景公又问:"圣人得意的时候是怎样的情况?"

晏子回答说:"(圣人得意时的情形是)社会安定,政治清平。政治举措合于天意,赋税征收顺应民心,百姓喜欢君主的政令,远方之人归附君主的德教。四季次序井然(风调雨顺),刮风下雨形不成灾害。上天显示吉祥的征兆,帮助君主实现国家的治理;大地不断生育万物,给人们提供一切所需之物。神灵不断降福于国家,人民服从教化而不弄虚作假。政事畅通没有积压不办的,人民务本没有游手好闲的。这就是圣人称心如意时的情形。"

景公问古者君民用国不危弱晏子对以文王第二十三

景公问晏子曰:"古者君民而不危,用国而不弱,恶乎失之^①?"

晏子对曰:"婴闻之,以邪莅国,以暴和民者危^②;修道以要利,得求而返邪者弱。古者文王修德不以要利,灭暴不以顺纣。干崇侯之暴^③,而礼梅伯之醢^④。是以诸侯明乎其行,百姓通乎其德。故君民而不危,用国而不弱也。"

[注释]

①此句有脱文误字。王念孙以为两"不"字为衍文。黄以周以为"失"当作"法"。陶鸿庆以为"失"为"先"字之误。②和:协调。③干:犯。崇侯:即崇侯虎。有崇氏(在今河南嵩县北)国君,受商之封为侯,名虎。他助纣为虐,向商纣王说文王的坏话,纣遂囚文王于羑里(今河南汤阴北)。④梅伯:商纣王时的大臣,被商纣王杀死,剁成肉酱。

[译文]

景公问晏子说:"古时候当人民的君主而不会遇到危险,治理国家而不使国家衰弱,应该先做些什么呢?"

晏子回答说:"据我所知,君主用不公正、不正派的办法治理国家,用残暴的手段整治人民,就会遭遇危险;君主标榜道德是为了谋取私利,得到利益之后又重新去做邪恶的事情,国家就会衰弱。古时候周文王修养道德不是为了谋取私利,为了诛灭残暴之人而不顺从商纣王的旨意。敢于反对崇侯虎的残暴行为,敢于对被纣王剁成肉酱的梅伯以礼祭拜。因此诸侯们都明了他的高尚品行,百姓们都知道他的高尚道德。这样的人当君主就不会遇到危险,他治理的国家也不会衰弱。"

景公问古之莅国者任人如何晏子对以人不同能第二十四

景公问晏子曰:"古之莅国治民者,其任人何如?"

晏子对曰:"地不同生①,而任之以一种,责其俱生②,不可得;人不同能,而任之以一事,不可责遍成。责焉无已③,智者有不能给④;求焉无餍⑤,天地有不能赡也。故明王之任人,谄谀不迩乎左右,阿党不治乎本朝;任人之长,不强其短;任人之工⑥,不强其拙。此任人之大略也。"

[注释]

①生:通"性",指土地性质各有不同。②责:要求。俱生:都能生出。③无已:不止,无休止。④给:满足,完成。⑤餍:满足。⑥工:擅长。

[译文]

景公问晏子说:"古代管理国家治理人民的人,他们任用大臣的办法是什么?"

晏子回答说:"各个地方土地的性质不同(不同土质所适宜生长的作物也有不同),却种植同一种作物,要求都能生长出来是不可能的;人的才能各不相同(不同才能的人适合担任不同任务),却委任以同样的事情,要求都能完成也是不可能的。要求一个人能担任所有的工作,即使是很聪明的人也有不能胜任的时候;贪得无厌地求取财物,即使是天和地也有供应不足的时候。所以英明的君王用人的原则是,不让阿谀谄媚之人贴近自己身边,不让结党营私之徒在朝中掌权。任用臣下的长处,而不勉强用他的短处;让臣下去做他擅长的事情,而不强求他去做不擅长的事情。这就是他们任用人的基本原则和方法。"

景公问古者离散其民如何晏子对以今闻公令如寇仇第二十五

景公问晏子曰:"古者离散其民而陨失其国者①,其常行何如?"

晏子对曰:"国贫而好大,智薄而好专②。贵贱无亲焉,大臣无礼焉。尚谗谀而贱贤人,乐简慢而玩百姓。国无常法,民无经纪③。好辩以为智,刻民以为忠④。流湎而忘国⑤,好兵而忘民。肃于罪诛,而慢于庆赏。乐人之哀,利人之难。德不足以怀人,政不足以惠民。赏不足以劝善⑥,刑不足以防非。此亡国之行也⑦。今民闻公令如寇仇。此古之离散其民、陨失其国者之常行也⑧。"

[注释]

①陨失:丧失。②专:专断。③经纪:秩序。④此句旧作"好辩以为忠",中脱"以为智刻民"五字,文不成义,从王念孙说据《群书治要》补。⑤流湎:指沉溺于酒乐之中。⑥劝:勉励,鼓励。⑦此句旧脱"此"字,从苏舆说据《群书治要》补。⑧此句旧作"此古离散其民陨失其国所常行者也",从王念孙说改。

[译文]

景公问晏子说:"古时候使得人民流离失所从而丧失自己国家的君主,他们经常的行为是怎样的?"

晏子回答说:"(这些亡国君主的行为是)国家贫穷却好大喜功,才智薄弱却好独断专行。对高尚者和低贱者都不亲近,对大臣们不以礼相待。重用谗谀之人,轻贱贤德之人。喜欢轻忽怠慢、不循礼法之人,轻视平民百姓。国家没有稳定的法律(常随君主的意志而改变),人民没有常行的秩序(易于违法犯刑)。把能言善辩当做有智慧,把对民苛刻盘剥当做有忠心。沉溺于饮酒作乐而忘记国家的安危,喜好用兵打仗而忘记人民的疾苦。严于治罪用刑,轻于论功行赏。把别人的哀痛当成自己的快乐,把别人的危难视为对自己有利的事。道德凉薄不足以让人民怀念,行政苛刻不足以使人民受到恩惠。滥行赏赐起不到鼓励行善的作用,乱施刑罚起不到防止犯罪的作用。

这些就是导致国家灭亡的做法。现在人民听到君主发布的命令，就好像仇敌到来一样（逃避唯恐不及，怎么能去执行它）。这正是古代弄得人民流离失所从而丧失国家的君主所常做的事情啊。"

景公问欲和臣亲下晏子对以信顺俭节第二十六

景公问晏子曰："吾欲和臣亲下，奈何？"

晏子对曰："君得臣而任使之，与言信，必顺其令，赦其过。任大臣无多责焉①，使迩臣无求嬖焉②。无以嗜欲贫其家，无信谗人伤其心。家不外求而足，事君不因人而进③。则臣和矣。俭于藉敛，节于货财。作工不历时④，使民不尽力⑤。百官节适⑥，关市省征⑦，山林陂泽不专其利。领民治民，勿使烦乱。知其贫富，勿使冻馁。则民亲矣。"

公曰："善。寡人闻命矣。"故令诸子无外亲谒⑧。辟梁丘据，无使受报⑨。百官节适，关市省征，山林陂泽不禁⑩。冤报者过⑪，留狱者请焉⑫。

[注释]

①"臣"字旧脱，从孙星衍说补。②嬖：宠爱。此指宠爱的人。③因：凭借，依赖。④不历时：不超过农时，即不误农时。⑤不尽力：不使尽力气。⑥节适：恰当，适当。节，犹"适"。⑦关市：关口和市场。⑧诸子：指国君的儿子们。外：指外人。亲：亲近。谒：请见，进见。此处指受人请托。⑨报：断狱。⑩"山林"二字旧脱，依张纯一说据上文补。⑪过：责罚。⑫留狱：长期关押而未作判决。

[译文]

景公问晏子道："我想让臣下与我关系和睦，使人民亲附于我，应该怎么办？"

晏子回答说："您选拔了臣下就要任用他们，和他们说话要讲信用，要让他们依照法令行事，他们犯有小过错要予以赦免。任用大臣要注重大的方面，不可求全责备；使用近臣不挑选自己宠爱的人。不要为了满足自己的嗜好和私欲而使他们家中贫困，不要亲信爱进谗言之人而让他们伤心。他们居家不必外求财物就能供应充足（因为有足够的俸禄），他们侍奉君主不必凭借别人的力量就能得到重用（因为有胜任职务的才能）。能这样去做，臣下就会和您关系和睦。征收赋税要节制，使用财物要节俭；兴建土木工程不要占用农时，役使人民不要用得精疲力竭。政府官员的设置要精干适当（不可冗滥），关口和市场对商业税的征收要减少（以利货物流通），山林池泽的利益不为官府专有（允许人民在山林中樵采，在池泽中捕捞）。领导和管理人民时，不要让他们感到烦乱（官府不得骚扰人民）。随时了解民众的贫富状况，（对贫穷者予以救助）不使他们受冻挨饿。能这样去做，人民就会亲附于您。"

景公说："您说得好。我接受您的意见。"因此命令儿子们不得和外人亲近及受人请托。罢免宠臣梁丘据的官职，不再让他担任审判罪人的职务。各种官吏设置得精干恰当，关口和市场都减少了商税的征收，山林池泽向人民开放。审判案件不当而造成冤案的，要追究其过错责任；长期关押而未作判决的查清案情。

景公问得贤之道晏子对以举之以语考之以事第二十七

景公问晏子曰："取人得贤之道何如？"

晏子对曰："举之以语，考之以事，能谕则尚而亲之[①]，近而勿辱[②]。以取人[③]，则得贤之道也。是以明君居上，寡其官而多其行，拙于文而工于事。言不中不言④，行不法不为也。"

[注释]

①谕：知晓，明了。②勿辱：不使受辱。指要以礼相待。③"以"下疑脱"此"字。④中：适中，中肯。指切合事理。

[译文]

景公问晏子说："（朝廷）选拔人才能求得贤德之人，有什么办法呢？"

晏子回答说："（首先）根据他的言论主张是否有理以决定是否选用他，（然后）根据他的行事去考察他（看他说得好，是否做得也好），如果真的通晓治国之道，就尊重他、亲近他。既要亲近他，又要以礼相待。用这种办法选取人才，就是求得贤德之人的方法。因此英明的君主高居上位，官职设得少，事情办得多；不讲究形式华丽热闹，却善于做好实际事情；说话不切合事理就不说，做事不符合法制就不做。"

景公问臣之报君何以晏子对报以德第二十八

景公问晏子曰："臣之报其君何以？"

晏子对曰："臣虽不知①，必务报君以德。士逢有道之君，则顺其令；逢无道之君，则争其不义②。故君者择臣而使之，臣虽贱，亦得择君而事之。"

[注释]

①知：通"智"。②争：通"诤"，谏诤。

[译文]

景公问晏子道："臣下用什么来报答他的君主呢？"

晏子回答说："臣下虽然不聪明，也必须努力用符合道德的行为报答君主。士遇上有道德的君主，就遵循他的命令；遇上没有道德的君主，就对他的不符合道义的行为进行劝谏。所以，当君主的固然要选择好的臣下来使用他，臣下虽然地位低下，也可以选择好的君主来侍奉他。"

景公问临国莅民所患何也晏子对以患者三第二十九

景公问晏子曰："临国莅民，所患何也？"

晏子对曰："所患者三：忠臣不信①，一患也；信臣不忠，二患也；君臣异心，三患也。是以明君居上，无忠而不信，无信而不忠者。是故君臣同欲②，而百姓无怨也。"

[注释]

①不信：不受信任。②"故"字或作"以"字。

[译文]

景公问晏子道："治理国家管理人民，所忧虑的是什么呢？"

晏子回答说："所忧虑的事有三件：忠臣不受信任，是第一件值得忧虑的事情；受信任的臣下不忠诚，是第二件值得忧虑的事情；君主与臣下各怀异心（不同心同德），是第三件值得忧虑的事情。因此英明的君主居于上位，没有忠臣是不受信任的，没有受信任的臣下不忠君的。所以君臣能同心同德，百姓们皆无怨心。"

景公问为政何患晏子对以善恶不分第三十

景公问于晏子曰："为政何患？"

晏子对曰："患善恶之不分。"

公曰："何以察之？"

对曰："审择左右①。左右善②，则百僚各得其所宜③，而善恶分。"

孔子闻之，曰："此言也信矣④！善进⑤，则不善无由入矣；不善进，则善无由入矣。"

[注释]

①审：慎重。②"左右"二字旧脱，依孙星衍说据《说苑》补。③百僚：百官。④信：确实，正确。⑤善：此指行善之人，好人。

[译文]

景公向晏子问道："处理国家政事，忧虑的是什么？"

晏子回答说："忧虑的是不能分辨好人与坏人。"

景公问："用什么办法考察好坏？"

晏子回答说："首先要慎重地选择身边的大臣。身边的大臣选择好，下面的百官才能委任得当，好与坏也就分清楚了。"

孔子听到晏子所说的话后，说："这话说得很正确！好人在朝当政，不好的人就没有办法进入朝廷；不好的人在朝当政，好人就没有办法入朝当官了。"

内篇问下第四

景公问何修则夫先王之游晏子对以省耕实第一

景公出游,问于晏子曰:"吾欲观于转附、朝舞①,遵海而南②,至于琅琊③,寡人何修则夫先王之游④?"

晏子再拜曰:"善哉,君之问也!婴闻之⑤,天子之诸侯为巡守⑥,诸侯之天子为述职⑦。故春省耕而补不足者谓之游⑧,秋省实而助不给者谓之豫⑨。夏谚曰:'吾君不游,我曷以休?吾君不豫,我曷以助?一游一豫,为诸侯度⑩。'今君之游不然,师行而粮食⑪,贫者不补⑫,劳者不息。夫从下历时而不反谓之流,从高历时而不反谓之连⑬;从兽而不归谓之荒⑭,从乐而不归谓之亡⑮。古者圣王无流连之游,荒亡之行。"

公曰:"善。"命吏计公禀之粟⑯,藉长幼贫氓之数⑰,吏所委发廪出粟⑱,以予贫民者三千钟。公所身见癃老者七十人⑲,振赡之,然后归也。

[注释]

①转附、朝舞:都是山名,位置不详。②遵:循。③琅琊:山名,在今

山东省诸城东南。④何修:做什么事情。则:效法。⑤旧脱"婴"、"之"二字,依苏舆说据《群书治要》补。⑥之:往,到。巡守:亦作"巡狩"。古时天子五年一巡守,视察诸侯所守的地方。⑦述职:此指诸侯向天子汇报施政情况。⑧省(xǐng):检查。⑨豫:即"游"。⑩度:法度,制度。⑪粮食:即"粮食于民",犹言"就食于民"。⑫"者"字旧作"苦",从孙星衍说改。补:同"哺",以食与人。⑬流、连:本为联绵词。谓沉溺于游乐,流连忘归之意。此处为了文字对偶的需要,分而言之。旧"从下"作"从南","从高"作"从下",依张纯一说据《孟子》及赵岐注改。⑭荒:沉迷,迷乱。⑮亡:亦为迷乱之意。⑯禀:同"廪",粮仓。旧作"掌",依王引之说改。⑰藉:通"籍",统计,登计。⑱"吏所委"三字疑为衍文。⑲癃(lóng):手足不灵活之病。

[译文]

景公外出游玩,向晏子问道:"我想到转附、朝舞两座山上观看风景,再沿着海边向南走,一直到达琅琊山。我应该怎样做才能效法先王出游的情况呢?"

晏子朝景公拜了两拜,说道:"您问得很好啊!我听说古代的做法是,天子到诸侯国中去视察叫做巡守,诸侯到天子那里汇报施政情况叫做述职。所以君主春天到下面检查农田耕种的情况,对缺乏农具、种子的农户给予帮助,这叫做游;秋天检查粮食收获的情况,对收成不好的农户给予补助,这叫做豫。夏朝的谚语说:'我们的君王不出游,我怎么能休息?我们的君王不来游,我怎么能得到帮助?一游一豫,乃是诸侯遵循的法度。'现在您的出游却不是这样,大队人马走到哪里,就让哪里的人民供应粮食,贫穷的人家得不到休息。乘船顺流而下、乐而忘返谓之流,使纤夫拉着船逆流而上、乐而忘返谓之连;纵情打猎、乐而不归叫做荒,纵情作乐、过时不归叫做亡。古代圣王出巡时就没有这些流连的游乐和荒亡的行为。"

景公说:"您说得好。"于是命令官吏核计国家仓库里的粮食数量，统计年老年幼的贫民的数目，官吏从仓库中拨出粮食三千钟分给了贫苦人民。景公对在路途中遇见的病弱老者七十人都给予救济，然后返回都城。

景公问桓公何以致霸晏子对以下贤以身第二

景公问于晏子曰："昔吾先君桓公，善饮酒，穷乐①，食味方丈，好色无别②，辟若此③，何以能率诸侯以朝天子乎？"

晏子对曰："昔吾先君桓公变俗以政④，下贤以身⑤。管仲，君之贼也⑥。知其能足以安国济功，故迎之于鲁郊，自御，礼之于庙。异日，君过于康庄⑦，闻宁戚歌⑧，止车而听之，则贤人之风也，举以为大田。先君见贤不留⑨，使能不怠，是以内政则民怀之，征伐则诸侯畏之。今君闻先君之过，而不能明其大节。桓公之霸也，君奚疑焉？"

[注释]

①穷乐：尽情作乐。②好色无别：爱好女色，不管亲疏远近。③辟：同"僻"，邪僻。④变俗以政：用政令改变旧风俗。⑤下贤以身：亲自礼贤下士。⑥贼：此处指仇敌。管仲曾帮助公子纠与公子小白（即齐桓公）争夺君位，并用箭射中桓公的衣带钩，所以说"君之贼也"。旧"贼"下有"者"字，从王念孙说删。⑦康庄：四通八达的大道。⑧宁戚：原为卫国人，怀才不遇，隐于商贾间。桓公外出，他正喂牛，叩牛角而歌，桓公发现了他，任为大田，主管农业生产。⑨不留：不耽搁。引申为不遗漏。

[译文]

景公向晏子问道："从前我们的先君桓公好饮酒，尽情作乐，吃饭时各种美味佳肴摆满桌子，喜好女色而不管亲疏远近。他的行为如此不正道，为什么能够率领诸侯去朝见周天子呢？"

晏子回答说："从前我们的先君桓公，推行政令改变了齐国的旧风俗，能亲自礼贤下士。管仲（曾帮助公子纠与桓公争夺君位，还用箭射中他的衣带钩）原本是桓公的仇敌，桓公知道他的才能足以安定国家，成就霸王功业，所以亲自到鲁国边界迎接他，亲自给他驾车，在宗庙里以高规格的礼仪接待他。后来，桓公从大道上经过，听到宁戚唱歌，停下车来细听，原来是贤德之人的歌声，就提拔他担任大田的官职。先君只要见到贤德之人就委以重任，决不遗漏；只要有才能的人就委以职事，决不怠慢他们。因此内政治理得好，人民都归附他；出兵征讨不义之国，诸侯们都敬畏他。现在您只听说先君生活方面的一些过错，却不了解他（在尊王攘夷、安邦治国方面）的大功绩。对桓公称霸诸侯的事业，您难道还怀疑吗？"

景公问欲逮桓公之后晏子对以任非其人第三

景公问晏子曰："昔吾先君桓公，从车三百乘，九合诸侯①，一匡天下②。今吾从车千乘，可以逮先君桓公之后乎③？"

晏子对曰："桓公从车三百乘，九合诸侯，一匡天下者，左有鲍叔④，右有仲父。今君左为倡，右为优⑤，谗人在前，谀人在后，又焉可逮桓公之后乎⑥？"

[注释]

①合：会，聚会。指与诸侯会盟。②一匡天下：齐桓公率领诸侯于公元前655年和前654年两次举行会盟，拥戴周惠王的嫡长子太子郑继承王位，是为周襄王。这就是所谓齐桓公"一匡天下"的功绩。匡，正。引申为挽救。③逮：及。引申为追随。④鲍叔：即鲍叔牙，帮助桓公战胜公子纠，夺取君位；向桓公推荐管仲为上卿，自己甘愿屈居下位。⑤倡：指奏乐舞蹈之人。优：戏谑表演之人。⑥"乎"上旧有"者"字，从王念孙说据《群书治

要》删。

[译文]

景公问晏子道:"从前我们的先君桓公,率领着兵车三百辆,多次召集诸侯会盟,一次扶助周襄王登上天子宝座(维护了礼制,建立了霸业)。现在我率领的兵车有一千辆,是否可以追随先君桓公之后建立霸业呢?"

晏子回答说:"桓公所以能率领三百辆兵车,多次会盟诸侯,巩固了周天子的王位,是因为他身边左有鲍叔,右有管仲(得到了贤德之人的辅佐)。现在您的身边左右都是些以乐舞戏谑为业供您玩乐之人,前后都是些拨弄是非、阿谀奉承之人,又怎么能追随桓公之后成就霸业呢?"

景公问廉政而长久晏子对以其行水也第四

景公问晏子曰①:"廉政而长久②,其行何也?"

晏子对曰:"其行水也③。美哉,水乎清清!其浊无不雩途④,其清无不洒除,是以长久也。"

公曰:"廉政而邀亡⑤,其行何也?"

对曰:"其行石也⑥。坚哉,石乎落落⑦!视之则坚,循之则坚⑧,内外皆坚,无以为久,是以邀亡也。"

[注释]

①旧无"曰"字,依张纯一说补。②政:同"正"。③其行水也:其行为具有像水一样的品质。④雩途:即"污涂",意为涂抹污垢。⑤邀:同"速"。⑥其行石也:其行为具有像石头一样的品质。⑦落落:孤独,不能融合的样子。⑧循:抚摩。

[译文]

景公问晏子说:"君主廉洁正直、长久保有国家,应该具备什么样的品行?"

晏子回答说:"他的品行应当像水一样。多么美好啊,那清清的流水!当它浑浊的时候,没有什么东西不能把它涂污;当它清澈的时候,没有什么东西不能用它洗刷干净。(君主只有具备像水一样的品质)这样才能够长久保有国家。"

景公说:"君王虽然廉正,可是国家却很快灭亡了,他的品行是怎样的呢?"

晏子回答说:"他的品行就像石头一样(内不清明,外则顽固)。多么坚硬啊,那各自存在着的一块块的石头!看上去它是坚硬的,用手摸它也是坚硬的,里面外面都是坚硬的,没办法保持长久,因此国家很快就灭亡了。"

景公问为臣之道晏子对以九节第五

景公问晏子曰:"请问为臣之道?"

晏子对曰:"见善必通①,不私其利。荐善而不有其名②。称身居位,不为苟进。称事受禄③,不为苟得。体贵侧贱④,不逆其伦。居贤不肖,不乱其序。肥利之地,不为私邑。贤质之士,不为私臣。君用其所言,民得其所利,而不伐其功。此臣之道也。"

[注释]

①通:推行,实行。②荐:旧作"庆",从王念孙说据《群书治要》改。③受:旧作"授",从卢文弨说据《群书治要》改。或云:"授"同"受"。④体:居。侧:置身。

[译文]

景公问晏子说:"请问当臣下的行为准则是什么?"

晏子回答说:"看到有利于国家和人民的事情要坚决去实行,不从中谋取私利。要向君主荐举贤德之人,但不图获得荐贤的好名声。衡量自己的才能然后承担适当的官职,不采用不正当的手段谋取自己不能胜任的官职。衡量自己所做事情的大小然后接受适当的俸禄,不采用不正当的方法谋取超过自己贡献的俸禄。不论居于高位还是下位,都不做越级违理的事情。不论贤德还是不贤德,都不得搞乱等级秩序。不申请把肥沃富饶的地方作为自己的封邑(即使君主赐封也应当辞退),不让贤德质朴之人作为自己的家臣(应当推荐给朝廷任用)。君主采用了他的意见,人民得到他的好处,他却不夸耀自己的功劳(把功劳归于君主)。这就是当臣下的应当遵循的准则。"

景公问贤不肖可学乎晏子对以强勉为上第六

景公问晏子曰:"人性有贤不肖,可学乎?"

晏子对曰:"《诗》云:'高山仰止,景行行止①。'之者其人也②。故诸侯并立,善而不怠者为长;列士并学,终善者为师。"

[注释]

①所引诗句见《诗经·小雅·车舝》。其意是:高山可以叫人仰望,大道可以让人行走。"止"或作"之",表示确定语气,无实义。景行,大道。②"之者"的"之",同"志",意为心中所向往。

[译文]

景公问晏子说:"人的品性有的贤德有的不贤德,是否可以通过学习使不贤德的人变为贤德的人?"

晏子回答说:"《诗经》中说道:'高山可以叫人仰望,大道可以让人行走。'说的就是向往高尚品德的人吧。所以诸侯们并立于世上，只有不懈地追求高尚道德的人才能当诸侯之长；众多的读书人都在学习，只有始终努力学习取得好成绩的人才能成为老师。"

景公问富民安众晏子对以节欲中听第七

景公问晏子曰："富民安众，难乎？"

晏子对曰："易。节欲则民富，中听则民安①。行此两者而已矣。"

[注释]

①中（zhòng）：合适，恰当。听：听狱，断案。

[译文]

景公问晏子道："使人民富裕安定，困难吗？"

晏子回答说："这事容易做到。只要君主能节制私欲（不挥霍浪费人民的钱财），人民就能富裕；审判案件公正恰当（没有冤假错案），人民就能安定。只要做好这两方面的事情就可以了。"

景公问国如何则谓安晏子对以内安政外归义第八

景公问晏子曰："国如何则可谓安矣？"

晏子对曰："下无讳言①，官无怨治②。通人不华③，穷民不怨。喜乐无羡赏④，忿怒无羡刑⑤。上有礼于士，下有恩于民。地博不兼小，兵强不劫弱。百姓内安其政，外归其义⑥。可谓安矣。"

[注释]

①讳言：忌讳的话。②怨：同"蕴"，蓄积，积压。③通人：官场显达的人。④美赏：滥施赏赐。⑤美刑：滥施刑罚。⑥陶鸿庆谓"外归其义"上当有"诸侯"二字。

[译文]

景公问晏子道："国家治理成什么样子就可以叫做安定了？"

晏子回答说："下面的人没有因忌讳而不敢说的话（敢于对君主的过错直言规劝），官府中没有应该办理而积压不办的政事。官场显达的人生活不奢侈浮华，贫穷的人民生活能过得去而无怨言。君主不因高兴而滥施赏赐，也不因愤怒而滥施刑罚。对上层的士人以礼相待，对下层的平民施以恩惠。地域虽然广博但不兼并小国，军队虽然强大但不劫掠弱国。国内百姓在君主的治理下安定生活，国外的诸侯们由于他遵循道义而甘心归附。国家治理成这个样子，就可以称之为安定了。"

景公问诸侯孰危晏子对以莒其先亡第九

景公问晏子曰："当今之时，诸侯孰危？"

晏子对曰："莒其先亡乎！"

公曰："何故？"

对曰："地侵于齐，货竭于晋，是以亡也。"

[译文]

景公问晏子说："在现在的时代里，诸侯中谁的地位最危险？"

晏子回答说："莒国大概要先灭亡吧！"

景公问道："为什么？"

晏子回答说："莒国的领土被齐国不断侵占，财货被晋国榨取殆尽,因此快要灭亡了。"

晏子使吴吴王问可处可去晏子对以视国治乱第十

晏子聘于吴①,吴王曰:"子大夫以君命辱在敝邑之地②,施贶寡人③,寡人受贶矣。愿有私问焉。"

晏子逡遁而对曰④:"婴,北方之贱臣也,得奉君命,以趋于末朝⑤,恐辞令不审⑥,讥于下吏⑦,惧不知所以对者。"

吴王曰:"寡人闻夫子久矣,今乃得见,愿终其问⑧。"

晏子避席对曰:"敬受命矣。"

吴王曰:"国如何则可处,如何则可去也?"

晏子对曰:"婴闻之,亲疏得处其伦⑨,大臣得尽其忠,民无怨治,国无虐刑,则可处矣。是以君子怀不逆之君⑩,居治国之位。亲疏不得居其伦,大臣不得尽其忠,民多怨治,国有虐刑,则可去矣。是以君子不怀暴君之禄,不处乱国之位。"

[注释]

①聘:古代诸侯国之间派使臣访问修好。②子:对人的尊称。辱:屈辱,委屈。"之地"二字,刘师培以为衍文。③贶:赐。④逡遁:或作"巡遁"、"逡循",欲进不进的样子,表示谦退的意思。⑤末朝:文义不明。或云当为"朝末"之误,谓趋于吴朝之末位。⑥不审:不谨慎。⑦下吏:吴王下面的官吏。因不敢指称吴王,故托下吏而言。是古代常用的委婉说法。⑧终其问:把话问完。⑨亲疏得处其伦:贤者亲之,不肖者疏之,各得其所。伦,理。此处指所当处的职位。⑩不逆之君:不违背道义的君主。

[译文]

晏子受齐君委派出访吴国,吴王对他说:"大夫您奉君主的命令屈尊来到我国，赏赐我礼物，我接受赏赐了。我有一个私人问题希望向您请教。"

晏子惶恐而谦虚地说："我是北方国家的一个卑贱的臣子，因为奉君主的命令才得以来到贵国朝廷，我担心说话不慎重，被您下面的官吏讥笑，害怕不知道怎样回答是好。"

吴王说："我早就听说先生您的大名了，今天有幸见到您，希望您让我把话问完。"

晏子离开座位回答说："我恭敬地听从您的吩咐。"

吴王说："什么样的国家状况适于在那里做官，什么样的状况就应当离开呢？"

晏子回答说："据我所知，国君能亲近贤德之人，疏远不肖之人，使他们各得其所，各处其位，应当给百姓办的事情及时处治而不拖延积压，国家不施行暴虐的刑罚，这样的国家就可以在那里做官。因此君子都愿意归附遵循道义的君主，都愿意在治理有序的国家里当官。如果国君亲近谗谀之人，疏远贤德之人，贤者与不肖者任用不当，职位错乱，忠于国家的大臣的好建议不被采用，不能尽其忠心，应当给百姓办的事情拖延不办，国家滥施酷刑，这样的国家就可以离它而去。因此君子不留恋残暴君主的俸禄，不在政治混乱的国家中担任官职。"

吴王问保威强不失之道晏子对以先民后身第十一

晏子聘于吴，吴王曰："敢问长保威强勿失之道若何？"

晏子对曰："先民而后身，先施而后诛①。强不暴弱，贵不凌贱，富不傲贫。百姓并进②，有司不侵，民和政平。不以威强退人之君③，不以众强兼人之地。其用法为时禁暴，故世不逆其志；其用兵为众屏患④，故民不疾其劳⑤。此长保威强勿失之道也。失此者危矣。"

吴王忿然作色，不说。

晏子曰："寡君之事毕矣，婴无斧锧之罪⑥，请辞而行。"遂不复见。

[注释]

①先：指首要的、重要的事情。后：指次要的、第二位的事情。施：指赏赐。诛：指刑罚。②百姓并进：平民百姓只要有才能同样可以提拔任用。③退人之君：使别国之君屈居己下。退，抑，却。④屏：除。患：忧，祸。⑤疾：怨恨。⑥斧锧：杀人的刑具。锧，砧板。

[译文]

晏子出使吴国，吴王问道："请问长久地保持国家的威力强大而不失去这种局面，有什么好办法吗？"

晏子回答说："把人民的事情放在首要地位，把自己的事情放在次要地位；把奖赏施惠的事情放在重要位置，把惩罚诛杀的事情放在次要位置。强大的不危害弱小的，尊贵的不欺凌卑下的，富有的不轻视贫贱的。平民百姓只要有才能同样可以得到提拔任用，官吏不侵犯人民的利益，人民和睦相处，政治安定太平。不依仗威力强大压制别国君主，不凭借军力强大兼并别国土地。实施法律是为了禁止社会上暴虐行为的发生，所以世人（都乐于遵守）不违背他的意志。他们用兵作战是为了替民众消除祸患，所以为国家服兵役、劳役而没有怨言。这就是长期保持国家的威严强大而不失去这种局面的方法。不这样做的，国家就危险了。"

吴王由于愤怒而变了脸色，很不高兴。

晏子说："我们国君交付的事情已经办完了，我没有犯该处死的罪，请允许我告辞回去。"于是不再见吴王。

晏子使鲁鲁君问何事回曲之君晏子对以庇族第十二

晏子使鲁，见昭公①。昭公说，曰："天下以子大夫语寡人者众矣，今得见而羡乎所闻②。请私而无为罪③。寡人闻大国之君④，盖回曲之君也⑤，曷为以子大夫之行，事回曲之君乎？"

晏子逡循对曰："婴不肖，婴之族又不若婴，待婴而祀先者五百家，故婴不敢择君。"

晏子出，昭公语人曰："晏子，仁人也。反亡君⑥，安危国，而不私利焉。僇崔杼之尸⑦，灭贼乱之徒，不获名焉。使齐外无诸侯之忧，内无国家之患，不伐功焉。锓然不满⑧，退托于族⑨。晏子可谓仁人矣。"

[注释]

①昭公：鲁襄公之子，名裯，公元前541年至前510年在位。谥"昭"。②羡乎所闻：比听到的还要好。③私：指与公事无关的私事。罪：怪罪。④大国之君：指齐国君主。⑤回曲：邪僻。⑥反：同"返"。亡君：出亡之君。按：晏子无返亡君之事。⑦僇：通"戮"，杀。⑧锓（zhēn）：不自满。⑨退：谦退，谦逊。托：托词。

[译文]

晏子出使鲁国，拜见鲁昭公。昭公很高兴，说道："天下有很多人对我讲了大夫您的情况，今天见到您，比我听到的情况还要好。我想和您说些与公事无关的私事，请您不要见怪。我听说齐国的君主是邪僻的君主，为什么凭大夫您的好品德却去侍奉邪僻的君主呢？"

晏子惶恐不安地回答说："我是个不贤德的人，我家族中的人又都还不如我，他们当中依赖我的俸禄祭祀祖先（维持生活）的有五百家，所以我不敢选择君主。"

晏子离开后，昭公对人说："晏子真是个仁德之人啊。他曾使逃亡在外的君主返回国内，使面临危亡的国家转危为安，可是却不为自己谋取私利。他斩戮了杀死庄公的逆臣崔杼的尸体，消灭了祸国乱民的党徒，却不是为了自己获取好名声。他让齐国外无诸侯侵扰的忧虑，内无危害国家的祸患，可是却从不夸耀自己的功劳。他（功劳虽大）从不骄傲自满，谦逊地把在朝为官说成只是为了供养自己家族的生活。晏子可以称得上是仁德之人了。"

鲁昭公问鲁一国迷何也晏子对以化为一心第十三

晏子聘于鲁，鲁昭公问焉，曰①："吾闻之，莫三人而迷②。今吾以一国虑之，鲁不免于乱③，何也？"

晏子对曰："君之所尊，举而富贵，入所以与图身，出所以与图国。及左右逼尔，皆同于君之心者也。矫鲁国化而为一心④，曾无与二⑤，其何暇有三？夫逼迩于君之侧者，距本朝之势⑥，国之所以殆也⑦；左右谗谀，相与塞善，行之所以衰也；士者持禄，游者养交⑧，身之所以危也。《诗》曰：'芃芃棫朴⑨，薪之槱之⑩。济济辟王⑪，左右趋之。'此言古者圣王明君之使以善也。故外知事之情，而内得心之诚，是以不迷也。"

[注释]

①"曰"字旧脱，从苏舆说补。②莫三人而迷：做事情和三个以上的人一起谋划就不会产生迷惑。③此句旧作"今吾以鲁一国迷虑之不免于乱"，从王念孙说据《韩非子·内储说上》改。④"矫"字旧作"犒"，从卢文弨说

改。矫,举。⑤曾无与二:连两种都没有。曾,乃。⑥距:通"拒",抗,敌。⑦"殆"字旧作"治",从俞樾说改。⑧养交:培养交情。⑨所引诗句见《诗经·大雅·棫朴》。芃芃(péng):草木茂盛的样子。棫(yù):柞树。朴(pú):枹树。⑩槱(yǒu):积木柴以备燃烧。⑪济济:庄严美好的样子。辟:君。

[译文]

晏子出使鲁国,鲁昭公问他说:"我听说,做事情和三个以上的人一起谋划就不会产生迷惑。现在我和全国人一起谋划,鲁国仍然免不了出现混乱,这是为什么呢?"

晏子回答说:"君主您对所尊重的人予以提拔重用,使他们身居高官享受富贵,在官内和他们一起考虑自身的事情,在朝廷和他们一起考虑国家的事情。在您身边的亲信宠臣,都是和您想法相同的人。您把整个鲁国都变成和您一致的想法,连第二种想法都找不出来,哪里还能找出更多的想法呢?那些宠臣们包围在您的身旁,和朝廷里大臣的势力相对抗,这就是国家所以出现危险的原因。您的左右亲信都是些谗谀之人,他们争相堵塞进贤之路,这就是善行所以越来越少的原因。士人只想保住高官厚禄而不想有所作为,游说之人只想与诸侯建立私人交情而不为国家谋划,这就是国君您处于危险境地的原因。《诗经》中说:'茂盛的柞树、枹树聚生在一起,砍下来作为柴草堆积在那里。好比那美好庄严的君王,向善之人都愿意归附在他的身旁。'这说的是古代的圣王明君能使人品德高尚多做善事。所以他们既能知道身外事物的真实情况,又能了解人们内心的真实想法,因此不会被假象所迷惑。"

鲁昭公问安国众民晏子对以事大养小谨听节敛第十四①

晏子聘于鲁,鲁昭公问曰:"子大夫俨然辱临敝邑②,窃甚嘉之③,寡人受贶。请问安国众民如何④?"

晏子对曰:"婴闻傲大贱小则国危,慢听厚敛则民散⑤。事大养小,安国之器也⑥;谨听节敛⑦,众民之术也。"

[注释]

①"敛"旧作"俭",从俞樾说改。目录亦据改。②俨然:庄重的样子。③窃:私下。嘉:赞许。④众民:使人口众多。⑤慢:轻率,不认真。听:听狱。⑥器:此处当方法、办法讲。⑦"敛"旧作"俭",从俞樾说改。

[译文]

晏子出使鲁国,鲁昭公问道:"大夫您庄严地屈尊来到我国,我从心里很赞赏您。我接受您带来的礼物。我想请教您怎样能使国家安定人民众多呢?"

晏子回答说:"我听说,对大国傲慢不逊,对小国鄙视欺凌,会使国家处于危险境地;对诉讼案件轻率而不依法处理,对人民不断加重赋税征敛,人民就会四散逃亡。能侍奉大国,扶助小国,才是安定国家的好方法;能认真依法审理案件,对人民征收赋税有节制而不过度,才是使人民不断增多的好办法。"

晏子使晋晋平公问先君得众若何晏子对以如美渊泽第十五

晏子使晋,晋平公飨之文室①,既静矣,以宴②,平公问焉,曰:"昔吾子先君得众若何③?"晏子对曰:"君飨寡君④,施及使臣,御在君侧,恐惧不知所以对。"

平公曰:"闻子大夫数矣⑤,今乃得见,愿终闻之。"晏子对曰:"臣闻君子如美渊泽,容之⑥,众人归之,如鱼有依,极其游泳之乐。若渊泽决竭,其鱼流动。夫往者维雨乎!不可复已⑦。"

公又问曰:"请问庄公与今君孰贤⑧?"晏子曰:"两君之行不同,臣不敢知也⑨。"

公曰:"王室之不正也⑩,诸侯之专制也,是以欲闻子大夫之言也。"对曰:"先君庄公不安静处,乐节饮食,不好钟鼓,好兵作武,与士同饥渴寒暑⑪。君之强,过人之量,有一过不能已焉⑫,是以不免于难⑬。今君大宫室,美台榭,以辟饥渴寒暑⑭,畏祸敬鬼神。君之善足以没身,不足以及子孙矣。"

[注释]

①晋平公:晋悼公之子,名彪,公元前557年至前532年在位,谥"平"。飨:宴请。文室:有绘画雕刻的华丽宫室。②"以宴",原作"晏已",或作"晏以",从黄以周说改。"晏"当为"宴"。"以"字当在"宴"上。静:通"靖",古"停"字。按:周代礼仪,君主飨宾,先举行亲自进酒的仪式。飨毕,再举行宴会,宾客行臣下之礼。宴会毕,然后谈政事。③"子"字旧脱,从黄以周说补。先君:指齐桓公。④君飨寡君:"寡君"指齐君。齐君未去晋国,晏子是说晋君本应宴飨齐君,自己有幸得以享用,乃是谦逊的说法。⑤数:多次。⑥容之:广为包容,容纳众河。或以为"容"上脱"无不"二字,当作"无不容之"。⑦此句之意是,过去的人和事是不可能重现的,犹如雨降到地面,不可能再回到天上。⑧今君:指齐景公。"君"字旧脱。从王念孙说补。⑨"知"上旧衍"不"字,从卢文弨说删。⑩"不"字旧脱,从刘师培说补。⑪"与士"旧作"士与",依顾广圻说改。⑫过:过错,指庄公好色与棠姜私通之事。已:止。⑬不免于难:指不免于被崔杼所杀。⑭辟:同"避"。

[译文]

晏子出使晋国,晋平公在华丽的宫室里为晏子举行飨礼仪式,亲自向晏子致欢迎之酒。飨礼结束后又设宴款待晏子,然后谈政事。平公问晏子说:"从前您的先君桓公得到民众的拥护,情况是怎样的?"晏子回答说:"您用燕飨之礼招待我的国君,(我的国君未能亲临晋国）使臣于是有幸得以享用。我在您身旁侍奉您，（作为臣下）我诚惶诚恐不知该怎样回答您。"

平公说："我以前多次听人赞扬您，今天才得以见面，我希望一定听您说说。"晏子回答说："我听说君子就像美丽而广大深邃的湖泊，流向它的河水无不被包容；众人乐于归附君子，就如同鱼归依于水，可以尽情享受游泳的快乐。如果湖泊溃决流干了，里面的鱼也会随水流而去。（桓公早已逝去，诸侯叛离齐国，霸业不复存在）犹如雨水降到地下，不可能再回到天上了。"

平公又问道："请问庄公和现在的君主（景公）相比，哪一位更好？"晏子说："两位君主的所作所为各有不同，我不好对他们作评价。"

平公说："现在周王室不能整顿礼乐制度，诸侯们专权不服从天子的政令，所以我想听听大夫您的看法。"晏子回答说："我的先君庄公不能安心平静地生活，喜欢饮食节俭，不爱好钟鼓之乐，但却喜欢兴兵打仗，崇尚武力，能与士兵同饥渴、共冷暖。庄公的刚强超过一般人的程度，但是他有一样好色的毛病不能克服，因此最后难免被杀死。现在的君主（景公）喜欢把宫室修建得很高大，把台榭修建得很华美，声称是为了躲避饥渴寒暑；但是他又害怕灾祸降临，因而崇敬鬼神（心中尚有忌惮，不敢过分为非）。君主所做的好事足以使他终身保住君位，但不足以惠及后代子孙。"

晋平公问齐君德行高下晏子对以小善第十六

晏子使于晋，晋平公问曰："吾子之君，德行高下如何？"晏子对以"小善"。公曰："否，吾非问小善，问子之君德行高下也。"晏子蹴然曰[①]："诸侯之交，绍而相见[②]，辞之有所隐也。

君之命质③,臣无所隐。婴之君无称焉④。"

平公蹴然而辞⑤,送,再拜而反,曰:"殆哉吾过⑥!谁曰齐君不肖?直称之士⑦,正在本朝也。"

[注释]

①蹴(cù)然:恭敬而又不安的样子。②绍:介绍。③质:诚实,诚信。指说实话。④称:称道,赞扬。⑤辞:道歉。⑥殆:危险。⑦直:正直。

[译文]

晏子出使晋国,晋平公问道:"您的君主,他的德行是高还是低?"晏子回答说:"他小有善名。"平公说:"不,我不是问他是否小有善名,我问的是他的道德品行是高尚还是低下。"晏子恭敬而又不安地说:"诸侯之间交往,通过使者的介绍然后相互了解,介绍的时候不能不对君主的情况有所隐讳。您命令我讲真话(不必文饰),我只有无所隐讳地告诉您,我的君主没有值得称道的好品德。"

平公听了晏子的回答,显出很不安的样子向他道歉,送晏子出去,拜了两拜然后回来,说:"我这样问晏子是错误的,也是很危险的(我不让晏子为他的君主隐瞒过错,我的臣下也不会为我隐瞒过错啊)。谁说齐国的君主不贤德?像晏子这样以正直著称的人士,正在齐国的朝廷中当政呀。"

晋叔向问齐国若何晏子对以齐德衰民归田氏第十七

晏子聘于晋,叔向从之宴①,相与语。叔向曰:"齐其何如?"晏子对曰:"此季世也②,吾弗知,齐其为田氏乎③!"

叔向曰:"何谓也?"

晏子曰:"公弃其民,而归于田氏。齐旧四量:豆、区、釜、钟④。四升为豆,各自其四,以登于釜⑤,釜十则钟。田氏三量皆登一焉,钟乃巨矣。以家量贷,以公量收之。山木如市⑥,弗加于山⑦;鱼盐蜃蛤⑧,弗加于海。民参其力⑨,二入于公,而衣食其一。公积朽蠹,而老少冻馁。国之都市⑩,屦贱而踊贵⑪。民人痛疾,或燠休之⑫。昔者殷人诛杀不当,僇民无时⑬。文王慈惠殷众,收恤无主,是故天下归之。民无私与⑭,维德之授⑮。今公室骄暴,而田氏慈惠,其爱之如父母,而归之如流水。欲无获民,将焉避之⑯?箕伯、直柄、虞遂、伯戏⑰,其相胡公、太姬⑱,已在齐矣。"

叔向曰:"虽吾公室,亦季世也。戎马不驾,卿无军行,公乘无人⑲,卒列无长,庶民罢弊,宫室滋侈,道殣相望,而女富溢尤⑳。民闻公命,如逃寇仇。栾、郤、胥、原、狐、续、庆、伯㉑,降在皂隶㉒。政在家门㉓,民无所依,而君日不悛㉔,以乐慆忧㉕。公室之卑,其何日之有!谗鼎之铭曰:'昧旦丕显,后世犹怠㉖。'况日不悛,其能久乎㉗?"

晏子曰:"然则子将若何?"

叔向曰:"人事毕矣,待天而已矣!晋之公族尽矣。肸闻之,公室将卑,其宗族枝叶先落,则公从之。肸之宗十一族㉘,惟羊舌氏在而已,肸又无子㉙,公室无度㉚,幸而得死㉛,岂其获祀焉!"

[注释]

①叔向:羊舌肸(xī),又称叔肸。因封邑在杨(今山西洪洞东南),又称杨肸。春秋时晋国之卿。平公在位,任太傅,参与国政。②季世:末世,衰落的时代。③齐其为田氏乎:齐国大概将被田氏所占有。④豆、区、釜、钟:齐国旧有的四种量器。⑤登:升,上。此处为"增加"之意。⑥如:往。此处为"运到"之意。⑦弗加于山:价钱如在山上,不加价。⑧蜃(shèn):大

蛤。⑨参：同"叁"，三。⑩国之都市：旧作"国都之市"。从王念孙说改。都，同"诸"。⑪屦（jù）：麻鞋，草鞋。踊：假足。⑫燠休（yùxǔ）：抚慰病痛的声音。⑬僇：通"戮"，杀。⑭"民"字旧脱，从王念孙说补。⑮授：同"受"。引申为归附。⑯此句旧脱"欲"字、"之"字，从苏舆说补。⑰箕伯等四人，都是舜的后代，齐国田氏的祖先。⑱胡公：妫姓，名满，箕伯等四人的后代。周武王封妫满于陈，为陈开国之祖，是为胡公。齐国田氏的祖先。太姬：胡公之妃。⑲公乘：君主的骖乘。骖乘（shèng），古代乘车在车右陪乘的人。古代乘车制度，尊者居左，御者居中，又有一人居于车之右，以防车之倾侧，称为骖乘，若是兵车，则称车右。如果君主乘车，则居中央，御者居左，骖乘在右。⑳女：同"汝"，指受君主宠爱的大臣之家。㉑此八姓都是晋国的世袭贵族之家。"狐"旧作"孤"，从孙星衍说据《左传》改。㉒皂隶：卑贱的官职。㉓政在家门：指晋国的政权操纵在大夫私家手中。家，春秋时指大夫之家族。㉔悛：改。㉕以乐慆忧：用音乐获得快乐来掩藏心中的忧愁。慆，通"韬"，掩藏。㉖昧旦：黎明。此处意为早起而勤劳从政。丕：大。显：此处指功业显赫。后世：指后代子孙。怠：懈怠。㉗竜：不成字。当为"能"字之讹。《左传·昭公三年》作"其能久乎"。㉘宗十一族：出自同一祖先的家族有十一支。同祖为宗。㉙无子：此处指没有贤德之子。㉚度：法度，法制。㉛幸而得死：言得以寿终为幸。

[译文]

晏子出使晋国，叔向陪他宴饮，互相交谈起来。叔向问道："齐国现在的情况如何？"晏子回答说："齐国现在已经是末世了，我说不好将来会怎样，齐国大概将被田氏所据有。"

叔向说："您说的是什么意思呢？"

晏子说："齐国君主抛弃了他的人民，人民都归附于田氏家族门下。（为什么会出现这种情形呢？其原因是）齐国用的传统量器有四种：豆、区、釜、钟。四升为一豆，以后都按四进位（即四豆为区，四区为釜），一直到釜，十釜为一钟。田氏家用的三种量器（豆、区、釜）都比公家的量器加大一量（即五升为豆，五豆为区，五区为釜），这样钟的容量就比公家的增大了很多。田氏用自家的大量器借给百姓粮食，而用公家的小量器收回借贷。田氏将自家山上砍伐的木材运到市场上卖，价钱和在山里一样，并不加价；将鱼盐蚌蛤等海产品运到市场上卖，价钱和在海边一样，也不加价。如果人民把力气分为三份，为公家贡献赋税劳徭就要花费掉两份力气，为自己家庭谋生只有一份力气可用。公家仓库里堆满了征收来的粮食布帛等财物，都腐败生虫不能食用，可是百姓家中连老人小孩都在受冻挨饿。国内的各个市场上，鞋子卖价很贱，而假脚卖价却很贵（这是因为遭受刖足之刑而被砍掉脚的人很多呀）。人民深受痛苦，心怀怨恨，田氏就加以抚慰。从前商朝用严刑酷法惩罚和处死人民，随时随地杀戮无辜的百姓。与此相反，周文王则施惠于商朝民众，收容救济流离失所之人，因此天下的民众都愿意归附于他。人民不会无缘无故偏爱某个人，他们只归附有道德行仁政的人。现在公室对人民骄横暴虐，而田氏对人民却很慈爱，他爱护人民就如同父母爱子女一样，而人民归附田氏就如同水从高处流向低处、河水流向大海一样（不可阻挡）。即使他不想得到人民的拥护，又将躲避到哪里去呢？田氏的远祖箕伯、直柄、虞遂、伯戏以及田氏的祖先胡公及其妃子太姬的神灵已经来到齐国帮助田氏（田氏必将拥有齐国了）。"

叔向说："我们晋国的公室也处于末世了。战马已经拉不动战车，卿没有率领军队的能力，君主的骖乘挑不出合适的人选，士卒没有称职的长官。百姓因繁重的赋税劳役而疲惫困顿，君主宫廷的生活却日益奢侈，饿死的人弃于道路两旁随处可见，而受君主宠爱的大臣家族却更加富足。老百姓听到君主的命令，如同遇到仇敌一样，避之唯恐不快。栾、郤、胥、原、狐、续、庆、伯这八大姓原本是晋国的显贵家族，现在他们的后代沦落到只能充任卑贱官职的地步。晋国政权操纵在几个新兴家族手中，人民无所依靠（只能归附于私门），君主一直不肯改悔，天天用寻欢作乐来掩藏忧愁。公室的衰亡指日可待。谗鼎的铭文说：'君主每天黎明就起来勤劳从政，建立起显赫的功业，后代子孙也还会逐渐懈怠于政事。'何况君主一直不肯改悔，他还能长久保持君位吗？"

晏子说："既然如此，您将怎么办呢？"

叔向说："人已经无能为力了，只有听天由命吧！晋国的公室将要完结了。我听说过，公室将要衰落的时候如同树木要枯死一样，与公室同姓的家族就会像树木的枝叶一样先行脱落，然后公室跟着衰亡。我的同宗原有十一族，现在只有我们羊舌氏一族还存在着，我又没有贤德的儿子（能复兴家族），公室又没有法度（不能维护礼制），我能够活到老死就很幸运了，怎敢希望死后得到祭祀（子孙们能继承官职，保住家族的贵族地位）呢！"

叔向问齐德衰子若何晏子对以进不失忠退不失行第十八

叔向问晏子曰："齐国之德衰矣，今子若何？"

晏子对曰："婴闻事明君者，竭心力以没其身，行不逮则退①，不以诬持禄②；事惰君者，优游其身以没其世③，力不能则去，不以谀持危④。且婴闻君子之事君也，进不失忠，退不失行。不苟合以隐忠⑤，可谓不失忠；不持利以伤廉，可谓不失行。"

叔向曰："善哉！《诗》有之曰：'进退维谷⑥。'其此之谓欤？"

[注释]

①不逮：力有不及。②诬：欺骗。③优游：悠闲自得的样子。④谀：阿

谀奉承。⑤隐：同"违"。⑥所引诗句见《诗经·大雅·桑柔》。谷：穷，比喻困境。或曰，"谷"通"穀"，善。

[译文]

叔向问晏子说："齐国的国运衰落了，现在你该怎么办？"

晏子回答说："我听说侍奉英明君主的人，应当尽心竭力以终其身（鞠躬尽瘁，死而后已），感到力不胜任的时候就主动辞官，不用欺骗的手段保持自己的爵禄；侍奉怠惰君主的人，则应当悠闲自得地生活以终其身，力不胜任就辞官而去，不靠阿谀奉承保持处于危险地位的职位。况且我听说君子侍奉君主，当官时不丧失对君主的忠诚，不当官时不丧失自己高尚的品德。不为保住官职而苟且迎合，违背忠诚的品德，这可以称之为不失忠诚；不为谋取私利而损害廉洁的品德，这可以称之为不失好的品行。"

叔向说："您说得很好！《诗经》里有这样的话：'向前进也好，向后退也好。'大概说的就是这种情形吧！"

叔向问正士邪人之行如何晏子对以使下顺逆第十九

叔向问晏子曰："正士之义、邪人之行何如？"

晏子对曰："正士处势临众而不阿私①，行国足养而不忘故②。通则事上使恤其下，穷则教下使顺其上。其事君也，尽礼行忠，不为苟禄③，不用则去而不议。其交友也，论身义行④，不为苟戚⑤，不同则疏而不诽⑥。不毁进于君⑦，不以刻民尊于国。故用于上则民安，行于下则君尊。故得众，上不疑其身；用于君，不悖于行。是以进不丧己⑧，退不危身。此正士之行也。

"邪人则不然。用于上则虐民，行于下则逆上。事君苟进不道忠⑨，交友苟合不道行。持谀巧以丐禄⑩，比奸邪以厚养。矜爵禄以临人，夸体貌以华也⑪。不任于上则轻议，不笃于友则好诽。故用于上则民忧，行于下则君危。是以其事君近于罪，其交友近于患，其得上辟于辱⑫，其为生偾于刑⑬。故用于上则诛，行于下则弑。是故交通则辱⑭，生患则危⑮。此邪人之行也。"

[注释]

①不阿私：不偏袒自己所爱的人。此句旧脱"而"字，依黄以周说补。②旧"行"下有"于"字。依黄以周说删。故：故旧，故友旧交。③此句旧作"事君尽礼行忠不正爵禄"，依顾广圻说改。④义：通"议"。顾广圻以为此句当作"谕义行道"。刘师培以为当作"谕身行义"，"身"通"信"。可供参考。⑤苟：苟且，不正当，无原则。戚：亲。⑥诽：非议。旧作"悱"，从黄以周说改。⑦或以为此句当作"不以毁行进于君"。⑧己：旧作"亡"，从王念孙说改。⑨道：循。⑩丐：乞求。"丐"旧作"正"，从王念孙说改。⑪华：通"哗"。⑫辟：同"譬"，近。⑬偾（fèn）：仆倒。⑭交通：交接，交往。此指与其他诸侯交往。⑮生患：给民众造成祸害。

[译文]

叔向问晏子道："正直之士的道义如何表现？邪僻之人的品行又如何表现？"

晏子回答说："正直之士掌握权力管理人民时，办事不徇私情，不偏袒自己所喜爱的人（无功不赏，有过必罚）；自己的主张推行于国内，自身供养充足时仍不忘帮助故旧穷困之人。仕途通达时，便努力为君主办事，让君主体恤百姓的疾苦；仕途不通居于下位之时，能教导百姓，让他们服从君主的礼法。他们受君主重用为君主办事时，既恪守礼法，又忠心不二，绝不用不正当的手段谋取俸禄。不被任用时就离开朝廷，对朝政不妄加议论。他们在结交朋友方面，先论其品德、议其行事，不无原则地和别人亲近；志趣不同就敬而远之，但不加非议。不靠诽谤别人而求得君主任用，不靠苟严待民而在国内树立威信。所以,他们如果被君主任用,则能使人民安定;如果在下面推行教化,则能使人民尊重君主。所以,他们得到民众拥护时,君主也不会怀疑他们有二心;他们受君主重用时,也不做违背道德的事情。因此,他们当官时不丧失自己好的品行,不当官时不做危害自身安全的事情。这就是正直之士应具备的品行。

"邪僻之人的品行正好相反。他们如果被君主任用,就会做残害人民的事情;如果在下面推行自己的主张,则会使民众违抗君主。为了求得君主重用,不惜采用不正当的手段而不遵循忠臣之道;结交朋友只求气味相投而不遵循交友的准则。靠阿谀钻营投机取巧的手段求取功名利禄,靠结党营私奸邪舞弊的行为谋取丰厚的钱财。炫耀自己的高官厚禄来威吓人民,夸耀自己的体态容貌来哗众取宠。如果不被君主重用,就轻率地批评时政;如果不被朋友信赖,就喜欢对其指责诽谤。所以,这种人如果被君主任用,就会使人民忧心忡忡;如果让他们在下面推行主张,就会对君主构成危险。所以,他们侍奉君主就离犯罪不远了,他们交结朋友就离灾难不远了。他们为博得君主的信任不惜采用近于受辱的方式,他们治理民事苛刻待民甘冒犯法受刑的危险。所以,他们如果被君主任用,最终会被君主杀死;他们如果在下面施行其主张,最终会干出以臣弑君的事情。因此,让他们办理与诸侯交往的事情,一定会给国家带来耻辱;让他们处理民众的事情,一定会给人民造成祸害,给国家带来危害。这就是邪僻之人的品行。"

叔向问事君徒处之义奚如晏子对以大贤无择第二十

叔向问晏子曰:"事君之伦、徒处之义奚如[①]?"

晏子对曰："事君之伦，知虑足以安国②，誉厚足以导民，和柔足以怀众，不廉上以为名③，不倍民以为行④，上也。洁于治己，不饰过以求先⑤，不谗谀以求进，不阿以私，不诬所能，次也。尽力守职，不怠奉官，从上不敢惰⑥，畏上故不苟，忌罪故不辟⑦，下也。三者，事君之伦也。及夫大贤，则徒处与有事无择也，随时宜者也。

"有所谓君子者，能不足以补上，退处不顺上，治唐园⑧，考菲履⑨，共恤上令⑩，弟长乡里⑪，不夸言，不愧行⑫，君子也。

"不以上为本，不以民为忧，内不恤其家，外不顾其游⑬，夸言愧行，自勤于饥寒⑭，不及丑侪⑮，命之曰狂僻之民，明上之所禁也⑯。

"进也不能及上，退也不能徒处，作穷于富利之门⑰，毕志于畎亩之业⑱，穷通行无常⑲，处之虑佚于心⑳，通利不能㉑，穷业不成㉒，命之曰处封之民，明上之所诛也。

"有智不足以补君，有能不足以劳民，俞身徒处㉓，谓之傲上。苟进不择所道㉔，苟得不知所恶，谓之乱贼。身无以与君㉕，能无以劳民，饰徒处之义，扬轻上之名，谓之乱国。明君在上，三者不免罪。"

叔向曰："贤不肖，性夫！吾每有问，而未尝自得也。"

[注释]

①徒处：独处，指不做官。②知：同"智"。③廉上：品行方正而抗上。④倍：通"背"。⑤先：处于前列，超过别人。⑥惰：或作"随"，同"惰"，懈怠。⑦辟：同"僻"，邪。⑧唐园：园圃。唐，通"塘"，壅水之堤；园，指种麻的园圃。⑨考：叩，敲。菲履：草鞋。⑩共：同"恭"。恤：安。⑪弟：但，只。⑫愧：通"傀"，怪异。⑬"外"上旧有"身"字，从王念孙说删。⑭勤：忧，愁苦，担心。或释为"勤劳"。⑮丑：同类。侪（chái）：

辈。⑯明上：即"明君"，英明的君主。⑰作穷于富利之门：为富贵之家尽力劳作以谋生。⑱毕志于畎亩之业：一心一意从事于耕织之业以谋生。⑲穷通行无常：困窘不得志时或通达显赫时不按常规行事。按：自"穷通"以下，文义不明，疑有脱误。⑳处之虑佚于心：居处只考虑使身心安逸。㉑通利：旧作"利通"，依张纯一说改。此句意为通达时不能利于人。㉒穷业不成：困窘时不能自成事业。㉓俞：通"愉"，愉快。或谓"俞"通"偷"，苟且。㉔苟：苟且。不择所道：不选择所走的道路，即不择手段之意。㉕与：助，帮助。

[译文]

叔向问晏子说："在朝为官侍奉君主应遵循怎样的伦理道德？不任官职独居乡里应遵循怎样的道义原则？"

晏子回答说："侍奉君主的伦理道德应当是：智慧谋略足以使国家安定，声名卓著足以教导人民，温和慈惠足以使人民归附，不标榜自己品行方正敢于抗上以获取名誉，不把违背人民的利益作为行事的准则，这是上等水平。要求自身行为廉洁，不文过饰非以谋求超过别人，不靠阿谀奉承和说别人坏话来谋求官职，办事不徇私情，不夸大自己的才能，这是中等水平。尽力做好本职工作，为官府办事不敢怠慢，侍奉君主不敢懒惰。因为敬畏君主，所以不敢苟且行事；因为害怕犯罪，所以不敢做奸邪之事，这是下等水平。以上三种情况，就是侍奉君主的伦理道德的三种表现。至于特别贤德的人，他们当官与不当官没有什么分别，无论处于哪种情况都会根据时机妥善行事，无不适宜。

"有一种被称为君子的人，其才能不足以弥补君主行政的缺失，退居乡里也不做教民顺上的事情，他们亲自管理池塘园圃，编织草鞋，恭敬慎重地奉行君主的政令，只在乡里中当首领，不夸夸其谈，不做怪异的事情，这就是君子的表现啊。

"还有一种人，他们不把君主当做国家的根本，不把百姓的疾苦放在心上，对内不爱护自己的家庭，对外不顾念自己的朋友，夸夸其谈，行为怪异，只为解决自己的饥寒而操劳，不顾及别人的利害。这种人被称为狂妄邪僻之人，是英明的君主所禁止的。

"又有一种人，当官不能侍奉君主，不当官不能安分守己，或者为富贵之家尽力劳作以谋生计，或者把全部精力用于经营耕织事业。困窘时或通达时都不按常规行事，居处只考虑使自己身心安逸。通达时不能做有利人民的事，困窘时不能自创事业。这种人被称做故步自封之人，是英明君主所责罚的。

"还有三种人：虽有智慧但不足以弥补君主行政的缺失，虽有能力却不足以为民众操劳，只图自身快乐而清闲，这叫做傲视君主。为了谋求官职不走正道，不择手段；为了谋取钱财，采取不正当的手段而不知羞耻，这叫做为害作乱。自身没有智慧辅佐君主，没有能力为民操劳，以隐退自处的方式把自己装扮成有道义的人，以轻视君主权威的方法来宣扬自己清高的名声，这叫做乱国之人。英明的君主在位，这三种人都免不了要被治罪。"

叔向说："贤德与不贤德，是人的本性啊！我每次有疑问，都不曾靠自己得到解决（我比不上晏子的贤德）。"

叔向问处乱世其行正曲晏子对以民为本第二十一

叔向问晏子曰："世乱不遵道，上辟不用义，正行则民遗①，曲行则道废②。正行而遗民乎？与持民而遗道乎③？此二者之于行何如？"

晏子对曰："婴闻之，卑而不失尊④，曲而不失正者⑤，以民为本也。苟持民矣，安有遗道？苟遗民矣，安有正行焉？"

[注释]

①民遗：失掉人民。②曲：不直，不正直。③与：还是，或者。④卑：指地位低下。尊：尊严。⑤曲：指处于屈从地位。

[译文]

叔向问晏子说："现在社会处于混乱状态，人们的行为都背离了道德原则，那些邪僻的君主也不按照道义行事。在这种情况下，如果行事正直就会失去人民的拥护，如果行事邪僻又失去道德原则。是坚持正直行事失掉人民呢，还是为保住人民而丢弃道德原则呢？这两种做法和品行是什么关系呢？"

晏子回答说："我听说过，虽然地位低下但不失掉尊严，虽然处于屈从地位但不失掉正直，所以能够这样做，就是因为能把人民当成根本。如果能得到人民的拥护，怎么会丢失道义呢？如果失去了人民的拥护，怎么能算是行为正直呢？（坚持正道和保有人民是一致的，二者并不矛盾呀）"

叔向问意孰为高行孰为厚晏子对以爱民乐民第二十二

叔向问晏子曰："意孰为高①？行孰为厚②？"

对曰："意莫高于爱民，行莫厚于乐民③。"

又问曰："意孰为下？行孰为贱？"

对曰："意莫下于刻民，行莫贱于害身也④。"

[注释]

①意：指思想。孰：哪个，哪一样。②行：指品行。厚：淳厚。③乐民：使人民快乐。④吴则虞以为"身"当为"民"字之误。

[译文]

叔向问晏子道："哪一种思想称得上是高尚的思想？哪一种品

行算得上是淳厚的品行?"

晏子回答说:"众多思想中没有比爱护人民的思想更高尚的,各种品行中没有比让人民过快乐生活的品行更淳厚的。"

叔向又问道:"哪一种思想是低下的?那一种品行是卑贱的?"

晏子回答说:"思想中没有比刻剥人民的想法更低下的,品行中没有比危害人民的行为更卑贱的。"

叔向问啬吝爱之于行何如晏子对以啬者君子之道第二十三

叔向问晏子曰:"啬、吝、爱之于行何如①?"

晏子对曰:"啬者君子之道,吝、爱者,小人之行也。"

叔向曰:"何谓也?"

晏子曰:"称财多寡而节用之②,富无金藏,贫不假贷③,谓之啬;积多不能分人,而厚自养,谓之吝;不能分人,又不能自养,谓之爱。故夫啬者④,君子之道;吝、爱者,小人之行也。"

[注释]

①爱:指富有钱财,既不舍得帮助别人,又舍不得自己花销,俗称守财奴。②称:量。③假:借。④夫:语气词,无实义。

[译文]

叔向问晏子说:"啬、吝、爱属于怎样的品行?"

晏子回答说:"啬是君子的行为准则,吝、爱则是小人的品行。"

叔向说:"您说的是什么意思呢?"

晏子说:"善于根据自己钱财的多少有节制地使用;富裕了就把钱财拿出来分给贫穷的人,不把金钱储藏起来;贫困了就节俭度日,不向别人借贷。这种品行叫做'啬'。积聚很多钱财,舍不得分给贫困的人,却用来供养自己,过着优厚的享乐生活,这种品行叫做'吝'。拥有大量钱财,既舍不得用来帮助贫困之人,又舍不得自己花费享受,这种品行叫做'爱'。所以说'啬'是君子的行为准则,'吝'和'爱'是小人的品行。"

叔向问君子之大义何若晏子对以尊贤不退不肖第二十四①

叔向问晏子曰:"君子之大义何若?"

晏子对曰:"君子之大义,和调而不缘②,溪盎而不苛③,庄敬而不狡④,和柔而不铨⑤,刻廉而不刿⑥。行精而不以明污,齐尚而不以遗罢⑦,富贵不傲物,贫穷不易行,尊贤而不退不肖⑧。此君子之大义也。"

[注释]

①"退"上旧无"不"字,当依正文补"不"字。目录亦据补。②不缘:不循俗而行。缘,循,顺。③溪盎:指思想深邃。刻:苛刻。④狡:通"绞",急切。⑤铨:通"跧",卑。⑥刻廉:严正而清廉。刿:刺,引申为伤害。⑦罢:通"疲",此指软弱而能力低下之人。⑧尊贤而不退不肖:即尊贤而容众之意。此所谓"不肖"之人,指与贤德之人有较大差距的普通人,非指品质恶劣的奸邪之人。

[译文]

叔向问晏子说:"君子应具备的重要品质是怎样的?"

晏子回答说:"君子应具备的重要品德是:与人和谐相处但不随波逐流,看问题深刻尖锐但不苛求于人,处事端庄恭敬但不急迫,待人恭顺柔和但不卑下,品行严正清廉但不伤害别人。自身品行洁净但不以此显示别人的卑污,关爱所有的人而不遗弃能力低下的人,虽然富贵但不自高自大轻视别人,虽然贫穷但不改变好的品行,既尊重贤德之人又能包容品德一般的普通人。这就是君子应具备的重要品德。"

叔向问傲世乐业能行道乎晏子对以狂惑也第二十五

叔向问晏子曰:"进不能事上,退不能为家,傲世乐业,枯槁为名①,不疑其所守者②,可谓能行其道乎?"

晏子对曰:"婴闻古之能行道者,世可以正则正,不可以正则曲。其正也不失上下之伦,其曲也不失仁义之理。道用,与世乐业;不用,有所依归。不以傲上华世③,不以枯槁为名。故道者,世之所以治,而身之所以安也。今以不事上为道,以不顾家为行,以枯槁为名。世行之则乱,身行之则危。且天之与地而上下有衰矣④,明王始立而居国为制矣,政教错而民行有伦矣⑤。今以不事上为道,反天地之衰矣;以不顾家为行,倍先圣之道矣⑥;以枯槁为名,则世塞政教之途矣。有明上不可以为下⑦,遭乱世不可以治乱。说若道谓之惑,行若道谓之狂。惑者狂者,木石之朴也⑧,而道义未戴焉⑨。"

[注释]

①枯槁:本意为容貌憔悴身体瘦瘠。这里指隐居避世,身处贫贱以博取名声之人。②守:操守,平素所坚持的原则。③华:通"哗"。④衰(cuī):差等,等级。⑤错:同"措",设置施行。⑥倍:通"背",违背。⑦"不"字旧脱,依王念孙说补。⑧朴:未经加工的木材。引申为事物未经修饰的本来面貌。⑨戴:通"载",设置。引申为具备。

[译文]

叔向问晏子说:"当官不能辅佐君主治国,不当官不能治理家庭,以傲视当世为乐事,以身形憔悴瘦瘠(隐居避世)博取名声,对自己所实行的原则不加怀疑,这样的人可以称作能实行道义吗?"

晏子回答说:"我听说古代能按道义行事的人,对社会的不良现象能纠正的就予以纠正,不能纠正的就委曲求全。他们纠正不良现象时不违背君臣上下的伦理关系,他们委曲求全时不违背仁义的准则。道义能实行,就和世人一起安居乐业;不能实行就修养自身的德行。不把傲视君主当做哗众取宠的资本,不把隐居避世形容枯槁当成获取名声的手段。所以,道义是社会能够治理好,自身能够保平安的根本原则。当今之人,把不侍奉君主当成有道义,把不照顾家庭当做有品行,靠隐居避世形容憔悴瘦瘠博取好名声。社会上都这样做就会发生混乱,自己这样做就会遭遇危险。况且天与地上下是有差别的,英明的君主登上王位治理国家,就依照天地上下的差别建立了等级制度,这种政策和教令制定并实行了,人民的行为就有规矩可循了。现在人们不把侍奉君主当做道义,就违反了天尊地卑的等级制度;不把照顾家庭当做好品行,就违背了古代圣贤制定的原则;靠隐居避世形容憔悴瘦瘠博取好名声,那么就堵塞社会上实行政策教令的途径了。其结果是,虽有英明的君主却不能治理人民,遭逢乱世却不可以治理混乱。鼓吹上述原则的叫做惑乱,实行上述原则的叫做狂妄。惑乱的人和狂妄的人,就像没有经过加工雕琢的木材石材一样,是不具备道义的。"

叔向问人何若则荣晏子对以事君亲忠孝第二十六

叔向问晏子曰:"何若则可谓荣矣?"

晏子对曰："事亲孝，无悔往行①。事君忠，无悔往辞②。和于兄弟，信于朋友。不谄过③，不责得④。言不相坐⑤，行不相反。在上治民，足以尊君；在下莅修⑥，足以变人。身无所咎⑦，行无所创⑧。可谓荣矣。"

[注释]

①无悔往行：对以前所作所为没有可悔恨的。即从没有做过不孝敬父母的行为，所以无所悔恨。②无悔往辞：对以前的言辞没有可悔恨的。即从没有说过对君主不忠的言辞，所以无所悔恨。③谄（tāo）：疑惑。引申为隐藏。④不责得：不向人求取利益。⑤言不相坐：说话不前后不一。坐，抵触。⑥莅修：推行教化。莅，临，引申为推行。修，善。指道德教化。⑦咎：过错。引申为谴责。⑧创：创伤，伤害。引申为惩戒。

[译文]

叔向问晏子说："人怎样做可以称之为荣耀？"

晏子回答说："侍奉父母孝顺，从不做不孝敬父母的事情，所以无所悔恨；侍奉君主忠诚，从不说对君主不忠的言辞，所以无所悔恨。与兄弟和睦，与朋友讲诚信。不隐瞒自己的过错，不向别人求取利益。说话不前后不一，行为不前后相反。在上位治理人民，足以使君主尊贵；在下位推行教化，足以使人民向善。自身没有过错，无可指责；行为没有伤害，无所惩戒。这样就可以称为荣耀了。"

叔向问人何以则可保身晏子对以不要幸第二十七①

叔向问晏子曰："人何以则可谓保其身？"

晏子对曰："《诗》曰：'既明且哲，以保其身。夙夜匪懈，以事一人②。'不庶几③，不要幸④，先其难乎而后幸。得之，时其所也⑤；失之，非其罪也。可谓保其身矣。"

[注释]

①旧无"则"字，据目录及正文补。②所引诗见《诗经·大雅·烝民》。哲：智。夙：早。匪：不。一人：指君主。③庶几：希望。④要幸：侥幸。要，通"侥"。⑤时：通"是"，此。

[译文]

叔向问晏子说："人怎样做才可以叫做保全自身？"

晏子回答说："《诗经》中说：'既聪明又智慧，以此保全自身。早起晚睡不懈怠，以此侍奉君主一人。'不抱太多希望，不侥幸获得大利益。先为君主完成艰难的事情，然后有幸得利。得到官职，是他应该得到的；失去官职，不是他的罪过。这样就可以叫做保全自身了。"

曾子问不谏上不顾民以成行义者晏子对以何以成也第二十八

曾子问晏子曰①："古者尝有上不谏上，下不顾民，退处山谷，以成行义者也？"

晏子对曰："察其身无能也，而托乎不欲谏上，谓之诞意也②。上惛乱，德义不行，而邪辟朋党，贤人不用，士亦不易其行③，而从邪以求进。故有隐有不隐，其行法士也，乃夫议上，则不取也④。夫上不谏上，下不顾民，退处山谷，婴不识其何以为成行义者也。"

[注释]

①曾子：曾参（shēn），孔子的学生，以孝行见称。②诞意：虚情假意。

诞,虚假,欺骗。③不易其行:不改变现行的邪僻行为。④这几句话文义不明,似有脱误。

[译文]

曾子问晏子道:"古时候曾经有对上不劝谏君主的过失,对下不顾及百姓的疾苦,隐居山谷之间,从而成就自己的品行和道义的人吗?"

晏子回答说:"考察这些人本身,没有什么才能,却假托说不愿意劝谏君主,这叫做虚情假意。君主昏庸乱行,不能推行道德仁义之政,邪僻之人在朝中结党营私,贤德之人被排斥不用,士人不求改变这种状况,反而追随邪僻之人以求当官进用。所以不能求得官职则隐居,能求得官职则不隐居,他们的行为哪里值得被士效法?他们竟然还议论君主,那是不可取的。那些人对上不劝谏君主的过失,对下不顾及百姓的疾苦,隐居山谷之中,我不知道他们怎么能成就自己的品行和道义。"

梁丘据问子事三君不同心晏子对以一心可以事百君第二十九

梁丘据问晏子曰:"子事三君,君不同心,而子俱顺焉,仁人固多心乎①?"

晏子对曰:"婴闻之,顺爱不懈,可以使百姓;强暴不忠,不可以使一人。一心可以事百君,三心不可以事一君。"

仲尼闻之,曰:"小子识之②!晏子以一心事百君者也。"

[注释]

①固:原来,本来。②识(zhì):通"志",记住。

[译文]

梁丘据问晏子说:"您先后侍奉了三位君主(灵公、庄公、景公),君主们的心思各不相同,而您却都能顺从他们,仁德的人本来就有多种心眼吗?"

晏子回答说:"我听说,顺君之心,爱民不怠,就可以役使百姓;对人民强暴,对君主不忠,不可以役使一个人。只要一心一意(忠君爱民)就可以侍奉一百位(所有的)君主,如果(对君主对人民)三心二意,就连一个君主也侍奉不了。"

孔子听到晏子说的话后,对他的弟子们说:"学生们记住这些话!晏子是能够用他一贯的思想品德侍奉一百位君主的人啊!"

柏常骞问道无灭身无废晏子对以养世君子第三十

柏常骞去周之齐①,见晏子,曰:"骞,周室之贱史也,不量其不肖②,愿事君子③。敢问正道直行则不容于世,隐道危行则不忍④。道亦无灭,身亦无废者何若?"

晏子对曰:"善哉,问事君乎!婴闻之,执一浩倨则不取也⑤,轻进苟合则不信也,直易无讳则速伤也⑥,新始好利则无不敝也⑦。且婴闻养世之君子⑧,从轻不为进,从重不为退⑨。省行而不伐⑩,让利而不夸。陈物而勿专⑪,见象而勿强⑫。道不灭,身不废矣。"

[注释]

①去:离开。之:去,到。②其:这里指自己。③君子:指晏子。④隐道:违道。隐,同"违"。危行:虚伪的行为。危,通"诡",虚伪,欺诈。⑤此句旧作"执二法裾则不取也",卢文弨谓"二"当作"一";孙星衍、黄

以周谓"法裾"当作"浩倨",简慢不恭之貌。据改。执一浩倨:刚愎自用之意。⑥直:径直。易:轻慢。⑦"无"下旧脱"不"字,从刘师培说补。敝:败。⑧养世:养育世人,即对世人有利。⑨此句旧作"从重不为进,从轻不为退","轻""重"二字互错,从王念孙说改。⑩省(xǐng)行:检查自己的行为。省,检查。⑪陈:陈述。物:事。专:专断,武断。⑫见(xiàn):推荐。引申为公布,推行。象:法。

[译文]

柏常骞离开周朝去到齐国,见到晏子,说道:"我是周王室的一个地位低下的史官,没有考虑自己的品德不高,愿意为您效劳。我冒昧地请教一个问题,如果遵循道义的原则,做事正直,就(违背社会习俗)不被世人所容纳;如果违背道义原则,做欺诈的事情,又觉得良心上过不去。如果想既不背弃道义,又不丢掉自身的品德,该怎么做呢?"

晏子回答说:"您问的是关于侍奉君主的事吧?问得好啊!据我所知,侍奉君主时如果刚愎自用而不恭顺,意见就不会被采纳;如果轻率地接受官职,无原则地迎合上意,就不会被信任;如果直率而轻慢,不知避讳,就会很快受到伤害;如果喜欢变革旧制采用新法,贪财好利,就没有不遭受失败的。况且我还听说,对社会有益的君子,不会一见到容易的任务就承担,一见到困难的任务就退缩。他们经常反省自己的不足,而不炫耀自己的功劳;见到利益能够谦让,而不夸耀自己的品德。向君主陈述事情客观而不武断,推行法令要先让百姓明了,而不采用简单粗暴的办法。这样做,既不会背弃道义,也不会失掉自身的品德。"

内篇杂上第五

庄公不说晏子晏子坐地讼公而归第一

晏子臣于庄公,公不说。饮酒,令召晏子。晏子至,入门,公令乐人奏歌曰:"已哉①,已哉!寡人不能说也,尔何来为②?"晏子入坐,乐人三奏,然后知其谓已也。遂起,北面坐地。

公曰:"夫子从席③,曷为坐地?"

晏子对曰:"婴闻讼夫坐地④,今婴将与君讼,敢毋坐地乎?婴闻之,众而无义,强而无礼,好勇而恶贤者,祸必及其身,若公者之谓矣⑤。且婴言不用,愿请身去⑥。"

遂趋而归,管籥其家者纳之公⑦,财在外者斥之市⑧,曰:"君子有力于民则进爵禄,不辞贵富;无力于民而旅食⑨,不恶贫贱。"遂徒行而东,耕于海滨。居数年,果有崔杼之难。

[注释]

①已哉:相当今语"算了吧"。②为:用在疑问句句末,表示诘问的语气。③从席:陪席。④讼夫:打官司的人。夫,成年男子的通称。⑤若:如。⑥请身:辞官。⑦管籥(yuè):钥匙。⑧斥:变卖,拿去卖掉。⑨旅食:古

代谓已入官而未受正禄的士,众食于公家。此处意为和众人一样吃一般的饭。旅,众。

[译文]

晏子在庄公朝廷内当大臣,庄公并不喜欢晏子。有一次庄公饮酒,下令召晏子来。晏子到来,进了官门,庄公命令歌手唱道:"算了吧,算了吧!我心里不高兴,你来干什么?"晏子入席就座,歌手把这歌词重复唱了三遍,然后晏子才明白这是在说自己。于是他站起来离开席,面向北坐在地上。

庄公说:"先生您陪着我饮酒,为什么坐在地上?"

晏子回答说:"我听说打官司的人要坐在地上,现在我将和您打官司,怎敢不坐在地上呢?我听说这样的道理,管理的人民虽然众多,但不能实行道义;国势虽然强大,但对诸侯不能以礼相待;喜好勇力之士,但厌恶贤德之人:这样做自身必然会招来灾祸。这些话说的就是像您这样的人呀。况且,我的话既然不被采用,我希望辞官离开朝廷。"

说完就退出官中,快步走回家中,把他家中开门的所有钥匙都交给公家(把君主赏赐他的府第交还回去),把在府外的财物都拿到市场上卖掉,他说:"君子若能为民众尽力办事,就可以当官拿俸禄,不必辞谢富贵;若不能为民众出力办事,就应当辞去官职和众人一样吃一般的饮食,不要厌恶贫贱。"于是徒步走向东方,在海滨耕种田地。过了几年,果然发生了崔杼杀死庄公的祸乱。

庄公不用晏子晏子致邑而退
后有崔氏之祸第二[①]

晏子为庄公臣,言大用,每朝赐爵益邑[②]。俄而不用[③],每朝致邑与爵④。爵邑尽，退朝而乘，喟然而叹⑤，终而笑。其仆曰⑥："何叹笑相从数也？"晏子曰："吾叹也，哀吾君不免于难；吾笑也，喜吾自得也⑦，吾亦无死矣。"

崔杼果弑庄公。晏子立崔杼之门，从者曰："死乎⑧？"晏子曰："独吾君也乎哉⑨？吾死也⑩？"曰："行乎⑪？"晏子曰："独吾罪也乎哉？吾亡也？"曰："归乎？"曰："吾君死，安归？君民者，岂以陵民？社稷是主⑫；臣君者，岂为其口实⑬？社稷是养。故君为社稷死则死之，为社稷亡则亡之。若君为己死而为己亡，非其私昵⑭，孰能任之⑮？且人有君而弑之⑯，吾焉得死之？而焉得亡之？将庸何归？"

门启而入。崔子曰："子何不死？子何不死？"晏子曰："祸始吾不在也，祸终吾不知也，吾何为死？且吾闻之，以亡为行者不足以存君，以死为义者不足以立功。婴岂婢子也哉⑰？其缢而从之也⑱？"

遂袒免坐⑲，枕君尸而哭⑳，兴，三踊而出㉑。人谓崔子必杀之，崔子曰："民之望也㉒，舍之得民。"

[注释]

①"祸"字目录原作"难"，据改。②每朝：每次朝见的时候。③俄而：不久。④致：送回。⑤喟：通"喟"，叹息。⑥仆：指御者，驾车的人。⑦自得：自觉得意。指获得自由，不再受爵禄的束缚。⑧死：此处指殉死。⑨独吾君也乎哉：难道只是我一个人的君主吗？⑩吾死也：我为什么要为他而死？⑪行：离开。此处与"亡"同义，逃跑。⑫社稷是主：为了掌管国家。⑬口实：指俸禄。⑭私昵：亲幸、宠爱的人。⑮任：担当，承担。⑯人：他人，指崔杼。⑰婢子：婢女，女奴。此处指妾、侍女而言。⑱缢：吊死，勒死。⑲袒免（wèn）：古代丧服较轻的一种。袒指露出左臂。"免"即"绕"之省文，指用一寸宽的麻布条缠在头上。吴则虞云："'免'非'绕'之省，疑免冠也。"⑳枕君尸：《左传》作"枕尸股"，杜预注："以公尸枕己股也。"㉑踊：

跳跃。此处是顿足的意思。㉒望：人所瞻仰、景仰。

[译文]

晏子在庄公朝中为臣，起初晏子的意见常被庄公重视和采用。每当朝见提出好的意见，庄公都加升他的官爵，增加他的食邑。过了不久，晏子不被重用，意见也不被采用。每当自己的建议不被采纳时，晏子就主动要求降低爵位，削减食邑。直到有一天，晏子把爵位和食邑都交还给庄公之后，退朝出来，坐在车上，先是长叹一声，继而又欣然而笑。他的赶车人问道："您为什么先叹气紧接着又发笑呢？"晏子说："我叹气，是哀怜我的君主不能免除灾难；我发笑，是高兴我不再受爵禄的束缚，也不用陪着君主去死了。"

后来崔杼果然杀死了庄公。晏子站在崔杼的门外，他的侍从问道："您要为君主殉死吗？"晏子说："君主难道是我一个人的吗？别人不殉死，我为什么要殉死呢？"侍从又问："您要逃亡国外吗？"晏子说："君主之死难道是我的罪责吗？我为什么要逃亡国外呢？"侍从又问："您回家吗？"晏子说："我们的君主死了，我还有家可归吗？当人民君主的人，难道只是为了高高在上，欺凌人民吗？乃是为了治理好国家；给君主做臣下的，难道只是为了得到俸禄，养家糊口吗？乃是为了为国家的发展作贡献。所以，君主如果是为国家利益而死，臣下就随君主而死；君主如果是为国家受难而逃亡，臣下就随君主而逃亡。如果君主是因为自己的过错而死去、而逃亡，如果不是他平常亲昵宠幸的人，谁能和他一起承担这样的灾祸呢？况且，别人（崔杼）有君主却把君主杀了，（他应当承担杀死君主的责任）我怎么能为此而从死、为此而逃亡呢？我又将回到哪里去呢？"

门打开了，晏子走了进去。崔杼对晏子说："您为什么不殉死？您为什么不殉死？"晏子说："祸患发生的时候我不在场，祸患结束的时候我也不知情，（我从始至终没有参与此事）我为什么要殉死呢？况且我听说过，把遇事就逃亡国外作为处事原则的人，是不足以保护君主地位的；把殉死当做有义气的人，是不足以为国家建立功勋的。我难道是君主的妾和侍女吗？怎么能像她们那样自缢而从死呢？"

于是晏子脱掉左边的袖子露出左臂，摘掉帽子，把一条麻布缠在头上，把君主的尸体枕在自己的大腿上，哭泣一番，又站起身来连跺几脚，然后走出去。有人对崔杼说，一定要杀死晏子，崔杼说："他是人民景仰的人，留着他，可以得民心。"

崔庆劫齐将军大夫盟晏子不与第三

崔杼既弑庄公而立景公，杼与庆封相之。劫诸将军大夫及显士庶人于太宫之坎上①，令无得不盟者。为坛三仞，坎其下②，以甲千列环其内外③。盟者皆脱剑而入，维晏子不肯，崔杼许之。有敢不盟者，戟钩其颈④，剑承其心⑤。令自盟曰："不与崔、庆而与公室者，受其不祥。"言不疾⑥，指不至血者死⑦，所杀七人。

次及晏子，晏子奉杯血，仰天叹曰："呜呼！崔子为无道，而弑其君，不与公室而与崔、庆者，受此不祥。"俯而饮血。

崔杼谓晏子曰："子变子言，则齐国吾与子共之；子不变子言，戟既在脰⑧，剑既在心。维子图之也。"晏子曰："劫吾以刃而失其志，非勇也；回吾以利而倍其君⑨，非义也。崔子，子独不为夫《诗》乎？《诗》云：'莫莫葛藟⑩，施于条枚。恺悌君子⑪，求福不回⑫。'今婴且可以回而求福乎？曲刃钩之，直兵推之⑬，婴不革矣。"

崔杼将杀之，或曰⑭："不可。子以子之君无道而杀之，今其臣有道之士也，又从而杀之，不可以为教矣。"崔子遂舍之。晏子曰："若大夫为大不仁⑮，而为小仁⑯，焉有中乎⑰？"

趋出，援绥而乘⑱。其仆将驰，晏子抚其手曰："徐之⑲！疾不必生，徐不必死。鹿生于野，命县于厨。婴命有系矣⑳！"按之成节而后去。《诗》云："彼己之子，舍命不渝㉑。"晏子之谓也。

[注释]

①劫：威逼，胁迫。太宫：太公（姜尚）庙。坎：地坑。指太庙祭祀埋牲之坑。②坎其下：在坛下面挖坑。③甲：指甲士，即身穿铠甲之武士。④"钩"字旧作"拘"，从黄以周说据《太平御览》改。⑤承：止，当。用剑指着心脏部位。⑥疾：快。⑦指不至血：咬手指未出血。古代盟誓仪式的一种，咬破手指，滴血于酒中，然后喝掉。⑧脰（dòu）：颈。⑨回：答复。引申为允诺。倍：通"背"。⑩所引诗句见《诗经·大雅·旱麓》。莫莫：茂盛的样子。葛藟：《诗经》原作"葛藟"，是两种有藤的草。⑪恺悌：《诗经》原作"岂弟"。恺，快乐。悌，和顺。⑫回：邪僻。⑬摧：孙星衍、刘师培以为乃"摧"字之误。此处当"刺"讲。⑭或：有人。⑮大不仁：指杀死君主庄公。⑯小仁：指释放晏子。⑰中：适合，适中。此指符合于礼。⑱援：旧作"授"，从卢文弨说据《意林》改。绥：车上的绳索，手拉着便于登车。⑲徐：缓慢。⑳系：依附，归属。㉑所引诗句见《诗经·郑风·羔裘》。渝：改变，违背。"己"原诗作"其"。

[译文]

崔杼杀死庄公之后，立景公为国君，崔杼与庆封当上朝廷的左右相。（二人唯恐大臣与国人不服，起而反对）胁迫朝中的将军、大夫和有名望的士以及百姓聚集到太公庙旁的祭祀坑边，下令不许有不参加盟誓的。（为了举行盟誓）修筑了一座高三仞的祭坛，坛下面挖了坑穴，用一千名全副武装的甲士环列在太公庙外及祭坛周围。参加盟誓的人都必须摘掉佩剑才能进入，只有晏子不肯摘下佩剑，崔杼允许他佩剑进入。有胆敢不盟誓的，甲士便用戟钩住他的脖子，用剑尖抵住他的胸口（逼着他们盟誓）。下令让每个人都宣誓说："若不归顺崔、庆两家而归附公室，就遭受祸殃！"宣誓时说话不痛快，手指不咬出血来的要被处死。为此而被杀的有七个人。

按顺序轮到晏子盟誓，晏子手捧着盛血酒的杯子，仰面朝天长叹一声，说道："啊！崔杼做出了违背道义的事情，杀死自己的君主，不追随公室而归顺崔、庆两家的，都将因此而遭受灾祸！"说完，低下头喝了杯中的血酒。

崔杼对晏子说："你如果改变你刚才所说的话（按我的誓言说），那么齐国的大权可以由我和你共同掌管；你如果不改变你的誓言，戟就要割断你的脖子，剑就要刺穿你的心脏。希望你认真考虑我说的话。"晏子回答说："用兵刃胁迫我，我就改变自己的意志，那不是勇敢的行为；用利益来诱惑我，我就背叛自己的君主，那是不道义的行为。崔杼啊，你难道没学过《诗经》吗？《诗经》中说：'生长茂密的葛藤，爬上了大树的枝头。快乐和顺的君子，不用邪道求福。'现在我难道就可以用邪道求得活命吗？就是用戟钩死我，用剑刺死我，我也决不改变我的誓言！"

崔杼（很气愤），将要杀死晏子。有人对他说："不可以这样做。您因为您的君主（庄公）没有道义，所以杀死了他。现在他的臣下（晏子）是位有道义的人，您接着又杀死他，今后就无法教育国人了。"崔杼于是释放了晏子。晏子说："你作为大夫做出了杀死君主这样大不仁道的事情，现在却做出释放我这样小仁小义的事，这难道算符合礼制吗？"

晏子说完就快步走出太公庙，手拉着车上的绳索上了车。他的车夫将打马快跑，晏子轻抚着车夫的手说："慢些走！快些离开不一定就能活，慢些离开不一定就会死。鹿生活在原野中，可是它的命运却掌握在厨师手中。现在我的命被别人掌握着啊！"使马车很有节奏地走着离开那里。《诗经》中说："像他这个做官的人啊，宁可失去性命也不肯改变气节。"说的就是像晏子这样的人吧。

晏子再治阿而信见景公任以国政第四

景公使晏子为东阿宰①，三年而毁闻于国②。景公不说，召而免之。晏子谢曰："婴知婴之过矣，请复治阿，三年而誉必闻于国。"

景公不忍，复使治阿。三年而誉闻于国。景公说，召而赏之，辞而不受③。景公问其故，对曰："昔者婴之治阿也，筑蹊径④，急门闾之政⑤，而淫民恶之；举俭力孝弟⑥，罚偷窳⑦，而惰民恶之；决狱不避贵强，而贵强恶之⑧；左右所求，法则予，非法则否，而左右恶之；事贵人体不过礼，而贵人恶之。是以三邪毁乎外⑨，二谗毁乎内⑩，三年而毁闻乎君也。今臣谨更之：不筑蹊径，而缓门闾之政，而淫民说；不举俭力孝弟，不罚偷窳，而惰民说；决狱阿贵强，而贵强说；左右所求言诺⑪，而左右说；事贵人体过礼，而贵人说。是以三邪誉乎外，二谗誉乎内，三年而誉闻于君也。昔者婴之所以当诛者宜赏，而今之所以当赏者宜诛⑫。是故不敢受。"

景公知晏子贤，乃任以国政，三年而齐大兴。

[注释]

①东阿：春秋时齐之阿邑。宰：邑的长官。②旧无"而"字，依王念孙说补。毁：诽谤。此指毁谤晏子的流言。③辞而不受：此四字旧脱，依孙星衍说据《艺文类聚》补。④蹊径：山路。此处泛指道路。⑤门闾：与"闾里"义同，泛指乡里。政：指治安工作。⑥俭：节俭。力：力田，勤于农耕。孝：善事父母。弟（tì）：同"悌"，顺从兄长。⑦窳（yǔ）：懒惰。⑧"而贵强"三字旧脱，从卢文弨说补。⑨三邪：指淫民、惰民、贵强。⑩二谗：指左右与

贵人。⑪言诺：答应，应允。⑫"今"下"之"字旧脱，从张纯一说据《群书治要》补。

[译文]

景公委派晏子担任阿邑的邑宰，任职三年，诽谤晏子的流言传遍都城。景公很不高兴，将他召回并且罢免了他的邑宰之职。晏子向景公谢罪，说道："我知道我错在哪里了，请允许我再去治理阿邑，三年之后赞扬之声必定传遍都城。"

景公不忍心罢免他，又派他去治理阿邑。三年之后，果然赞扬之声传遍都城。景公非常满意，召见晏子并给予赏赐，晏子却辞谢而不接受。景公问不接受赏赐的缘故，晏子回答说："从前我治理阿邑时，在难以通行的地方修筑了道路，加强了乡里的治安管理，因而受到邪恶之人的憎恨；我嘉奖那些生活节俭、勤于农事、孝敬父母、顺从兄长的人，惩罚那些苟且偷安、好吃懒做之人，因此受到懒惰之民的憎恨；我判决狱讼不偏袒贵族豪强，因而受到贵族豪强的憎恨；国君身边的亲信大臣向我提出要求，合法的就给办，不合法的就不给办，因而受到近臣的憎恨；我接待公族显贵之人遵循礼制而不超越礼的规定，因而受到显贵之人的憎恨。因此，三种邪僻之人在外面散布诽谤我的言论，两种逸佞之人在朝廷里说我的坏话，三年之内我的坏名声不断传到您的耳中。现在我改变了原来的做法：不在乡里修筑道路，放松了乡里的治安管理，因而邪恶的人高兴了；不再嘉奖勤俭力田孝悌之人，不再惩罚苟且偷安、好吃懒做之人，因而懒惰的人高兴了；审判案件故意袒护贵族豪强，因而贵族豪强高兴了；朝中近臣有所要求，我全部答应并积极办理，因而朝中近臣高兴了；接待公族显贵都超过礼的规定，因而公族显贵们高兴了。所以，三种邪僻的人在朝外称赞我，两种逸佞的人在朝内赞誉我，三年之内我的好名声不断传入您的耳中。从前我受到责罚的那些所作所为，实际上应当受到奖赏；现在我受到奖赏的那些所作所为，实际上应当受到责罚。所以我不敢接受您的赏赐。"

景公通过这些事情，认识到晏子乃是贤德之人，就委任他掌管国家政事。经过三年治理，齐国变得强盛起来。

景公恶故人晏子退国乱复召晏子第五

景公与晏子立于曲潢之上，晏子称曰："衣莫若新，人莫若故。"公曰："衣之新也，信善矣；人之故，相知情①。"

晏子归，负载②，使人辞于公曰："婴故老耄无能也③，请毋服壮者之事④。"

公自治国，身弱于高、国⑤，百姓大乱。公恐，复召晏子。诸侯忌其威⑥，而高、国服其政，田畴垦辟，蚕桑豢牧之处不足⑦，丝蚕于燕，牧马于鲁，共贡入朝。

墨子闻之，曰："晏子知道，景公知穷矣⑧。"

[注释]

①情：内情，真实情况。②负载：即负戴。背上背着东西，头上顶着东西，从事劳役工作。③故：义同"固"，毕竟，本来。耄：一说指七十岁以上的老人，或云"八十、九十曰耄"。此处所说"老耄"，泛指老人而言。④服：从事，担当。⑤高、国：指齐国的两大卿族高氏和国氏。⑥忌：忌惮，害怕。⑦牧：旧作"收"，从俞樾说改。⑧穷：困窘，难以应付。

[译文]

景公与晏子站在弯弯曲曲的池塘岸边，晏子（心有所感）说道："穿衣服旧的不如新的好，交朋友新的不如旧的感情深。"景公说："衣服新，的确很好；人相处久了，就会相互知道底细啊。"

晏子回到家中，便身背肩扛，亲自从事劳役活动，派人向景公请辞官职，说："我本来就已经老迈无能了，请允许我不再担任壮年人所应担当的事情。"

（晏子辞官之后）景公亲自处理朝政，治理国家，（因为治国无方）使得国君的势力比高氏、国氏两大卿族的势力还要弱，百姓的秩序大乱。景公惊恐万分，又将晏子召回，令他主持朝政。（经过晏子的一番治理，齐国的势力得以恢复）诸侯们害怕晏子的威势，高氏和国氏两大家族服从晏子的政令，农田都得到开垦种植，种桑养蚕业和畜牧业都有很大的发展，齐国的地方已经不够用，于是就到燕国借地养蚕产丝，到鲁国借地养马。燕国、鲁国都到齐国进贡朝拜。

墨子听到这事后，评论说："晏子懂得作为臣下的进退之道和治国之道，景公懂得在治理国家处于困境时及时请回晏子。"

齐饥晏子因路寝之役以振民第六

景公之时，饥①，晏子请为民发粟，公不许。当为路寝之台，晏子令吏重其赁②，远其兆③，徐其日④，而不趋⑤。三年，台成而民振⑥。故上说乎游，民足乎食。

君子曰："政则晏子欲发粟与民而已，若使不可得，则依物而偶于政⑦。"

[注释]

①饥：灾荒，五谷不收。②重其赁：增加服劳役者的工钱。重，增加。赁，雇用。此指雇用劳工的价钱。③兆：此指台基施工的地域。④徐：缓慢。此处为使动用法，为延缓之意。⑤趋：同"促"，催促。⑥振：同"赈"，救济。⑦偶：通"寓"，寄托。或曰，偶，合也。

[译文]

景公在位的时候，有一年国内闹灾荒，晏子请求给饥民发放粮食，景公却不答应。当时景公正在修筑路寝台，雇用了大量民工。晏子便命令官吏把雇用民工的价钱提高，把台基施工的范围扩大，把修台施工的日期延长，对服役的进度不加催促。经过三年的时间才建成路寝台，百姓从而也得到了救济。所以君主享受到游台的快乐，百姓多得到工钱也能吃上饱饭。

君子对这件事评论说："按照处理政事的常规做法，晏子只是想将国库的粮食分给饥民罢了。假使不能达到这一目的，那只有把救济百姓的政事寄托在修筑路寝台这样的事务之中了。"

景公欲堕东门之堤晏子谓不可变古第七

景公登东门防①，民单服然后上，公曰："此大伤牛马蹄矣！夫何不下六尺哉？"

晏子对曰："昔者吾先君桓公，明君也；而管仲，贤相也。夫以贤相佐明君，而东门防全也。古者不为②，殆有为也③。蚤岁淄水至④，入广门，即下六尺耳。乡者防下六尺，则无齐矣⑤。夫古之重变古常⑥，此之谓也。"

［注释］

①防：堤。②不为：指"不下六尺"。③殆：大概，恐怕。④蚤：通"早"。"淄"旧作"溜"，依卢文弨、俞樾说改。⑤则无齐矣：指齐国都城将被水淹没。⑥常：常行之法。

［译文］

有一次景公去登都城临淄东门外的堤防，（堤防很高）人们穿着单衣才能登上去（还累得满头大汗）。景公说："（如果赶着牛马上去）太伤害牛马的腿脚了，为什么不把堤防降低六尺呢？"

晏子回答说："从前我们的先君桓公，乃是英明的君主；管仲则是贤德的相。有贤德的相辅佐着英明的君主,他们都保全东门堤防的高度(没有降低)。古时候所以不降低堤防,大概是要让堤防起防水的作用。早年淄水泛滥,流进广门,水位仅低于堤防六尺呀。那时候如果堤防降低六尺,大水就会淹没都城,齐国都城就难以保存了。古时候的君主所以不轻易改变常行的做法,说的就是这种情况啊。"

景公怜饥者晏子称治国之本以长其意第八

景公游于寿宫①,睹长年负薪者而有饥色。公悲之,喟然叹曰:"令吏养之!"

晏子曰:"臣闻之,乐贤而哀不肖,守国之本也。今君爱老,而恩无所不逮,治国之本也。"公笑,有喜色。晏子曰:"圣王见贤以乐贤,见不肖以哀不肖。今请求老弱之不养②,鳏寡之无室者③,论而共秩焉④。"公曰:"诺。"于是老弱有养,鳏寡有室。

[注释]

①寿宫:即"胡宫",齐先君胡公所居之宫,因胡公长寿,故亦称"寿宫"。②求:寻求,寻找。③无室:没有家室,指没有配偶。④论:选择。指选择老弱无养、鳏寡无室之人。共:同"供",供给。秩:禄,此指衣食。

[译文]

景公同大臣们到寿宫去游玩,路上看到一个老年人背着一捆柴草,面有饥饿之色。景公对此很悲伤,很感慨地叹息说:"让官吏供养他吧!"

晏子说:"我听说过,君主能喜欢贤德之人而且怜悯贫弱的平民百姓,这是守住国家政权的根本所在。现在您怜悯老年人,恩泽无处不及,正是治好国家的根本啊!"景公听了晏子的赞扬,得意地笑了,面有喜色。晏子说:"圣明的君主见到贤德之人就喜欢他们,见到贫弱的百姓就怜悯他们。现在请您派人去寻求老年体弱而无人供养的人,以及没有家室的鳏夫和寡妇,根据实际情况供给他们衣食。"景公说:"好吧。"(就让官吏按照晏子的提议去做)于是齐国年老体弱的人都得到政府的供养,鳏夫、寡妇都有了家室。

景公探雀鷇鷇弱反之晏子称长幼以贺第九

景公探雀鷇①,鷇弱,反之。晏子闻之,不待时而入见景公②。公汗出惕然③,晏子曰:"君何为者也?"公曰:"吾探雀鷇,鷇弱,故反之。"

晏子逡巡④,北面再拜而贺曰:"吾君有圣王之道矣。"公曰:"寡人探雀鷇,鷇弱,故反之,其当圣王之道者何也⑤?"

晏子对曰:"君探雀鷇,鷇弱,反之,是长幼也⑥。吾君仁爱,曾禽兽之加焉⑦,而况于人乎?此圣王之道也。"

[注释]

①鷇(kòu):需要母鸟哺育的雏鸟。②此句王念孙以为当作"不时而入见","待"与"景公"为衍文,当删。可备参考。③惕:敬畏,戒惧。④逡巡:欲进不进的样子。⑤当:符合,称得上。⑥长(zhǎng):抚养。引申为爱护。⑦曾:曾经。"禽兽"是"加"的前置宾语。"之"用于宾语前置句中,复指宾语。

[译文]

景公在鸟巢中捉到一只雏雀,雏雀很柔弱,(景公看它可怜)又把它放回巢中。晏子听说这件事后,不等到朝见的时候就进宫去见景公。景公(不知晏子的来意,心情紧张)不由得流出汗来,显出戒备的样子。晏子问道:"您刚才做什么事情呢?"景公说:"我从鸟巢中掏到一只幼雀,看它很柔弱,于是又把它放回巢中。"

晏子犹豫了一会儿,面朝北向景公拜了两拜,祝贺道:"我们的君主具有圣贤君王的道德品质了!"景公说:"我掏到幼雀,看到它很幼弱,就又把它放回巢里去了。这样做为什么就称得上具有圣王的道德品质呢?"

晏子回答说:"您掏到幼雀,看它很柔弱,便又把它放回巢里,这就是爱护幼弱的生命。我们君主富有仁爱之心,连禽兽都施加给仁爱,更何况对人呢?这就是圣王的道德品质啊。"

景公睹乞儿于涂晏子讽公使养第十

景公睹婴儿有乞于涂者,公曰:"是无归矣[①]!"

晏子对曰:"君存,何为无归?使吏养之,可立而以闻[②]。"

[注释]

①是:此。指小孩。无归:无家可归。②可立:指小孩长大成人,可独立生活。

[译文]

景公看见有一个小孩在路上乞讨,说道:"这个孩子无家可归了!"

晏子回答说:"有君主在,怎么能说无家可归呢?您让官吏抚养他,等他长大成人,能独立生活时,再把情况向您报告。"

景公惭刖跪之辱不朝晏子称直请赏之第十一

景公正昼被发,乘六马,御妇人以出正闺[①],刖跪击其马而反之^②，曰："尔非吾君也！"公惭而不朝。

晏子睹裔款而问曰："君何故不朝？"对曰："昔者君正昼被发，乘六马，御妇人以出正闱，刖跪击其马而反之，曰：'尔非吾君也！'公惭而反，不果出，是以不朝。"

晏子入见，景公曰："昔者寡人有罪，被发，乘六马以出正闱，刖跪击马而反之，曰：'尔非吾君也！'寡人以天子大夫之赐^③，得率百姓以守宗庙。今见戮于刖跪^④，以辱社稷，吾犹可以齐于诸侯乎？"

晏子对曰："君勿恶焉。臣闻下无直辞，上有隐恶^⑤；民多讳言，君有骄行。古者明君在上，下多直辞；君上好善，民无讳言。今君有失行，刖跪直辞禁之，是君之福也。故臣来庆，请赏之，以明君之好善；礼之，以明君之受谏。"公笑曰："可乎？"晏子曰："可。"

于是令刖跪倍资无征。时朝无事也^⑥。

[注释]

①御妇人：车上载着妇女。正闱：宫中正门。②刖跪：古代用受刖足之刑的人看守宫门，因只能跪着服役，史失其名，故称"刖跪"。③以天子大夫之赐：意思是靠了周天子和大夫们的恩赐，是谦逊的说法。王念孙以为"天"字为后人所加，《群书治要》正作"子大夫"，指晏子。录以备考。④戮：辱。⑤隐恶：隐患。"恶"字旧作"君"，从苏舆说改。⑥时朝无事也：当时朝廷平安无事。或解释为刖跪不必有事，可随时朝见景公。聊备一说。

[译文]

景公大白天披散着头发，乘坐着六匹马驾的车，车上载着妇人要从宫室的正门出去，受过刖刑的守门人用棍棒拦击驾车的马，让他返回宫去，并且说："你这个样子不像是我们的君主啊！"景公感到很惭愧，（觉得无颜去见大臣们）因而不去上朝。

晏子看到裔款，便问他："君主为什么不上朝？"裔款回答说：

"前几天君主白天披头散发,乘坐着六匹马驾驶的车子,车上载着妇人要出宫门,守门人刖跪拦击驾车的马,让他返回宫内,并且说:'你这个样子不像是我们的君主啊!'君主惭愧地返回宫去,终于未能出得宫门,因此才不愿上朝。"

晏子了解情况后,进宫去见景公。景公对晏子说:"前几天我有罪过,披散着头发,乘坐着六匹马驾的车,要从宫廷正门出去,却被守门的刖跪用棍子打击驾车的马,让我返回宫去,他还说:'你这个样子不像是我们的君主啊!'我托周天子和大夫们的福,得以统率百姓守护宗庙。现在却遭到守门人刖跪的羞辱,也使国家蒙受耻辱,我还可以和诸侯们有同等地位吗?"

晏子回答说:"您对这件事不要怀恨在心。我听说臣下如果不敢讲正直的言论,君主就会有潜伏的祸患;民众如果有很多忌讳而不敢讲真话,君主就会滋生骄横的行为。古时候英明的君主居于上位,臣下就会讲出很多正直的言论;君主喜欢正确的事情,民众就敢于讲真话而无所顾忌。现在君主您有失礼的行为,刖跪用正直的言辞制止您,这是您的福气啊。所以我特地来表示庆贺,请您奖赏他,以表明您喜欢正确的事情。请您对他以礼相待,以此表明您能接受批评意见。"景公听了晏子的一番话,轻松地笑着说:"可以这样做吗?"晏子说:"可以。"

于是景公下令加倍发给刖跪报酬,并且免除他家庭的赋税。这样做以后(下多直辞,民无讳言),当时朝廷里呈现出平安无事的气象。

景公夜从晏子饮晏子称不敢与第十二

景公饮酒,夜移于晏子之家①,前驱款门曰②:"君至!"晏子被玄端③,立于门,曰:"诸侯得微有故乎④?国家得微有事乎?君何为非时而夜辱?"公曰:"酒醴之味,金石之声,愿与夫子乐之。"晏子对曰:"夫布荐席⑤,陈簠簋者有人⑥,臣不敢与焉。"

公曰:"移于司马穰苴之家⑦。"前驱款门曰:"君至!"穰苴介胄操戟,立于门,曰:"诸侯得微有兵乎?大臣得微有叛者乎?君何为非时而夜辱?"公曰:"酒醴之味,金石之声,愿与将军乐之。"穰苴对曰:"夫布荐席,陈簠簋者有人,臣不敢与焉。"

公曰:"移于梁丘据之家。"前驱款门曰:"君至!"梁丘据左操瑟,右挈竽⑧,行歌而出。公曰:"乐哉,今夕吾饮也!微彼二子者,何以治吾国?微此一臣者,何以乐吾身?"

君子曰:"圣贤之君,皆有益友,无偷乐之臣⑨。景公弗能及,故两用之,仅得不亡。"

[注释]

①"之家"二字旧无,依张纯一说补。②款:叩,敲。③玄端:古代的一种黑色礼服,也作为燕居时的便服。"玄"字旧作"元",以避清圣祖玄烨之讳,今正。④得微:又作"得无",莫非,难道。⑤布:列,铺设。荐:垫席,褥垫。⑥簠(fǔ):古代长方形食器,器与盖的形状相同,各有两耳。簋(guǐ):古代食器,圆口圈足,有两耳或四耳。⑦司马穰苴:即田穰苴,司马是官名。齐国著名的将领,有兵法传世。⑧挈(qiè):用手提着。⑨偷乐:苟且作乐。即不务正事,贪图欢乐。

[译文]

景公白天饮酒作乐,兴犹未尽,夜里(又带领着侍从和乐舞之人)转移到晏子家去喝酒作乐。先行的侍从敲开晏子家的门,通告说:"君主驾到!"晏子身穿黑色礼服站在大门口,说:"诸侯们莫非有什么变故(对我国有军事行动)吗?国家莫非出了什么变故吗？君主为什么深夜屈尊来到我家？"景公说："我带来香甜美味的酒，还有乐队与歌舞者，愿意与先生您共享欢乐。"晏子回答说："铺设坐席、陈列簋篦等食器的事情，有专人为您效劳，我不敢参与此事。"

景公又吩咐随从之人说："我们转移到司马穰苴家吧。"先行的侍从敲开司马穰苴的家门，通告说："君主驾到！"穰苴穿戴着甲胄，拿着戟，站在大门口，说道："诸侯们莫非有军队入侵吗？大臣们莫非有发动叛乱的吗？君主为什么深夜屈尊来到我家？"景公说："我带着美酒，领着乐舞之人，愿意与将军您共享快乐。"穰苴回答说："铺设坐席、安排簋篦等事情，有专人为您效劳，我不敢参与此事。"

景公又吩咐侍从说："我们转移到梁丘据家吧。"先行的侍从敲门通告说："君主驾到！"梁丘据闻讯后左手拿着瑟，右手提着竽，一边走一边唱着歌出来迎接。（景公在梁丘据家饮酒行乐非常尽兴）他说："今天夜里我喝酒真是高兴啊！（我的朝廷里）如果没有晏子和司马穰苴这两个人，怎么能治理我的国家？如果没有梁丘据这个人，怎么能让我享受快乐呢？"

君子对这件事评论说："（古代的）圣贤君主，身边都是对自己治理国家有益处的朋友，没有不认真办事而贪图享乐的臣下。景公与圣贤的君主相比相差甚远，所以他两种人都任用，因此仅仅能够保住君位不被推翻。"

景公使进食与裘晏子对以社稷臣第十三

晏子侍于景公，朝寒，公曰："请进暖食！"晏子对曰："婴非君奉馈之臣也①，敢辞②。"公曰："请进服裘！"对曰："婴非君茵席之臣也③,敢辞。"

公曰:"然夫子之于寡人何为者也?"对曰:"婴,社稷之臣也。"公曰:"何谓社稷之臣?"对曰:"夫社稷之臣,能立社稷;别上下之义,使当其理;制百官之序,使得其宜;作为辞令④,可分布于四方。"

自是之后⑤,君不以礼不见晏子。

[注释]

①奉馈:进献食物给人。②敢:自言冒昧之词。辞:推辞,不承担。③茵席:泛指坐垫、褥垫,或为草编,或为裘皮制作。据此可知,上文所谓"服裘",是指用裘皮做成的坐垫。④辞令:法令。⑤自:从。是:此。

[译文]

有一天清晨,晏子陪着景公坐在官中,早晨天气寒冷,景公吩咐晏子说:"请给我把热饭送上来!"晏子回答说:"我不是负责为您进献食物的侍臣,因此我不能承担这种事情。"景公又吩咐晏子说:"请您把裘皮坐褥送上来!"晏子回答说:"我不是负责为您铺褥垫的侍臣,因此我不能承担这种事情。"

景公问道:"(你这也不做,那也不做)那么你对于我来说能做些什么事呢?"晏子回答说:"我乃是社稷之臣。"景公问道:"什么叫社稷之臣?"晏子回答说:"所谓社稷之臣,能使国家稳固安定;能使高低贵贱之人严守等级秩序,使地位和名分相一致;制定各级官吏的等级和职务,使官位与职责相一致;制定国家的法令,(使法令适合国情)可以在全国各地传布和施行。"

从这件事情以后,景公如果不能依礼办事,就不敢召见晏子。

晏子饮景公止家老敛欲与民共乐第十四

晏子饮景公酒①,令器必新,家老曰②:"财不足,请敛于氓。"

晏子曰:"止!夫乐者,上下同之。故天子与天下③,诸侯与境内④,大夫以下各与其僚⑤,无有独乐。今上乐其乐⑥,下伤其费,是独乐者也。不可!"

[注释]

①饮:使动用法,即使景公饮酒。②家老:卿大夫家中的家臣之长。③天子:指周天子。天下:天子所管辖的范围,包括由天子分封的各诸侯国的领土在内。④境内:指各诸侯国内的领域。⑤僚:指同僚和下属官吏。⑥乐其乐:以自己的快乐为快乐。即只顾自己快乐,而不管他人是否快乐。

[译文]

晏子在自己家中设宴请景公饮酒,景公命令餐饮器具一定要全部使用新的,晏子的家庭总管说:"家中钱财不够,请允许向百姓征敛一些钱财。"

晏子说:"不可!快乐的事情,应该在上位者与在下位者共同享受。所以天子与天下之人同欢乐,诸侯与其国内之人同欢乐,大夫以下的人各自与他们的同僚和下属同欢乐,没有独自享受快乐的。现在居于上位的只顾自己快乐,而让百姓耗费钱财,是独自享乐的人啊。不可以为此向百姓征收钱财!"

晏子饮景公酒公呼具火晏子称诗以辞第十五

晏子饮景公酒,日暮,公呼具火,晏子辞曰:"《诗》云,'侧弁之俄①',言失德也。'屡舞傞傞②',言失容也。'既醉以酒,既饱以德③,既醉而出,并受其福',宾主之礼也。'醉而不出,是谓伐德④',宾之罪也。婴已卜其日⑤,未卜其夜。"

公曰:"善。"举酒祭之,再拜而出,曰:"岂过我哉,吾托国于晏子也！以其家贫善寡人⑥，不欲其淫佚也，而况与寡人谋国乎！"

[注释]

①所引诗句见《诗经·小雅·宾之初筵》，下同。弁：帽子。俄：倾侧，歪斜。②屡：多次。傞（suō）傞：醉舞不止的样子。一说为参差不齐的样子。③原诗无此二句，王念孙以为系后人所加，当删。④伐：害。⑤已：已经。刘师培云，"已"与"只"字同。⑥"贫善"旧作"货养"，从卢文弨说据《说苑》改。

[译文]

晏子在家中设宴请景公饮酒，天色黑了，景公（酒兴仍然很高）叫人准备灯火，以便继续饮酒。晏子（恐怕景公酒醉失态并且影响第二天早朝）便委婉地规劝说："（古人饮酒都遵循礼的规矩）《诗经》中说，'（醉酒后）帽子歪戴着都快从头上掉下来了'，是说酒醉以后就会失去严谨的作风。还说'（醉酒后）东倒西歪地跳着舞不肯停止'，是说酒醉以后会失去正常的仪态。还说'喝醉以后应该立即离去，宾主彼此都会有好福气'，是说饮酒也要遵循宾主之间的礼节。还说'喝醉以后还不离去（就会做出怪态），这叫做伤害德性'，这是宾客的过错啊。况且，我只占卜过白天可以喝酒，夜里能否喝酒我可没有占卜过。"

景公说："您说得很好。"说完举起酒杯向神灵和祖先祭祀一番，拜了两拜，然后离开晏子家。景公深有感触地说："把管理国家的重任托付给晏子，这件事我做得不错啊！他家里那样贫穷，尚且能善待我，而且不想让我过分奢侈，（他处小事都这样认真周到）更何况为我谋划国家大事，定会尽心尽力！"

晋欲攻齐使人往观晏子以礼侍而折其谋第十六

晋平公欲伐齐，使范昭往观焉。景公觞之，饮酒酣，范昭曰："请君之弃樽①。"公曰："酌寡人之樽，进之于客。"范昭已饮，晏子曰："彻樽，更之②。"樽觯具矣，范昭佯醉，不说而起舞，谓太师曰③："能为我调成周之乐乎④？吾为子舞之。"太师曰："冥臣不习⑤。"范昭趋而出。

景公谓晏子曰："晋，大国也，使人来，将观吾政，今子怒大国之使者，将奈何？"晏子曰："夫范昭之为人也，非陋而不知礼也⑥，且欲试吾君臣，故绝之也⑦。"

景公谓太师曰："子何以不为客调成周之乐乎？"太师对曰："夫成周之乐，天子之乐也，调之，必人主舞之。今范昭人臣，欲舞天子之乐，臣故不为也。"

范昭归，以报平公，曰："齐未可伐也。臣欲试其君，而晏子识之；臣欲犯其乐⑧，而太师知之。"于是辍伐齐谋⑨。

仲尼闻之，曰："善哉！不出尊俎之间，而折冲于千里之外⑩，晏子之谓也。而太师其与焉。"

[注释]

①弃樽：指君主用过的酒杯。②更之：更换酒杯。之，指酒杯。③太师：齐国的太师为掌管音乐的官员，由盲人担任。④成周之乐：指专为天子演奏的音乐。成周，西周的东都洛邑，为周公所营建。⑤冥：此处指目盲。⑥陋：见闻不广。⑦绝：拒绝。⑧"乐"旧作"礼"，依王念孙说据《韩诗外传》等改。⑨辍：停止。此句旧脱，依张纯一说补。⑩此句旧作"夫不出于尊俎之间，而知千里之外，其晏子之谓也。可谓折冲矣"，从王念孙说据多种引文改。

[译文]

晋平公想要攻打齐国，先派范昭去齐国观察情况。景公设宴款待范昭，斟酒给他喝，喝酒喝得正畅快时，范昭说："请让我用您用过的酒杯吧。"景公吩咐侍从说："把我的酒杯斟上酒，送给客人喝。"范昭接过酒杯饮完后，晏子马上命令侍者说："撤掉这只酒杯，另换一只杯子。"侍者为范昭准备好新换的大杯和小杯，范昭假装喝醉了，心中很不高兴，站起身来要跳舞，对乐官太师说："能为我演奏成周的音乐吗？我给你们跳舞。"太师回答说："盲臣我没有学习过（成周之乐）。"范昭很不高兴地快步离席而去。

景公对晏子说："晋国是大国，派人来是察看我国的政治情况，现在您激怒了大国的使者，该怎么办呢？"晏子回答说："从范昭的为人看，并不是知识浅薄不懂礼节的人，他这样做的目的是想试探我们君臣的态度，所以我拒绝了他。"

景公又对太师说："您为什么不给客人演奏成周的音乐呢？"太师回答说："成周的音乐，是专门为周天子演奏的音乐，如果演奏这种音乐，一定要君王随之而起舞。现在范昭不过是个臣下，却想要用天子的音乐为他跳舞伴奏，所以我不为他演奏。"

范昭回到晋国，把这些情况禀报给平公，说："齐国不可以攻打。我想试探其君主的态度，却被晏子识破了；我想违反它的礼乐制度，却被太师看出来了。"于是晋国取消了攻打齐国的计划。

仲尼听到这件事后，说："事情办得很高明！人们常说在宴席之上、吃饭饮酒之间，能挫败千里之外的敌人，说的就是晏子吧！太师也参与了这件事情（他也有功劳）。"

景公问东门无泽年谷而对以冰晏子
请罢伐鲁第十七

景公伐鲁，傅许①，得东门无泽②。公问焉："鲁之年谷何如？"对曰："阴冰凝③，阳冰厚五寸④。"

公不知⑤，以告晏子，晏子对曰："君子也。问年谷而对以冰，礼也。阴冰凝，阳冰厚五寸者，寒温节⑥。节则刑政平，平则上下和，和则年谷熟。年充众和而伐之，臣恐罢民弊兵，不成君之意⑦。请礼鲁以息吾怨⑧，遣其执以明吾德⑨。"公曰："善。"乃不伐鲁。

[注释]

①傅：通"附"，靠近。许：鲁国地名。②东门无泽：人名，姓东门，字无泽。③阴冰凝：旧作"阴水厥"，依王念孙说据《太平御览》改。阴冰，背阴地方的冰。④阳冰：向阳地方的冰。⑤"公"字旧脱，依孙星衍说据《太平御览》补。⑥寒温节：气候寒暖得其时宜。节，时宜。⑦不成君之意：不能实现您的意图。⑧礼鲁：以礼对待鲁国。息吾怨：平息对我们的怨恨。⑨执：指俘虏。

[译文]

景公率兵攻打鲁国，在靠近鲁国许邑的地方抓获了鲁人东门无泽。景公问他："鲁国的年成怎么样？"东门无泽回答说："背阴地方的冰冻得很结实，向阳地方的冰还有五寸厚。"

景公不明白是什么意思，就把这话告诉了晏子。晏子回答说："这个人是个君子呀。您问他年景怎么样，他用冰凝结的情况作回答，这是符合礼法的。所谓背阴地方的冰冻得很结实，向阳地方的冰还有五寸厚，意思是鲁国的气候寒暖得其时宜。寒暖得其时宜，那么刑罚政令就公平适当；刑罚政令公平适当，那么上下就会和谐相处；上下和谐相处，那么五谷就有收成。鲁国年成好粮食充足，上下关系和谐，我们却兴兵攻打它，我担心会使我国的百姓疲惫、士兵困顿，不能实现您战胜鲁国的愿望。请您对鲁国以礼相待，从而平息鲁国对我们的怨恨；遣送回俘虏，以显示我们的仁德。"齐景公说："您说得好。"于是不再攻打鲁国。

景公使晏子予鲁地而鲁使不尽受第十八

景公予鲁君地，山阴数百社①，使晏子致之②。鲁使子叔昭伯受地③，不尽受也。

晏子曰："寡君献地，忠廉也④，曷为不尽受？"子叔昭伯曰："臣受命于君曰：'诸侯相见，交让⑤，争处其卑，礼之文也⑥；交委多⑦，争受少，行之实也。礼成文于前，行成章于后⑧，交之所以长久也。'且吾闻君子不尽人之欢⑨，不竭人之忠⑩，吾是以不尽受也。"

晏子归报公，公喜，笑曰："鲁君犹若是乎？"晏子曰："臣闻大国贪于名，小国贪于实，此诸侯之公患也。今鲁处卑而不贪乎尊，辞实而不贪乎多。行廉不为苟得，道义不为苟合⑪。不尽人之欢，不竭人之忠，以全其交。君之道义，殊于世俗，国免于公患。"

公曰："寡人说鲁君，故予之地。今行果若此，吾将使人贺之。"晏子曰："不⑫。君以欢予之地，而贺其辞⑬，则交不亲，而地不为德矣。"公曰："善。"

于是重鲁之币⑭，毋比诸侯⑮；厚其礼，毋比宾客。

君子于鲁而后明行廉辞地之可为重名也⑯。

[注释]

①山阴：盖指泰山之北。社：古代基层行政单位，二十五家为一社。②致：送给。③子叔昭伯：人名。④忠：诚。廉：清。⑤交让：互相谦让。⑥文：文饰，指礼节仪式。⑦交委多：给予对方的多。交，付予，交纳。委，交付。⑧章：大材。引申为"实"。⑨不尽人之欢：不让别人把对自己的欢喜之情用尽。⑩不竭人之忠：不让别人把对自己的忠诚之情用尽。⑪道：循，义与"行"同。⑫不：同"否"。⑬辞：辞让，辞谢。⑭币：礼物。⑮比：比拟，等同。⑯于鲁：指从鲁国不全部接受土地的事情上。

[译文]

景公要送给鲁国国君土地，给的是位于泰山北面有几千户人家居住的地域，派晏子将这片土地送给鲁国。鲁国派出使臣子叔昭伯接受赠地，但是他不全部接受（只接受了部分土地）。

晏子对他说："我们的国君所以献给鲁国土地，完全是忠诚清廉的行为（表示与鲁国友好，并不附加其他对鲁国索求的条件），你们为什么不全部接受呢？"子叔昭伯回答说："我临来之时接受了我们国君的命令：'诸侯会见时，应当互相谦让，主动处于卑下的地位，这是应该遵循的礼节仪式；给予对方的应当尽量多些，接受对方的赠予力求少要，这是遵循礼节的实际表现。开始时就要遵守礼节仪式，然后要把礼的原则落到实处。这样就可以长久地友好交往。'而且我听说，君子不让别人把对自己的喜欢之情用尽（以使友情长久不衰），不让别人把对自己的忠诚之情用尽（以使忠诚之情常在），我因此不能全部接受所赠土地。"

晏子回去向景公禀报了交接土地的情况，景公很高兴，笑着说："鲁国国君还会这样谦让吗？"晏子说："我听说大国贪图名声，小国贪图利益，这是诸侯们共同具有的毛病。现在鲁国甘愿处于卑下的地位，而不贪图多得土地。行为清廉，不做非分求财的事，遵行道义，不做苟且和好的事。不让别人把对自己的喜欢之情用尽，不让别人把对自己的忠诚之情用完，以保持交情长存。鲁君遵循的是真道义，与现在世俗流行的做法不同，使鲁国避免了诸侯们共同的毛病。"

景公说："我喜欢鲁国国君，所以赠给他土地。现在他的行为果然符合道义，我将派人去祝贺他。"晏子说："不能这样做。您因为喜欢他而送给他土地，却又对他辞让一部分土地的做法表示祝贺，这样做反而表明您与鲁君的交情并不亲密，您送给鲁君土地也算不上仁德的行为了。"景公说："您说得好。"

从此以后，齐国与鲁国交往时增加了给鲁君礼物的数量，比给其他诸侯的礼物要多；对鲁国派来的使臣用隆重的礼节接待，比接待其他诸侯国使者的礼节规格更高。

君子通过鲁国不全部接受赠地这件事,懂得了行为廉洁、辞让土地的做法也能使国家在诸侯中的地位更加尊贵,美名远扬。

景公游纪得金壶中书晏子因以讽之第十九

景公游于纪①,得金壶,发而视之②,中有丹书③,曰:"无食反鱼④,勿乘驽马⑤。"公曰:"善哉,如若言⑥!食鱼无反,则恶其鳅也⑦;勿乘驽马,恶其取道不远也。"晏子对曰:"不然。食鱼无反,毋尽民力乎!勿乘驽马,则无置不肖于侧乎!"

公曰:"纪有书,何以亡也?"晏子对曰:"有以亡也⑧。婴闻之,君子有道,悬之间⑨。纪有此言,注之壶⑩,不亡何待乎!"

[注释]

①纪:古国名,春秋时为齐国所灭,故城在今山东省寿光县南。②"发而视之"旧作"乃发视之",依王念孙说据《太平御览》改。③丹书:此处指金壶内刻铸文字,涂以朱砂。丹,此处指朱砂,亦称丹砂、辰砂。④"无食反鱼"旧作"食鱼无反",文义相同。此依张纯一说据《太平御览》改。⑤驽马:能力低下的马。⑥"如若言"旧作"知若言",从俞樾说改。⑦鳅:通"臊",鱼的腥味。⑧有以:有原因。⑨间:古代里巷的大门。⑩注:记载。

[译文]

景公到原纪国的地方去游玩,得到一只铜壶,打开壶盖观看,看到里面有涂着朱砂的铭文,内容是:"无食反鱼,勿乘驽马。"景公说:"这话说得真好!吃鱼只吃上面的肉,不要翻过来吃下面的肉,这是厌恶它的腥臊味;不乘坐能力低下的马,这是厌恶它不能走远路啊。"晏子回答说:"不是这样理解。吃鱼只吃上面的肉,不反过来吃下面的肉,是说(要爱惜民力)不要把民力用尽;不乘坐能力低下的马，是说不要在自己身边安置不贤德的人啊！"

景公说："纪国既然记载着这样有道理的话，为什么灭亡了呢？"晏子回答说："纪国的灭亡是有原因的。我听说过这样的话：君子有需要遵循的道义，应当把它（写出来）悬挂在里巷的大门上（让人们经常学习，付之行动）。纪国虽然有道理深刻的话，却只刻写在铜壶里（不为众人所知，不能付诸行动），不被灭亡还能等什么呢！"

景公贤鲁昭公去国而自悔晏子谓无及已第二十

鲁昭公失国走齐①，景公问焉②，曰："子之年甚少，奚道至于此乎③？"

昭公对曰："吾少之时，人多爱我者，吾体不能亲④；人多谏我者，吾忌不能从⑤。是以内无拂而外无辅。辅拂无一人，谄谀者甚众⑥。譬之犹秋蓬也，孤其根而美枝叶，秋风一至，偾且揭矣⑦。"

景公辩其言⑧，以语晏子曰："使是人反其国，岂不为古之贤君乎？"晏子对曰："不然。夫愚者多悔，不肖者自贤，溺者不问隧⑨，迷者不问路。溺而后问隧，迷而后问路，譬之犹临难而遽铸兵⑩，临噎而遽掘井⑪，虽速，亦无及已。"

[注释]

①"失"旧作"弃"，从王念孙说据《群书治要》、《艺文类聚》等改。鲁昭公失国：昭公姬姓，名稠。公元前517年，鲁昭公用藏氏、邱氏之众讨伐季氏，孟孙氏、叔孙氏救之，三家联合打败昭公，昭公出奔齐国。②"景"旧作"齐"，从王念孙说据《太平御览》改。③此句旧作"君何年之少，而弃国之蚤，奚道至于此乎"，依王念孙说据《艺文类聚》、《太平御览》改。

④体：自身。或释为"礼"。⑤"吾忌不能从"旧作"吾志不能用"，依张纯一说据《太平御览》改。忌：畏，忌惮。⑥此句旧作"谄谀我者甚众"，依张纯一说据《太平御览》删"我"字。⑦"偾且揭"旧作"根且拔"，依王念孙、黄以周说据《群书治要》改。偾（fèn）：仆倒。揭：高举，引申为飞扬。⑧辩：辩解，引申为"有道理"，这里作意动词。⑨隧：道路。"隧"字旧作"坠"，依王念孙说据《群书治要》改。⑩遽：急。⑪"临"字旧脱，据《太平御览》补。噎：食物堵住喉咙。

[译文]

鲁昭公（被季孙氏、孟孙氏、叔孙氏三家打败）失去了鲁国君位，逃亡到齐国。景公问他说："您的年纪还很轻，为什么会落到这种地步呢？"

昭公回答说："我年轻的时候，有很多人真心热爱我，我却不能以礼亲近他们；有很多人规劝我的过错，我却因为忌惮而没有采纳他们的意见。因此朝廷内外都没有辅佐我的人。辅佐我治国的一个人都没有，阿谀奉承我的人却很多。我就好像秋天的蓬草，根部很孤单，枝叶却很繁茂，秋风一刮来，脆弱的根部便折断倒伏于地，枝叶则随风在空中到处飘零。"

景公认为他说的话很有道理，就把这话告诉晏子，说道："假如让这个人重返鲁国执政，他难道不可以成为像古代贤君那样的人吗？"晏子回答说："不是这样的。愚蠢的人总喜欢事后悔恨，不贤德的人总喜欢装出贤德的样子。过河所以被水淹着，是因为他事先没有问明白趟水过河的路线；走路所以迷失方向，是因为他事先没有问清楚应走的道路。被水淹了再询问趟水的路线，迷失了方向再打听应走的道路，这就好像灾难来临时才急忙去铸造兵器，吃饭噎着需要喝水时才急忙去挖井取水，行动即使很快，一切都来不及了。"

晏子使鲁有事已仲尼以为知礼第二十一

晏子使鲁，仲尼命门弟子往观。子贡反，报曰："孰谓晏子习于礼乎？夫礼曰：'登阶不历①，堂上不趋，授玉不跪。'今晏子皆反此，孰谓晏子习于礼者？"

晏子既已有事于鲁君②，退见仲尼，仲尼曰："夫礼，登阶不历，堂上不趋，授玉不跪。夫子反此，礼乎③？"晏子曰："婴闻两楹之间④，君臣有位焉，君行其一，臣行其二⑤。君之来速⑥，是以登阶历，堂上趋，以及位也⑦。君授玉卑⑧，故跪以下之。且吾闻之，大者不逾闲⑨，小者出入可也。"

晏子出，仲尼送之以宾客之礼。反，命门弟子曰⑩："不法之礼⑪，维晏子为能行之。"

[注释]

①历：过，超越。②有事：指出使的公事。③此句旧作"夫子反此乎"，从黄以周说据《初学记》补"礼"字。④楹（yíng）：厅堂前的柱子。"两楹之间"即指中堂。⑤君行其一，臣行其二：君主大步稳重地走一步，使臣则小步快速地走两步。⑥速：同"速"。⑦以及位也：赶到自己所应处的位置上。⑧授：同"受"。卑：指受玉时姿势低。⑨闲：限制，约束。此处指礼法规矩。⑩"反命门弟子曰"六字旧脱，从王念孙说据《初学记》补。⑪"不法之礼"旧作"不计之义"，从王念孙说据《初学记》改。其意是：不拘泥于礼的条文，可以根据具体情况改变礼仪的细节，但又符合礼的基本精神。

[译文]

晏子出使鲁国，仲尼派他的门人弟子去观察晏子的言行举止。子贡回来后，向仲尼报告说："谁说晏子熟悉礼仪呢？按照礼的规定：'上台阶不能越阶而上，在堂上不能快步行走，向君主献玉不应下跪。'现在晏子（见鲁君时的行为）全都违反了礼的规定，谁说晏子熟悉礼仪呢？"

晏子在鲁国国君那里办完了公事，出来后又会见仲尼，仲尼问晏子说："按照礼的规定，登台阶不能越阶而上，在堂上不能快步行走，交给君主玉时不能下跪。先生您违反了这些规定，您还遵守礼制吗？"晏子回答说："我听说在两个柱子的中堂间，君主和使臣各有各的位置，君主迈着大步稳重地走一步，使臣则应小步快速地走两步。因为君主来得很快，所以我只得越阶而上，在堂上小步快走，才能赶到自己应站的位置上去。君主在接受我献玉的时候，身体下躬，姿势很低，所以我只有跪下才能比君主的位置更低。而且我听说过，大的事情不越过礼的规矩，小的事情依据实际情况，与礼仪的细节有些出入也是可以的。"

晏子离开时，仲尼用对待宾客的礼节送他出去。回来以后，仲尼告诉自己的门人弟子说："不拘泥于礼法的条文，能根据具体情况改变礼仪的细节，但又符合礼制的基本精神，只有晏子能够达到这一境界。"

晏子之鲁进食有豚亡二肩不求其人第二十二

晏子之鲁，朝食，进馈膳，有豚焉①。晏子曰："去其二肩②。"昼者进膳③，则豚肩不具。

侍者曰："膳豚肩亡④。"晏子曰："释之矣⑤。"侍者曰："我能得其人。"晏子曰："止。吾闻之，量功而不量力，则民尽⑥；藏余不分，则民盗。子教我所以改之，无教我求其人也。"

[注释]

①豚（tún）：小猪。此指蒸熟的小猪。②去：通"弆"（jǔ），藏。肩：指猪的前腿上部。③刘师培以为"者"是衍文，当删。④豚：小猪。肩：指

小猪的前膀。⑤释：舍，不再追查。⑥民尽：民力用尽，民穷财尽。

[译文]

晏子去到鲁国，清晨吃饭时，侍者送来饭食，其中有一只蒸熟的小猪。晏子对侍者说："给我把猪的两只前膀留出来（下顿饭再吃）。"白天侍者送来饭食，却没有那两只猪的前膀。

侍者告诉晏子："做熟的小猪前膀丢失了。"晏子说："不要追查这事了。"侍者说："我能找出那个偷小猪前膀的人来。"晏子说："不要这样做。我听说过这样的道理，（国家如果）安排兴办的事项很多，而国力民力承受不了这种负担，必然会搞得民穷财尽；（国家如果）把征敛来的赋税钱财都收藏起来，不用来救济贫穷的百姓，就会逼得穷人去偷盗。您应当教我改正收藏多余东西的毛病，而不要教我去查出那个偷猪前膀的人啊。"

曾子将行晏子送之而赠以善言第二十三

曾子将行，晏子送之曰："君子赠人以轩①，不若以言②。吾请以言乎③？以轩乎？"曾子曰："请以言。"

晏子曰："今夫车轮，山之直木也。良匠燦之④，其圆中规⑤，虽有槁暴不复嬴矣⑥。故君子慎隐燦⑦。和氏之璧⑧，井里之困也⑨，良工修之，则为存国之宝。故君子慎所修。今夫兰本⑩，三年而成，湛之苦酒⑪，则君子不近，庶人不佩；湛之麋醢⑫，而贾匹马矣⑬。非兰本美也，所湛然也⑭。愿子之必求所湛。婴闻之，君子居必择邻⑮，游必就士⑯。择居所以求士，求士所以辟患也⑰。婴闻泪常移质⑱，习俗移性，不可不慎也。"

[注释]

①轩：车子。"轩"字《说苑》等作"财"。②言：指善言，即对人有

益的话。③"乎"旧作"之",从卢文弨说改。④煣(róu):用火烘木,使之弯曲。旧作"揉",依孙星衍说改。⑤中(zhòng):符合。规:圆规,画圆形的仪器。⑥槁:干枯。暴(pù):晒。赢:通"挺",直。⑦隐:通"檃",即檃栝,本指矫正曲木使其平直的工具,此处泛指改变木材形状的工具。⑧和氏之璧:楚人卞和得到一块蕴藏着玉的石头,献给楚王,几经周折后,将其剖开,得到美玉,琢治成璧,世称和氏之璧。⑨井里:地名。困:指石块而言。⑩兰本,指兰草的根和茎干,是古人喜欢佩带的香草,全草可供药用。本,指草木的根或茎干。⑪湛(jiān):浸泡。⑫麋醢:麋鹿肉制的酱。"麋"旧作"縻",依王念孙说改。⑬贾:同"价"。⑭所湛:指用来浸泡兰草的东西。⑮"邻"旧作"居",依孙星衍说据《艺文类聚》、《太平御览》改。⑯游:交游,交往。士:指贤德之士。⑰辟:同"避",躲避。⑱汩(gǔ):通"湿"(gǔ),指浑浊之水。移:改变。

[译文]

曾子(谢绝了景公的礼聘,执意离开齐国)临行之时,晏子去送他,说:"君子认为(临别的时候)赠给人车子,不如赠给人有益的话。请问我是赠给您有益的话呢,还是赠给您车子呢?"曾子说:"请赠我有益的话吧。"

晏子说:"现在的车轮,都是用山上很直的木材制成的。技术精良的工匠用火将它烘烤,然后用工具将它改变形状,制成圆圆的车轮,使它符合圆规的标准,即使把车轮晒干,它也不会变直了。所以君子对于用工具改变木材形状的事抱着慎重态度(即对于能影响和改变人的品性的环境要认真对待)。卞和得到的玉璞,从外表看去不过是井里地方的一块石头,可是经过技术精良的工匠的琢治,就成为传国之宝。所以君子对于让什么水准的工匠修治玉器持慎重态度(即对于接受什么样人的影响和教育要认真对待)。兰草的根茎,三年才能长成,如果把它浸泡在苦酒里,那么君子不会亲近它,一般人也不会佩带它;但如果把它浸泡在麋鹿肉制成的肉酱里,它的价值就和一匹马相等了。并不是兰草变得美好了,而是用来浸泡它的麇鹿肉酱使它提高了价值。我希望您一定要寻求能对您产生好影响的环境条件。我听说，君子寻找住处一定要选择好邻居，与人交往一定要结交贤德之士。选择好邻居是为了求得贤士，结交贤士是为了避免灾祸。我听说经常浸泡在污浊的水中就会变质，社会的风俗习惯可以改变人的品性，这些都是不可不慎重对待的。"

晏子之晋睹齐累越石父解左骖赎之与归第二十四

晏子之晋，至中牟①，睹弊冠反裘负刍息于涂侧者②，以为君子也，使人问焉，曰："子何为者也？"对曰："我，越石父也③。"晏子曰："何为至此？"曰："吾为人臣仆于中牟④，见使将归⑤。"晏子曰："何为为仆？"对曰："不免冻饿之切吾身⑥，是以为仆也。"晏子曰："为仆几何？"对曰："三年矣。"晏子曰："可得赎乎？"对曰："可。"

遂解左骖以赎之⑦，因载而与之俱归。至舍⑧，不辞而入。越石父怒而请绝⑨，晏子使人应之曰："吾未尝得交夫子也，子为仆三年，吾乃今日睹而赎之，吾于子尚未可乎？子何绝我之暴也⑩？"越石父对曰："臣闻之，士者诎乎不知己⑪，而申乎知己。故君子不以功轻人之身，不为彼功诎身之理⑫。吾三年为人臣仆，而莫吾知也。今子赎我，吾以子为知我矣。向者子乘⑬，不我辞也⑭，吾以子为忘；今又不辞而入，是与臣我者同矣。我犹且为臣，请鬻于世！"

晏子出，见之曰："向者见客之容，而今也见客之意。婴闻之，省行者不引其过⑮，察实者不讥其辞⑯，婴可以辞而无弃乎⑰？婴诚革之。"乃令粪洒改席⑱，尊醮而礼之。越石父曰："吾闻之，至恭不修途⑲，尊礼不受摈⑳。夫子礼之，仆不敢当也。"晏子遂以为上客。

君子曰："俗人之有功则德，德则骄。晏子有功，免人于厄㉑，而反诎下之，其去俗亦远矣。此全功之道也。"

[注释]

①中牟：地名，春秋时属晋国，在今河南省汤阴县西。②反裘：古人穿皮衣，毛朝外面。毛朝里面穿，谓之"反裘"。负刍：背着喂牲口的草。涂：通"途"，道路。③越石父：人名。旧"也"上衍"者"字，从黄以周说据《太平御览》删。④臣仆：即奴仆。⑤见使：被役使。⑥切：逼迫，引申为折磨。⑦"赎"旧作"赠"，从黄以周说据《吕氏春秋》、《新序》等改。⑧舍：指晋国招待宾客的馆舍。⑨绝：绝交。⑩暴：急速，急切。⑪诎：屈服。⑫身之理：为人处世之道。⑬向者：刚才。⑭不我辞：不向我告辞。⑮省：察看，考察。引：提出，抓住。⑯讥：讥讽，嘲笑。⑰辞：道歉。无弃：不被拒绝。⑱粪洒：扫除。⑲途：指形迹，外表。⑳摈：斥，弃。㉑厄：苦难，困穷。

[译文]

晏子到晋国去，走到中牟地方，看到一个头戴破帽子、反穿着皮袄、背着喂牲口的饲草在路旁休息的人，认为他是个君子，便派人问他说："您是干什么的？"那人回答说："我是越石父。"晏子问道："你为什么到了这里？"越石父说："我在中牟给人当奴仆，干完差事将要回主人家去。"晏子又问："你为什么要当奴仆？"越石父说："我不堪忍受挨饿受冻的折磨，所以才给人家当奴仆。"晏子说："你当奴仆几年了？"越石父回答说："已经三年了。"晏子说："可以赎出你来吗？"越石父回答说："可以。"

晏子于是解下左边驾车的马，把越石父赎了出来，用车载着他一起回去。到了宾馆，晏子没有与越石父告辞就走了进去。越石父

（感到晏子对他不礼貌）非常生气，要求和晏子断绝交往。晏子派人回答他说："我并没有和先生您交朋友啊，您当了三年奴仆，今天我看到您才把您赎出来，我对您做得还不够吗？您为什么这样急切地要和我断绝交往呢？"越石父回答说："我听说过，作为士，可以向不了解自己价值的人屈服，而在了解自己价值的人面前就应当挺直腰板。所以君子不因为自己有功劳就轻视别人，也不因为你有功劳就损害我的为人处世的原则。我在三年的时间里给人当奴仆，却没有人了解我的价值。现在您赎我出来，我以为您了解我的为人了。刚才您乘车而去，不向我告辞，我以为您是因疏忽而忘记了；现在您又不和我告辞就进入馆中，这就和把我当奴仆看待的人一样了。我仍然不过是个奴仆，请您把我卖给别人吧！"

晏子（听了这番话）忙从宾馆里走出来，会见越石父，说："刚才我只看到客人的容貌，现在（通过你的一番言谈）我才了解到客人您的志向。我听说，善于察看和辨别行为好坏的人不会抓住个别过错不放，善于明察实情的人不会对别人的道歉加以讥讽。我可以向您道歉而不被拒绝吗？我诚恳地改正过错。"于是命令洒扫庭除，更换洁净的坐席，尊敬地请他喝酒，按照礼节对待他。越石父说："我听说过，内心真诚谦恭的人，并不注重外在的表现；对别人尊敬有礼，就不会受到别人的摈弃。先生您对我以礼相待，我不敢当啊。"晏子于是把他待为上宾。

君子对此评论说："世俗之人对人有功劳就要求别人对他感恩戴德，人家对他感恩戴德他就倍感骄傲。晏子对人有功，把人从苦难中解救出来，却反而对被解救的人谦卑有礼，他道德水准的境界远远高于世俗之人。这也正是保全功劳的好方法啊！"

晏子之御感妻言而自抑损晏子荐以为大夫第二十五

晏子为齐相，出，其御之妻从门间而窥①，其夫为相御，拥大盖②，策驷马③，意气扬扬，甚自得也。既而归，其妻请去。夫问其故，妻曰："晏子长不满六尺④，身相齐国，名显诸侯。今者妾观其出，志念深矣，常有以自下者⑤。今子长八尺，乃为人仆御，然子之意，自以为足，妾是以求去也。"

其后，夫自抑损⑥。晏子怪而问之，御以实对，晏子荐以为大夫。

[注释]

①间：缝隙。②拥：此处作遮挡讲。盖：此指车篷。建于车上，以避日晒雨淋。③策：马鞭，此处用作动词，意为"鞭策"。驷马：此指驾车的四匹马。④六尺：古代尺小，周代六尺相当于现代四尺多。⑤自下：自甘谦卑。⑥抑损：谦逊。

[译文]

晏子担任齐国的相，有一次乘车出去（经过驾车人的门前），驾车人的妻子从门缝向外窥视，看到她的丈夫为齐相晏子驾车，上面遮挡着大车篷，扬鞭赶着四匹骏马，神气昂扬，很是得意。过了不久丈夫回到家中，他的妻子却向他提出离婚要求。丈夫问她为什么要离婚，妻子回答说："晏子身高不足六尺，却当上齐国的相，名声显扬于诸侯。今天我看到他乘车外出，志向远大，思想深邃，却常常表现出自甘谦卑的神态。现在您身长八尺，只不过给人当赶车人，可是您的神态却表现出心满意足的样子，我因此要求离开您。"

从此以后，她的丈夫（改变了先前那种洋洋自得的神气）表现得很谦逊。晏子看到车夫的变化感到很奇怪，问他原因，车夫说了实情，晏子（看到他有知过即改的好品德）就推荐他当了大夫。

泯子午见晏子晏子恨不尽其意第二十六

燕之游士有泯子午者①，南见晏子于齐。言有文章②，术有条理③，巨可以补国，细可以益晏子者三百篇。睹晏子，恐惧而不能言④。晏子假之以悲色⑤，开之以礼颜，然后能尽其复也⑥。

客退，晏子直席而坐，废朝移时⑦。在侧者曰："向者燕客侍，夫子胡为忧也？"晏子曰："燕，万乘之国也；齐，千里之涂也。泯子午以万乘之国为不足说，以千里之涂为不足远，则是千万人之上也。且犹不能殚其言于我⑧，况乎齐人之怀善而死者乎？吾所以不得睹者，岂不多矣？然吾失此，何之有也⑨？"

[注释]

①游士：游说之士。泯子午：姓泯，字子午。②言：言辞，谈吐。文章：文采。③术：学术。④"惧"旧作"慎"，从黄以周说改。或释"慎"为"忧"，义与"惧"近。⑤假：宽容，宽慰。悲：悯，哀怜，同情。⑥复：回答。⑦废朝：过了早晨的时候。移时：历时，经过。⑧殚：尽。⑨此句"何"下疑脱"功"字，当作"何功之有也"。

[译文]

燕国有一位游说之士叫做泯子午，南下到齐国去拜见晏子。他的言辞很有文采，学术很有条理，他所写的文章有三百余篇，大的方面对治理国家大有裨益，小的方面对晏子也有益处。可是，他见到晏子却害怕得讲不出话来。晏子脸上现出同情的样子给他以宽慰，有礼貌地对他微笑着使他心情愉快，然后他才能把要说的话对晏子讲完。

客人走后，晏子端正地坐在席子上，过了早晨很长时间也不起身。晏子身边的人说："刚才燕国的客人陪您说了话，您现在为什么忧愁呀？"晏子说："燕国是拥有万辆兵车的大国，齐国距离燕国有千里路程。泯子午认为作为万乘之国的燕国不值得他游说，认为一千多里的路程算不得遥远，那他就是超越千万人之上的人才了。他尚且不能对我把想说的话都说出来，何况齐国那些怀有好的意见没有对我讲出来就死去的人呢？所以我未能见到的有才能的人，岂不是太多了吗？既然我失去了许多有才能的人，还有什么功劳可言呢？"

晏子遗北郭骚米以养母骚杀身以明晏子之贤第二十七①

齐有北郭骚者②，结罘罔③、捆蒲苇④、织履以养其母⑤，犹不足，踵门见晏子⑥，曰："窃说先生之义，愿乞所以养母者。"晏子使人分仓粟府金而遗之，辞金受粟。

有间，晏子见疑于景公，出奔，过北郭骚之门而辞。北郭骚沐浴而见晏子，曰："夫子将焉适⑦？"晏子曰："见疑于齐君，将出奔。"北郭骚曰："夫子勉之矣！"晏子上车，太息而叹曰："婴之亡，岂不宜哉！亦不知士甚矣！"

晏子行，北郭子召其友而告之曰："吾说晏子之义，而尝乞所以养母者焉。吾闻之，养及亲者⑧，身伉其难⑨。今晏子见疑，吾将以身死白之⑩。"著衣冠，令其友操剑奉笥而从⑪，造于君庭，求复者曰⑫："晏子，天下之贤者也，今去齐国，齐必侵矣⑬。方见国之必侵，不若先死⑭。请以头托白晏子也。"因谓其友曰："盛吾头于笥中，奉以托。"退而自刎。其友因奉以托而谓复者曰⑮："此北郭子为国故死⑯，吾将为北郭子死。"又退而自刎。

景公闻之，大骇，乘驲而自追晏子⑰，及之国郊，请而反之，晏子不得已而反。闻北郭子之以死白己也，太息而叹曰："婴之亡岂不宜哉！亦愈不知士甚矣！"

[注释]

①"遗"旧作"乞"，依张纯一说据正文改。遗（wèi）：赠予。②北郭骚：姓北郭，名骚。③结：编织。罘（fú）：捕兽的网。罔：通"网"。④捆：敲打。⑤织屦：《吕氏春秋》作"织萉屦"。萉屦，即麻鞋。⑥踵门：登门，亲至其门。⑦适：往。⑧"及"旧作"其"，依王念孙说据《艺文类聚》、《太平御览》改。⑨伉（kàng）：担当，承当。⑩白：洗清冤诬，还其清白。⑪奉：同"捧"。笥：竹编的方箱。⑫复者：给君主传话的人。⑬侵：此处是被侵犯的意思。⑭"先"字旧脱，从张纯一说据《吕氏春秋》、《艺文类聚》等补。⑮"以"字旧脱，从张纯一说据上文补。⑯国故：国家的变故、灾难。⑰驲（rì）：传车，古代驿站专用的车。

[译文]

齐国有个名叫北郭骚的人，家境贫寒，靠着编捕野兽的网、编织草席、编麻鞋出卖赚些钱来养活他的母亲，但仍然不足以维持家庭生活，于是只得亲自登门求见晏子，说："我心里非常佩服先生您的高尚的道义，希望您赐给我一些奉养我母亲的东西。"晏子派人从粮仓中拿出一些粮食、从府库中拿出一些钱财送给他，他谢绝了钱财，只接了粮食。

过了不久，晏子受到景公的猜忌逃亡国外避难，经过北郭骚家，登门向他辞行。北郭骚沐浴洁身后恭敬地出来见晏子，问道："先生您将要到哪里去？"晏子说："我受到国君的猜忌，将要出国避难。"北郭骚说："先生您好自为之吧！"晏子走出来上了车，深深地长叹了一口气，说："我这次出逃，难道不是很应该的吗？我太缺乏了解士人的能力了！"

晏子走了以后，北郭先生召来他的朋友，告诉他说："我因为钦佩晏子高尚的道义，为了养活母亲曾经向他乞求过粮食。我听说过，供养过自己父母的人如果遇到祸患，自己就应当为他承担祸患。现在晏子受到国君的猜忌，我将要用我的死来洗清他的冤屈。"于是他穿戴好衣帽，让他的朋友拿着剑捧着竹筐跟随着他，来到官廷门前，向为君主传达事情的官吏请求道："晏子这个人，是天下闻名的贤德之人，现在他离开齐国，齐国必定会受到诸侯们的侵犯。我将见到齐国必然受到侵犯，不如先死去为好。请您把我的头交给国君，以洗清晏子的冤屈，还他清白！"于是对他的朋友说："请把我的头放在竹箱内，捧给那个官吏托他送给国君。"说完，退后几步，自刎而死。他的朋友将他的头放在竹箱内，捧着竹箱托付给官吏，并对他说："这个北郭先生是为了国家的灾难而死的，我将为北郭先生而死。"说完，又后退几步自刎而死。

景公听到这件事后，大为惊恐，急忙乘坐驿车亲自追赶晏子，在国都的郊外追上了晏子，请求他返回朝廷。晏子不得已，只好跟着景公回去。当他听说北郭先生用死来洗白自己冤屈的事情后，深深地叹了口气，说："我这次逃亡国外，难道不是很应该的吗！这表明我更加对士人的品质缺乏了解了！"

景公欲见高纠晏子辞以禄仕之臣第二十八

景公谓晏子曰："吾闻高纠与夫子游①，寡人请见之。"

晏子对曰："臣闻之，为地战者，不能成其王②；为禄仕者，不能正其君③。高纠与婴为兄弟久矣④，未尝干婴之行⑤，特禄仕之臣也⑥，何足以补君乎⑦？"

[注释]

①游：交往。②成其王：指成就王天下的事业。③正其君：纠正君主的过失。④为兄弟：像兄弟一样。⑤干：关涉。引申为关心、帮助。⑥特：只，不过。⑦补：补益，帮助。

[译文]

景公对晏子说："我听说高纠与先生您交往密切，我希望能见见他。"

晏子回答说："我听说过这样的道理：为了争夺土地而打仗的人，不能成就王天下的大业；为了得到俸禄而当官的人，不能纠正君主的过失。高纠与我像兄弟一样密切交往已有很长时间了，可是从来没有关心过我的工作，没有给我提过意见和建议，他只不过是一个为了谋取俸禄而当官的臣下，怎么能对您有所帮助呢？"

高纠治晏子家不得其俗乃逐之第二十九

高纠事晏子而见逐，高纠曰："臣事夫子三年，无得①，而卒见逐，其说何也？"

晏子曰："婴之家俗有三，而子无一焉。"

纠曰："可得闻乎？"

晏子曰："婴之家俗，闲处从容不谈议②，则疏；出不相扬美③，入不相削行④，则不与⑤；通国事无论⑥，骄士慢知者⑦，则不朝也⑧。此三者，婴家之俗，今子是无一焉。故婴非特食馈之长也⑨，是以辞。"

[注释]

①无得：指没有得到禄位。②议：通"义"，道义。③扬美：赞扬别人的美德善行。④削行：规劝纠正过失。削，删改，引申为规劝。⑤与：亲近。

⑥论:议论,评论。⑦知:通"智",指智能之人。⑧朝:见。⑨长:主。

[译文]

高纠本是侍奉晏子的家臣,却被晏子辞退了。高纠(很不满意,也很不理解)问晏子道:"我侍奉先生已经三年了,没有得到禄位,最终还被辞退了,这有什么说法呢?"

晏子说:"我的家中有三条规矩,而您一条都没有遵守。"

高纠说:"(您家的三条规矩)能说给我听听吗?"

晏子说:"我家的规矩是:在家中空闲无事从容休息之时不谈论遵行道义之事,对这样的人就疏远他;在外面不赞扬别人的美德善行,在家中不规劝纠正别人的过失,对这样的人就不亲近他;通晓国家的政事却不加议论,对士人骄傲对智者轻慢,对这样的人就不见他。这三条,就是我家的规矩,现在您连一条都没有做到,所以,我不能仅仅做一个供给您食物的主人,因此才辞退您。"

晏子居丧逊答家老仲尼善之第三十

晏子居晏桓子之丧①,粗衰斩②,苴绖带③,杖④,菅屦⑤,食粥,居倚庐⑥,寝苫⑦,枕草⑧。其家老曰:"非大夫丧父之礼也。"晏子曰:"唯卿为大夫⑨。"

曾子以闻孔子,孔子曰:"晏子可谓能远害矣。不以己之是驳人之非,逊辞以避咎⑩,义也夫⑪!"

[注释]

①居晏桓子之丧:为晏桓子服丧。晏桓子,名弱,晏子之父。②粗衰(cuī)斩:用粗麻布制成的丧服。详见前注。凡子为父、承重孙为祖父、妻为夫都服之,是丧服中最重的一种。③苴:结子的麻。绖(dié):古代丧服中的麻带。此指缠在头上的首绖。带:指缠在腰间的麻带,即腰绖。④杖:亦称

"苴杖",居父丧时所用。此处用作动词,即拄杖。⑤菅屦(jiān jù):草鞋。⑥倚庐:用树枝茅草搭成的墓屋,供服丧者居住。⑦苫:居丧时睡觉用的草垫子和草苫子。⑧枕草:用草把子当枕头。⑨唯卿为大夫:只有卿才能服大夫之丧服。意思是,上一等级的人可以用下一等级的丧服,下一等级的人则不可以用上一等级的丧服,自己的做法并没有违背礼的等级规定。同样表现了他的谦逊。⑩咎(jiù):灾祸,罪责;此处意为责备。⑪义:宜,恰当,合适。

[译文]

晏子之父晏桓子去世,晏子为父亲守丧,身穿粗麻布缝制的不缉边的丧服,头上戴着麻做的首绖,腰间缠着麻做的腰绖,手拄着粗糙的竹杖,脚穿草鞋,只吃素粥,住在用树枝茅草搭盖的墓庐中,睡觉时铺着草垫子盖着草苫子,头枕着草把子。他的总管家对他说:"这不符合大夫为父亲守丧的礼仪呀。"晏子说:"只有卿才能服大夫的丧服(大夫则可以服士的丧服,我并没有违背礼的等级规定呀)。"

曾子把听到的这件事告诉了孔子,孔子说:"晏子可以算是能远离祸害的人了。他不用自己的正确驳斥别人的错误,而是用谦逊的言辞来避免别人的责备,做法非常恰当啊!"

内篇杂下第六

灵公禁妇人为丈夫饰不止晏子请先内勿服第一

灵公好妇人而丈夫饰者①,国人尽服之。公使吏禁之,曰:"女子而男子饰者,裂其衣,断其带。"裂衣断带相望而不止②。

晏子见,公问曰:"寡人使吏禁女子而男子饰③,裂断其衣带,相望而不止者,何也?"晏子对曰:"君使服之于内,而禁之于外,犹悬牛首于门,而卖马肉于内也④。公何以不使内勿服,则外莫敢为也。"公曰:"善。"

使内勿服,不逾月⑤,而国人莫之服⑥。

[注释]

①灵公:齐灵公,名环,公元前581年至前554年在位。谥"灵"。妇人而丈夫饰:妇女穿男子服装,作男子打扮。②相望:到处可见。③王念孙以为"饰"下当有"者"字,《说苑》有,可备一说。④此句比喻悬禁令于外,而行之于内,表里不一。⑤"不"字旧脱,从卢文弨说据《太平御览》补。⑥旧脱"人"字,从王念孙说据《太平御览》补。

[译文]

齐灵公喜欢让宫中的妇女穿男子衣服,作男人打扮,都城里的妇女争相仿效，也都穿起男子服装。灵公让官吏禁止都城的妇女这样做，下令说："凡是妇女穿男子服装的，就撕裂她的衣服，剪断她的腰带。"实行的结果是，被撕裂衣服剪断腰带的人到处可见，但是仍然制止不住这种风气。

晏子参见灵公，灵公问道："我让官吏禁止妇女穿男子的服装，（凡穿着者就）撕裂衣服剪断腰带，然而穿男子服装的妇女仍然随处可见，制止不住，这是为什么呢？"晏子回答说："您在官廷里让妇女穿男子的服装，在官外却禁止妇女穿，这就好比是在门外悬挂着牛头，在里面卖的却是马肉（法令只对外而不对内，是表里不一的做法）。您为什么不下令让官内妇女也不许穿男子服装呢？只要官内妇女没有人穿，那么都城的妇女也就没有人敢穿了。"灵公说："这主意好。"

（于是灵公）下令官内妇女不准穿男子服装，不出一个月，都城里的妇女果然没有人再穿男子服装了。

齐人好毂击晏子给以不祥而禁之第二

齐人甚好毂击①，相犯以为乐，禁之不止。晏子患之，乃为新车良马，出与人相犯也，曰："毂击者不祥，臣其祭祀不顺，居处不敬乎！"下车弃而去之②，然后国人乃不为。

故曰：禁之以制，而身不先行，民不能止。故化其心，莫若教也。

[注释]

①毂击：以车毂相撞击。是一种比赛游戏。毂，车轮中心的圆木，穿轴之件。②此句旧作"下车而弃去之"，依王念孙说据《太平御览》及《说苑》改。

[译文]

齐国人喜欢一种驾着马车互相撞击车毂的比赛游戏,把用车毂相撞击当成一种乐趣,国家虽然下令禁止这样做,但是却制止不住。(这种游戏既耗费钱财、浪费时光,又助长好斗之风)晏子对这种游戏的流行深感忧虑(欲设法制止),于是就准备好新车好马,出去与别人比赛撞击。他对大家说:"用车毂互相撞击的人是不吉利的,我以为大概是祭祀时没有顺从神的旨意,平时对神不恭敬吧!"说完后就下了车,把车子丢在那里独自离开了。从此以后,齐国人再不做撞击车毂的游戏了。

从这件事可以懂得一个道理:用制度法律禁止做某些事情,如果当官的不能身体力行,做出表率,人民是不会停止不做的。所以要想让人民改变思想认识,没有比用自己的实际行动去教育感化人民更好的办法了。

景公梦五丈夫称无辜晏子知其冤第三

景公畋于梧丘,夜犹早,公姑坐睡,而梦有五丈夫北面韦庐①,称无罪焉。公觉,召晏子而告其所梦。公曰:"我其尝杀不辜诛无罪邪②?"晏子对曰:"昔者先君灵公畋,五丈夫罟而骇兽③,故杀之,断其头而葬之④,命曰'五丈夫之丘⑤'。此其地邪?"

公令人掘而求之,则五头同穴而存焉。公曰:"嘻⑥!"令吏厚葬之⑦。

国人不知其梦也,曰:"君悯白骨,而况于生者乎!不遗余力矣,不释余知矣⑧。"故曰,君子之为善易矣。

内篇杂下第六 261

[注释]

①北面：面朝北。韦：通"违"，背。庐：墓舍。②此句张纯一据《太平御览》删"不辜诛"三字，作"我其尝杀无罪邪"，可备一说。③此句张纯一据《太平御览》删"罟而"二字，又据《文选》注增"有"字"来"字，作"有五丈夫来骇兽"，录以备考。④此句王念孙据《文选》注、《太平御览》改为"故并断其头而葬之"，录以备考。⑤丘：墓。⑥嘻：悲痛惊惧之声。⑦此句旧无"厚"字，从张纯一说据《文选》注补，于义为长。⑧知：通"智"。《说苑》作"智"。

[译文]

景公到梧丘地方打猎，天还没有太黑，景公暂且坐在那里打瞌睡，梦见有五个男子面向北背靠墓庐，口称自己没有罪。景公从梦中惊醒，召来晏子，把自己梦见的情景告诉他。景公说："我难道杀死过没有罪的人吗？"晏子回答说："我记得从前我们的先君灵公打猎的时候，有五个男子用网捕兽，把野兽吓跑了（灵公未打到野兽，大为恼怒），所以灵公下令杀死他们，把头砍下来葬在一起，命名为'五丈夫之墓'。大概就是这个地方吧。"

景公命人在这里挖掘寻找，果然发现五个人头在同一个墓穴里埋着呢。景公发出一声悲痛惊恐的叹息声，命令官吏用隆重的礼仪予以重新埋葬。

齐国人不知道景公是因为做了梦才这样做的，议论说："国君连死者的白骨都很怜悯，何况对于活着的人呢！他一定会使出全部力量，拿出全部智慧来（为民生着想）啊。"所以说，君子做好事是很容易的呀。

柏常骞禳枭死将为景公请寿晏子识其妄第四

景公为路寝之台，成，而不踊焉①。柏常骞曰："君为台甚急，台成，君何为而不踊焉？"公曰："然，有枭昔者鸣②，其声无不为也③，吾恶之甚，是以不踊焉。"柏常骞曰："臣请禳而去之④。"公曰："何具⑤？"对曰："筑新室，为置白茅焉⑥。"

公使为室，成，置白茅焉。柏常骞夜用事⑦。明日，问公曰："今昔闻枭声乎⑧？"公曰："一鸣而不复闻。"使人往视之，枭当陛，布翼⑨，伏地而死。

公曰："子之道若此其明也⑩，亦能益寡人之寿乎？"对曰："能。"公曰："能益几何？"对曰："天子九，诸侯七，大夫五。"公曰："子亦有征兆之见乎⑪？"对曰："得寿，地且动。"公喜，令百官趣具骞之所求。

柏常骞出，遭晏子于涂，拜马前，辞⑫，骞曰："为君禳枭而杀之⑬，君谓骞曰：'子之道若此其明也，亦能益寡人之寿乎⑭？'骞曰：'能。'今且大祭，为君请寿，故将往，以闻⑮。"晏子曰："嘻！亦善矣⑯，能为君请寿也！虽然，吾闻之，维以政与德而顺乎神为可以益寿，今徒祭⑰，可以益寿乎？然则福兆有见乎？"对曰："得寿，地将动。"晏子曰："骞，昔吾见维星绝，枢星散⑱，地其动，汝以是乎⑲？"柏常骞俯有间，仰而对曰："然。"晏子曰："为之无益，不为无损也。汝薄赋，毋费民，且无令君知之⑳。"

[注释]

①踊：登上。银雀山汉墓竹简文"踊"皆作"尚"，通"上"，与"踊"义同。②枭：通"鸮"，一种凶猛的鸟。昔者：夜间。③"其"字旧无，从卢文弨说据《说苑》补。其声无不为也：它的叫声要多难听有多难听。④禳（ráng）：祭祀祈祷以求免除灾祸。⑤何具：准备什么东西。具，备。⑥白茅：一种多年生草。古代常用以包裹祭祀用的礼品。"焉"字旧脱，从卢文弨说据《说苑》补。⑦用事：指祭祀祈祷鬼神之事。⑧枭：旧作"鸮"，同"枭"。从黄以周说据《说苑》改，皆用"枭"字。⑨翼：旧作"翌"，从孙星衍说据

内篇杂下第六　263

《说苑》改。⑩明：高明，引申为灵验。"也"字旧脱，从卢文弨说据《说苑》补。⑪见（xiàn）：现，出现。⑫辞：辞其拜。⑬"君禳"旧作"禳君"，从卢文弨说据《说苑》改。⑭"之"字旧脱，从张纯一说据上文补。⑮以闻：即"以之闻"，把这件事告诉你让你知道。⑯"矣"字旧脱，从卢文弨说据《说苑》补。⑰徒：只，单凭。⑱维星绝，枢星散：维指北斗星。绝、散，都是被云气所遮隐蔽不见的意思。古人认为这预示着将有地震发生。⑲以：凭借，根据。是：此，指"维星绝，枢星散"的天象。⑳此句俞樾谓当从《说苑》作"令君知之"，"无"字当删。

[译文]

景公让人修筑路寝台，台建成了，却不登上去。柏常骞问道："您让建台催得很紧，现在台建成了，您为什么还不登上去呢？"景公说："是的。有一只枭夜里在上面叫，它的叫声要多难听有多难听，我非常讨厌它，因此不登上去。"柏常骞说："请您允许我用祭祀祈祷的办法把它从台上赶走。"景公说："需要为你准备些什么东西呢？"柏常骞回答说："需要修建一所新房屋，在屋里放上白茅草。"

景公让人修建新房屋，建成后，屋里放上白茅草。柏常骞在夜里做了一番祭祀祈祷除灾避邪的法事。第二天，他问景公："夜间听到枭的叫声了吗？"景公说："只听见叫了一声，以后就再也听不到了。"景公派人去察看，只见一只枭鸟在通往路寝台的台阶上，两只翅膀耷拉着，趴在地上死了。

景公说："您的道术真是高明灵验啊，是否也能为我增加寿命？"柏常骞回答说："能。"景公问道："能增加几年寿命？"柏常骞回答说："天子能增加九年，诸侯能增加七年，大夫能增加五年。"景公又问："增加寿命您也能让显示出征兆（让人知道）吗？"柏常骞回答说："寿命得到增加，地将发生震动。"景公很高兴，命令官吏们赶快把柏常骞需要用的东西准备齐全。

柏常骞出去，在路上遇到晏子，在马前向晏子下拜，晏子止住他。柏常骞对晏子说:"我为君主禳枭,请神杀死了枭。君主对我说:'你的道术如此高明灵验,也能增加我的寿命吗?'我说:'能'。今天将要举行大型祭祀,为君主祈求增加寿命。所以我将到您那里,把这件事告诉您。"晏子听了说:"啊呀!你能为国君祈求增加寿命,这是大好事啊!虽然你说能为君主增寿,可是我听说过,只有让政治与道德都顺应神意的人,才可以增加寿命。现在你单凭着祭祀活动,就能为君主增寿吗?你既然这么说,得到增寿之福能显示什么征兆呢?"柏常骞回答说:"得到增寿之福,地将发生震动。"晏子说:"柏常骞,夜里我观察星象,看到北斗星和天枢星都被遮住了,(根据天象家的说法将要发生地震)你是因为观察到这一现象才说地将震动吧?"柏常骞先是低头不语,过了一会儿抬起头来承认道:"是的。"晏子说:"这样说来,(地震发生与祈祷增寿没有任何关系)你祈祷也不会增加寿命,不祈祷也不会减损寿命。你应该让君主减轻赋税,不要耗费百姓的财力,而且应当让君主知道本来就要发生地震(与你祈祷增寿是没有关系的)。"

景公成柏寝而师开言室夕晏子辨其所以然第五

景公新成柏寝之台,使师开鼓琴①,师开左抚宫②,右弹商,曰:"室夕③。"公曰:"何以知之?"师开对曰:"东方之声薄④,西方之声扬⑤。"公召大匠曰⑥:"室何为夕⑦?"大匠曰:"立室以宫矩为之⑧。"于是召司空曰⑨:"立宫何为夕?"司空曰:"立宫以城矩为之。"

明日,晏子朝公,公曰:"先君太公以营丘之封立城⑩,曷为夕?"晏子对曰:"古之立国者,南望南斗⑪,北戴枢星⑫,彼安有朝夕哉⑬!然而以今之夕者,周之建国⑭,国之西方⑮,以尊周也。"公蹴然曰:"古之臣乎⑯!"

[注释]

①师开:乐师名开。鼓琴:弹琴。②抚:此指弹按琴弦。古代音乐有五声:宫、商、角、徵(zhǐ)、羽。③夕:西。④声薄:声音微弱、偏低。⑤声扬:声音高亢、偏高。⑥大匠:工匠之长。⑦王念孙以为此句"室"上当有"立"字。⑧矩:规矩,法规。引申为规划。⑨司空:朝廷中掌管工程建筑的最高长官。⑩太公:吕尚,即太公望。营丘之封:周武王将太公望分封于营丘(今山东省昌乐县东南),建立齐国。封,此处为地域、范围之意。⑪南斗:星名,即斗宿,有六星。⑫枢星:即天枢,北斗七星之首,此处泛指北斗七星。戴:头上顶着。⑬朝夕:犹言东西。朝为东,夕为西。⑭周之建国:周王朝建立齐国。⑮国:指齐国的都城。方:向,朝向。⑯古之臣:古代的贤臣。

[译文]

景公新建成柏寝台,让乐师开弹琴(表示庆祝)。乐师开左边弹奏宫音,右边又弹奏商音,然后说:"宫室盖的位置偏向西方了。"景公说:"你怎么知道它偏西了?"乐师开回答说:"因为弹琴发现相当于东方的声音偏低,相当于西方的声音偏高。"景公召来工匠之长,问道:"宫室盖的位置为什么偏向西方?"工匠之长说:"修建宫室是按照宫殿区的整体规划进行的。"景公于是又召来主管工程建筑的最高长官司空,问道:"建筑宫室为什么要偏向西方?"司空回答说:"宫殿区的修建是按照都城的整体规划进行的。"(他们的回答都没有说明宫室建筑偏西的原因,景公的疑问没有得到解释。)

第二天,晏子朝见景公,景公又问晏子说:"我们的先君太公在周天子赐给他的营丘封地上建立都城,为什么要偏向西方?"晏子回答说:"古时候修建都城,南面要对着南斗的位置,北面要对准北斗七星的位置,怎么会有偏东偏西的情况呢!然而现在的都城所以偏向西方,是因为齐国是周朝分封的国家,齐国的都城位置偏向西方,是为了表示对周王朝的尊敬啊。"景公听后显出很敬佩的样子,说:"您真像古代的贤臣啊!"

景公病水梦与日斗晏子教占梦者以对第六

晏公病水①,卧十数日,夜梦与二日斗,不胜。晏子朝,公曰:"夕者梦与二日斗,而寡人不胜,我其死乎?"晏子对曰:"请召占梦者。"

出于闺②,使人以车迎占梦者。至,曰:"曷为见召?"晏子曰:"夜者公梦与二日斗③,不胜,恐必死也④。故请君占梦,是所为也。"占梦者曰:"请反其书⑤。"晏子曰:"毋反书。公所病者,阴也⑥;日者,阳也。一阴不胜二阳,公病将已⑦。以是对。"

占梦者入,公曰:"寡人梦与二日斗而不胜,寡人死乎?"占梦者对曰:"公之所病,阴也;日者,阳也。一阴不胜二阳,公病将已。"

居三日,公病大愈。公且赐占梦者,占梦者曰:"此非臣之力,晏子教臣也。"公召晏子,且赐之,晏子曰:"占梦者以臣之言对,故有益也;使臣言之,则不信矣。此占梦者之力也⑧,臣无功焉。"公两赐之,曰:"以晏子不夺人之功,以占梦者不蔽人之能。"

[注释]

①病水:《太平御览》作"水疾",是腹部积水的疾病。②闺:宫中的小门。此句《风俗通义》作"立于闺"。③此句旧作"公梦二日与公斗",从王念孙说据《风俗通义》改。④此句旧作"公曰寡人死乎",从张纯一说据《风俗通义》改。⑤反:翻,引申为查阅。书:指解梦之书。⑥阴:指阴气过盛的疾病。古人认为水属阴性,景公之病为水疾,所以这样说。⑦"公病"旧作

"故病"，从王念孙说据《太平御览》改。已：止，此指病愈。⑧"者"字旧脱，从张纯一说据《风俗通义》增。

[译文]

景公得了腹部积水的病，卧病在床十多天。一天夜里梦见他和两个太阳争斗，没有取胜。晏子朝见景公，景公说："夜里我梦见和两个太阳争斗，我没有打胜，我大概要死了吧？"晏子回答说："请把占梦者召来问一问。"

晏子从宫中小门出来，派人用车去接占梦的人。占梦的人来了，说："召见我有什么事？"晏子说："夜里君主梦见和两个太阳争斗，没有取胜，害怕自己一定要死了，所以请您来解梦，看看是吉是凶。这就是请您来的原因。"占梦者说："请让我查一查解梦的书（看看书上是怎么说的）。"晏子说："您不用查书了。（我告诉您）君主所得的病，是阴气过盛造成的，太阳代表着强盛的阳气。一股阴气敌不过两股阳气，君主的病就要好了。您就按照我说的话来回答。"

占梦的人进入寝宫，景公说："我梦见和两个太阳争斗而没有取胜，我是不是要死了？"占梦的人回答说："君主您所得的病，是阴气过盛造成的；太阳则代表强盛的阳气。一股阴气敌不过两股阳气，预示着君主的病就要好了。"

过了三天，景公的病果然痊愈了。景公要赏赐占梦的人，占梦的人说："这不是我的功劳，是晏子教我这样说的。"景公又召来晏子，要给他赏赐，晏子说："因为是占梦的人按照我的话回答您，所以您相信了，得到了好处；如果我对您说这样的话，您是不会相信的。所以这是占梦者的功劳，在这件事上我没有什么功劳可言。"最后景公对他们两个人都给予了赏赐，并解释说："这是因为晏子不抢夺别人的功劳，占梦的人不掩盖别人的才能。"

景公病疽晏子抚而对之乃知群臣之野第七

景公病疽在背①,高子、国子请公曰②:"职当抚疡③。"高子进而抚疡,公曰:"热乎?"曰:"热。""热何如?"曰:"如火。""其色何如?"曰:"如未熟李。""大小何如?"曰:"如豆④。""堕者何如⑤?"曰:"如屦辨⑥。"

二子者出,晏子请见。公曰:"寡人有病,不能胜衣冠以出见夫子⑦,夫子其辱视寡人乎?"晏子入,呼宰人具盥⑧,御者具巾⑨,刷手温之⑩,发席傅荐⑪,跪请抚疡。公曰:"其热何如?"曰:"如日。""其色何如?"曰:"如苍玉⑫。""大小何如?"曰:"如璧。""其堕者何如?"曰:"如珪⑬。"

晏子出,公曰:"吾不见君子,不知野人之拙也⑭。"

[注释]

①疽(jū):即痈疽,一种皮下组织的化脓性炎症。②此句"高子国子请公曰"当连读,与下文晏子"跪请抚疡"句式相类,含义亦相似。张纯一以为"请"下疑脱"于"字。③抚:轻轻地按摩。疡(yáng):疮,即痈疽。④豆:古代盛食物的器皿,形似高足盘。⑤堕:落下。引申为下陷。⑥屦辨:皮鞋破裂。辨,皮革裂开口子。⑦胜:禁得起,受得住。⑧宰人:此处指掌管君主生活起居的官吏。具:准备好。盥:此指浇水洗手的器具。古代贵族洗手,有人从上面往手上浇水,下面有盘(盆)承接洗手的水。⑨御者:此指侍者。⑩刷手温之:洗干净手并使手温暖。⑪发席:布下席子。发,展开,打开。傅荐:靠近景公的卧褥。傅,通"附",靠近。⑫苍:青色。⑬珪:同"圭",古代的玉器,长条形,上端作三角状,贵族用的礼器。⑭野:粗鲁,没有文采。

[译文]

景公背上长了痈疽,高子、国子去看望景公,说:"我们有责任给您按摩痈疽。"于是高子上前给景公轻轻地按摩背部红肿之处,景公问道:"疮伤处热吗?"高子说:"热啊。"景公问:"热得像什么?"高子说:"热得像火一样。"景公问:"疮的颜色像什么?"高子说:"像尚未成熟的李子。"景公问:"疮的大小像什么?"高子说:"像高足盘的上部那么大。"景公又问:"疮下陷的地方像什么?"高子说:"像鞋的皮子裂开了口子。"

两人离开以后,晏子来看望景公。景公让传话说:"我有病在身,不能穿戴好衣冠出去在正厅会见您,请先生您屈尊来卧室看望我好吗?"晏子走进卧室,呼唤宰人准备好浇水洗手的用具,侍者准备好手巾,晏子用热水洗净手并使手温暖,侍者在靠近景公褥垫的地方为晏子铺下席子,晏子跪在席子上请求给景公轻轻抚摩疮伤。景公问道:"疮热得像什么?"晏子说:"像太阳那样热。"景公问:"疮的颜色像什么?"晏子说:"像青色的玉。"景公问:"疮的大小像什么?"晏子说:"像玉璧。"景公问:"疮下陷的部位像什么?"晏子说:"像玉圭那样。"

晏子离开以后,景公说:"我如果不是见到君子(听了君子有文采的言谈),就不知道粗鲁之人的笨拙(谈吐多么粗俗)啊。"

晏子使吴吴王命傧者称天子晏子详惑第八

晏子使吴,吴王谓行人曰[①]:"吾闻晏婴,盖北方辩于辞、习于礼者也。命傧者曰[②]:'客见,则称天子请见。'"

明日,晏子有事[③],行人曰:"天子请见。"晏子蹴然。行人又曰:"天子请见。"晏子蹴然。又曰:"天子请见。"晏子蹴然者三,曰:"臣受命弊邑之君[④],将使于吴王之所,以不敏而迷惑,入于天子之朝。敢问吴王恶乎存[⑤]?"然后吴王曰:"夫差请见⑥。"见之以诸侯之礼⑦。

[注释]

①行人：掌管朝觐聘问的官员。②傧者：迎接宾客的官员。③有事：指有公事求见吴王。④弊邑：即敝邑，对自己国家的谦称。⑤恶乎：即"于何"。恶，何。存：在。⑥夫差：春秋末期吴国国君，吴王阖庐之子，公元前495年至前473年在位。⑦此句可作两种解释：一、晏子"以诸侯之礼"拜见吴王，强调不承认吴王是天子；二、吴王"以诸侯之礼"会见晏子，表示对晏子的尊敬。但按照晏子的一贯作风，似乎不会接受这种礼遇。

[译文]

晏子出使吴国，吴王对掌管朝觐聘问的官员说："我听说晏婴这个人是北方的一位擅长辞令、熟悉礼仪的人。你去告诉傧者：'客人求见时，就说天子请他进去会见。'"

第二天，晏子因公事求见吴王，行人说："天子请您进去会见。"晏子显出惊疑不安的样子（不说也不动）。行人又说："天子请您进去会见。"晏子仍然显出惊疑不安的样子。行人又一次说："天子请您进去会见。"晏子第三次显出惊疑不安的样子，说："我受我们国君的委派，是要出使到吴王所在的国家，我因为不聪明，迷失了道路，误入了天子的朝廷。我冒昧地问一句，吴王在什么地方呢？"（行人向吴王转达了晏子的话）然后吴王让行人传话说："夫差请您进去会见。"晏子按照觐见诸侯的礼节拜见了吴王。

晏子使楚楚为小门晏子称使狗国者入狗门第九

晏子使楚，楚人以晏子短①，为小门于大门之侧而延晏子②。晏子不入，曰："使狗国者从狗门入，今臣使楚，不当从此门入。"傧者更道，从大门入。

见楚王,王曰:"齐无人耶?使子为使③。"晏子对曰:"齐之临淄三百闾④,张袂成阴⑤,挥汗成雨,比肩继踵而在⑥,何为无人?"王曰:"然则子何为使乎⑦?"晏子对曰:"齐命使,各有所主⑧。其贤者使使贤主,不肖者使使不肖主。婴最不肖,故宜使楚矣⑨。"

[注释]

①"楚人"二字旧在"短"下,从苏舆说改。②延:引领。③"使子为使"四字旧脱,从孙星衍说据《太平御览》补。④"齐之"二字旧脱,从黄以周说据《太平御览》补。古代二十五家为一闾。⑤袂:衣服的袖子。⑥踵:脚后跟,此处泛指脚。⑦此句《说苑》作"然则何为使子"。⑧主:掌管,负责。⑨"宜"字旧作"直",从黄以周说据《太平御览》改。

[译文]

晏子出使楚国。楚国人因为晏子身材矮小,瞧不起他,在宫墙的大门旁边开了一个小门,领着晏子从小门进去。晏子拒绝从小门进去,说:"出使狗国的,才从狗门进去,现在我出使楚国,不应当从这样的门进去。"傧者只好改变路线,领着晏子从大门进去。

晏子拜见楚王,楚王说:"齐国难道没有人了吗?为什么竟派您作为使者。"晏子回答说:"我们齐国的都城临淄居住着近万户人家,人们袖子张开连在一起,就可以遮住太阳,把天变成阴天,把汗水挥洒起来就如同下雨一样,人们肩靠着肩,脚挨着脚,到处都有人在,怎么能说没有人呢?"楚王说:"既然是这样,那么为什么派您当了使臣?"晏子回答说:"我们齐国任命使臣,(根据各个人的条件)各有所应负担的使命。贤德的臣下,就派他们出使到贤德的君主那里去;不贤德的臣下,就派他们出使到不贤德的君主那里去。(在齐国的朝廷中)我是最不贤德的臣下,所以只适合出使楚国了。"

楚王欲辱晏子指盗者为齐人晏子对以橘第十

晏子将使楚①,楚王闻之②,谓左右曰:"晏婴,齐之习辞者也。今方来,吾欲辱之,何以也?"左右对曰:"为其来也③,臣请缚一人过王而行,王曰:'何为者也?'对曰:'齐人也。'王曰:'何坐④?'曰:'坐盗。'"

晏子至,楚王赐晏子酒,酒酣,吏二缚一人诣王。王曰:"缚者曷为者也?"对曰:"齐人也,坐盗。"王视晏子曰:"齐人固善盗乎?"晏子避席对曰:"婴闻之,橘生淮南则为橘,生于淮北则为枳⑤,叶徒相似,其实味不同⑥。所以然者何?水土异也。今民生长于齐不盗,入楚则盗,得无楚之水土使民善盗耶?"王笑曰:"圣人非所与熙也⑦,寡人反取病焉⑧。"

[注释]

①"使"字旧脱,从王念孙说补。②"王"字旧脱,从王念孙说补。③为:于。④坐:指犯罪的原因。⑤枳(zhǐ):也叫"枳橘",常绿小乔木,树上有长刺,果实橙黄色,味酸,具有柑橘类的特殊香味。枳和橘是两种不同的果树,晏子的说法并不科学。⑥实:指果实。⑦熙:通"嬉",游戏,玩耍。引申为戏弄、开玩笑。⑧病:害,辱。

[译文]

晏子将要出使楚国,楚王听到这一消息后,对他身边的大臣们说:"晏婴是齐国善于辞令的人,现在将要来我国,我想羞辱他一番,该用什么办法呢?"身边的大臣回答说:"等他来到后,请让我捆绑着一个人从您面前经过,您就说:'这是个干什么的人?'我回答说:'是个齐国人。'您问:'他犯了什么罪?'我回答说:'犯了偷盗罪。'"

晏子到了楚国，楚王设宴款待晏子，赐他喝酒，喝酒喝得正高兴的时候，两个官吏押着一个被捆绑的人来见楚王。楚王问道："捆着的那个人是干什么的？"官吏回答说："是一个齐国人，犯了偷盗罪。"楚王回过头来看着晏子说："齐国人本来就善于偷盗吗？"晏子离开坐席回答说："我听说，橘树生长在淮河以南就是橘树（结的橘子），生长在淮河以北就变成枳树（结的是枳子），这两种树只是枝叶相似，它们所结果实的味道却大不一样。为什么会这样呢？因为淮南淮北的水土不一样。现在人生长在齐国不偷盗，可是一来到楚国就学会了偷盗，莫非是楚国的水土使人变得善于偷盗吗？"楚王笑着说："有大智慧的人是不能戏弄他的，我反而遭到了羞辱。"

楚王飨晏子进橘置削晏子不剖而食第十一

景公使晏子于楚。楚王进橘，置削①。晏子不剖而并食之。楚王曰："橘当去剖②。"晏子对曰："臣闻之，赐人主前者③，瓜桃不削，橘柚不剖。今者万乘之主无教令④，臣故不敢剖。不然，臣非不知也。"

[注释]

①削（xuē）：长刃有柄的小刀。②剖：分，破开，此处指剥皮。③赐人主前者：在君主面前接受赏赐的。④"之主"二字旧脱，从张纯一说补。

[译文]

景公派晏子出使楚国。楚王让人给晏子送上橘子，还放了一把削橘子皮的小刀。晏子没有削橘子皮，连皮一起吃了。楚王对他说："吃橘子应当剥去皮。"晏子回答说："我听说，在君主面前接受了赏赐的食物，瓜和桃子不可削皮，橘子、柚子不可剥皮。现在您作为大国的君主没有命令我剥皮，所以我不敢剥皮。如果不是有这个规矩，我并非不知道吃橘子是要剥皮的呀。"

晏子布衣栈车而朝陈桓子侍景公饮酒请浮之第十二

景公饮酒，田桓子侍①，望见晏子而复于公曰："请浮晏子②。"公曰："何故也？"无宇对曰："晏子衣缁布之衣③，麋鹿之裘，栈轸之车④，而驾驽马以朝，是隐君之赐也。"公曰："诺。"

晏子坐，酌者奉觞进之⑤，曰："君命浮子。"晏子曰："何故也？"田桓子曰："君赐之卿位以显其身⑥，宠之百万以富其家。群臣之爵莫尊于子，禄莫重于子。今子衣缁布之衣，麋鹿之裘，栈轸之车，而驾驽马以朝，则是隐君之赐也⑦。故浮子。"

晏子避席曰："请饮而后辞乎，其辞而后饮乎⑧？"公曰："辞然后饮。"晏子曰："君赐之卿位以显其身⑨，婴非敢为显受也，为行君令也；宠之百万以富其家⑩，婴非敢为富受也，为通君赐也⑪。臣闻古之贤君⑫，臣有受厚赐⑬，而不顾其困族，则过之⑭；临事守职，不胜其任，则过之。君之内隶⑮，臣之父兄，若有离散，在于野鄙⑯，此臣之罪也；君之外隶，臣之所职⑰，若有播亡⑱，在于四方，此臣之罪也；兵革之不完，战车之不修，此臣之罪也。若夫弊车驽马以朝，意者非臣之罪乎！且臣以君之赐，父之党无不乘车者⑲，母之党无不足于衣食者，妻之党无冻馁者，国之闲士待臣而后举火⑳者数百家。如此者，为彰君赐乎？为隐君赐乎？"

公曰:"善!为我浮无宇也!"

[注释]

①田桓子:又称陈桓子,名无宇,谥桓子。②浮:罚。专用为罚饮酒之称。③缁:黑色。④栈轸之车:用竹木做成的简陋的车子。栈,指用竹木做成的车子;轸,本指车厢底部四周的横木,亦为车的代称。⑤觞:古饮酒器。⑥"显"旧作"尊",从孙星衍说据《说苑》改。⑦"则是"旧作"是则",从孙星衍说据《说苑》改。⑧其:抑,或者,还是。⑨"赐之"旧作"之赐",从卢文弨、王念孙说据《说苑》改。"显"旧作"尊",从卢文弨说据《说苑》改。⑩"宠之百万"旧作"宠以百万",从卢文弨、王念孙说据《说苑》改。⑪通:达,遍。⑫此句旧作"臣闻古之贤君",孙星衍据《说苑》改"君"为"臣",卢文弨以为旧本"君"字不误,"君"下当补一"臣"字。今从卢说。⑬"臣"字旧脱,从卢文弨说据《说苑》补。⑭过:过失,引申为责备。⑮内隶:宫内的臣属。⑯野:郊外。鄙:边远的地方。此处"野鄙"泛指都城以外的乡野地域。⑰职:主,掌管。⑱播:迁徙,流亡。亡:逃跑。⑲党:亲族。⑳举火:烧火做饭,维持生活。

[译文]

景公饮酒娱乐,田桓子在旁边侍候陪饮,他看见晏子从远处乘车而来,向景公禀告说:"(晏子来了)请您罚晏子喝酒。"景公问道:"为什么要罚他?"田无宇回答说:"您看晏子穿着黑布做的衣服、麋鹿皮做的皮袄,乘坐着用竹木做成的简陋的车子,用劣等马驾着车子来朝见,这分明是把您对他的赏赐隐瞒起来,不让别人知道君主对他的恩德,所以应该罚他。"景公说:"好吧。"

晏子入座后,斟酒的侍者捧着一杯酒送给晏子,说:"君主命令罚您喝酒。"晏子问道:"这是为什么呢?"田桓子说:"君主赐给您卿一级的爵位让您地位显赫,赠给您上百万的俸禄让您家族富有。群臣的爵位没有比您更高的了,俸禄没有比您更多的了。现在您却穿着黑布衣服、麋鹿皮做的皮袄,坐着竹木做的简陋车子,驾着劣等马来朝见,这分明是隐瞒君主对您的丰厚赏赐(隐瞒君主对您的恩惠）啊。所以该罚您喝酒。"

晏子离开坐席对景公说:"请问我是先喝了酒再回答呢,还是回答之后再喝酒呢?"景公说:"你还是先回答然后再喝酒吧。"晏子说:"君主赐给我卿一级的爵位,让我地位显贵,但是我不敢仅仅为了自己的显赫而接受,而是为了便于推行君主的政令;君主赐给我百万俸禄让我家族富有,但是我不敢仅仅为了自己富有而接受,而是为了把君主的赏赐布施给其他人。我听说古代的贤德君主,如果臣下受到君主丰厚的赏赐却不照顾自己家族中的贫困成员,就责罚他;如果承担了爵位,在掌管职务处理政事时却不能胜任,就责罚他。君主宫内的官吏,我的父辈和兄弟辈分的亲属,如果有因贫穷而流离失散处于乡野之地的,这是我的罪过;君主宫廷以外的官吏,属于我管辖的,如果有擅离职守逃散到四面八方的,这是我的罪过;如果兵器盔甲没有准备充足,战车没有修理好,这是我的罪过。至于我坐着简陋的车子,驾着劣等的马来朝见,我认为这并不构成罪过呀。况且,我正是用了君主赐予的厚禄,使我父亲家族的人没有不坐车子的,母亲家族的人没有不衣食丰足的,妻子家族的人没有受冻挨饿的,国内没有职务的士等着我的俸禄来维持生活的有几百家。我这样做,是彰显君主赏赐的恩德呢,还是掩盖君主赏赐的恩德呢?"

景公说:"回答得很好!给我罚无宇喝酒!"

田无宇请求四方之学士晏子谓君子难得第十三

田桓子见晏子独立于墙阴,曰:"子何为独立而不忧?何不求四方之学士可者而与坐①?"

晏子曰:"共立似君子,出言而非也。婴恶得学士之可者而与之坐？且君子之难得也，若美山然②。名山既多矣，松柏既茂矣，望之相相然③，尽目力不知厌④，而世有所美焉，固欲登彼相相之上，仡仡然不知厌⑤。小人者与此异，若部娄之未登⑥，善，登之无蹊⑦，维有楚棘而已⑧；远望无见也，俛就则伤要⑨。婴恶能无独立焉？且人何忧？静处远虑，见岁若月⑩，学问不厌，不知老之将至，安用从酒⑪？"

田桓子曰："何谓从酒？"

晏子曰："无客而饮，谓之从酒。今若子者，昼夜守尊⑫，谓之从酒也。"

[注释]

①"方"旧作"乡"，从黄以周说据目录与标题改。②"美山"孙星衍谓当依《艺文类聚》改为"华山"，指西岳华山。其实"华"与"美"同义，非指西岳华山。③相相：山高峻的样子。④"尽目力不知厌"《艺文类聚》引作"尽日不知厌"，录以备考。⑤仡仡（yì yì）：勇壮的样子。⑥部娄：又作"附娄"，小土山。⑦蹊：山路。⑧楚：荆。⑨俛：通"俯"。要：通"腰"。⑩见岁若月：度年如月，形容时光过得快。⑪从：同"纵"，放纵，不约束。⑫尊：同"樽"，酒杯。

[译文]

田桓子看到晏子独自一个人站在墙的背阴处乘凉，便问道："您为什么独自站在那里却不觉得寂寞忧愁呢？为什么不寻求四方学士中有品行学问的人与他们一起坐而论道呢？"

晏子说："人们站在一起，看上去像是君子，等说出话来却不是了，我从哪里能找到学士中优秀的人与他们一起坐而议论呢？再说君子难以求得，就像那华美的山一样。有名气的山很多，山上松柏茂盛，远处望去山势雄伟，放眼瞭望也不会厌倦。因而世人都赞美它，都希望登到高峻的山顶上，奋力攀登而不知疲倦。小人则与此相反，就像小土山一样，没有攀登的时候，还认为它不错，攀登的时候却找不到路径，只见到处长满荆棘罢了。抬头远望看不见有秀丽的高峰，俯下身去荆棘就会刺伤身体。（既然君子难得）我怎么能不独自站着呢？况且人有什么可忧虑的？一个人安静地在那里深思远虑，就会觉得一年的时光就像一个月那样很快就过去了，只要勤学好问，从不满足，连自己快要步入老年都忘记了，哪里还用得着纵情喝酒呢？"

田桓子问："什么叫纵情喝酒？"

晏子说："没有客人而独自喝酒，叫做纵情喝酒。现在像您这样，白天黑夜都守着酒杯，就叫做纵情喝酒。"

田无宇胜栾氏高氏欲分其家晏子使致之公第十四

栾氏、高氏欲逐田氏、鲍氏[①]，田氏、鲍氏先知而遂攻之。高彊曰："先得君，田、鲍安往？"遂攻虎门[②]。二家召晏子，晏子无所从也。从者曰："何为不助田、鲍？"晏子曰："何善焉，其助之也？""何为不助栾、高？"曰："庸愈于彼乎[③]？"

门开，公召而入。栾、高不胜而出[④]，田桓子欲分其家，以告晏子，晏子曰："不可。君不能饬法[⑤]，而群臣专制，乱之本也。今又欲分其家，利其货，是非制也[⑥]。子必致之公。且婴闻之，廉者，政之本也；让者，德之主也。栾、高不让，以至此祸，可毋慎乎？廉之谓公正，让之谓保德。凡有血气者，皆有争心。怨利生孽[⑦]，维义可以为长存。且分争者不胜其祸，辞让者不失其福。子必勿取！"桓子曰："善。"尽致之公，而请老于剧[⑧]。

[注释]

①栾氏：指栾施，字子旗。高氏：指高彊，字子良。田氏：指田无宇，谥"桓子"。鲍氏：指鲍国，谥"文子"。②虎门：宫门名。《左传》作"公门"。③庸：何。愈：超过，胜过。④出：逃亡国外。⑤饬：整顿，整治。⑥非制：不合法制。⑦怨：通"蕴"，积蓄。孽：灾害。⑧剧：地名，故城在今山东省寿光市南。《左传》作"请老于剧"。

[译文]

（公元前531年齐国贵族之间发生内乱）栾氏、高氏谋划要驱逐田氏和鲍氏，田氏、鲍氏事先得到消息，于是先发制人，攻打栾氏、高氏。高彊说："如果我们先把君主控制起来，田氏、鲍氏还能逃往哪里去？"于是就去攻打（君主居住的宫殿区的）虎门。双方都召唤晏子支持他们，晏子则哪一方都不支持。晏子的随从说："为什么不去帮助田氏、鲍氏？"晏子说："他们有什么好处，值得我们去帮助？"随从又说："为什么不去帮助栾氏、高氏？"晏子说："这两个人有什么地方比那两个人好呢？"

宫门打开，国君把晏子召进去。（双方展开激战）栾氏、高氏一方接连败北，因而逃亡国外。田桓子想分掉栾氏、高氏的家产，把这个打算告诉了晏子，晏子告诫说："不可以这样做。君主因为不能整顿朝纲，导致大臣专权，这是国家产生混乱的根本原因。现在你们又想瓜分他们的家产，贪图他们的钱财，这是违反法制的行为。您一定要把他们的家产交给君主。而且我听说过，廉洁是政治的根本，谦让是道德的核心。栾氏、高氏因为不能谦让，因而遭到这样的灾祸，您难道可以不慎重行事吗？廉洁指的是做事要公正无私，谦让指的是要保持住好的品德（不贪图别人的钱财）。凡是有血气的人，都有争夺利益之心。钱财积聚多了就会生出灾祸，只有按照道义行事，才可以使自身和家族长保平安。况且，分财争权的人经受不起由此招来的祸患，谦虚辞让的人不会因此而失去应有的好处。您一定不要拿他们的财产!"桓子说:"您说得好。"于是他把栾氏、高氏两家的财产全部上交给国君,他则请求辞官到剧邑养老。

子尾疑晏子不受庆氏之邑晏子谓足欲则亡第十五

庆氏亡①,分其邑,与晏子邶殿,其鄙六十②,晏子勿受。子尾曰:"富者,人之所欲也,何独弗欲?"

晏子对曰:"庆氏之邑足欲,故亡。吾邑不足欲也,益之以邶殿,乃足欲;足欲,亡无日矣。在外③,不得宰吾一邑④。不受邶殿,非恶富也,恐失富也。且夫富,如布帛之有幅焉⑤,为之制度⑥,使无迁也⑦。夫民生厚而用利⑧,于是乎正德以幅之⑨,使无黜慢⑩,谓之幅利。利过则为败,吾不敢贪多,所谓幅也。"

[注释]

①庆氏亡:庆封逃亡国外。孙星衍以为《问上第二》未云"及庆氏亡",下脱,疑当于此章衔接。②邶殿:地名,齐别都。鄙:边鄙,指邶殿周围的地域。邑:此处泛指小城市。③在外:如果逃亡在外。④宰:主宰,掌管,拥有。⑤幅:布帛的宽度。⑥制度:指布帛有固定的宽度,引申为限制的意思。⑦无迁:不得随意改变。⑧"民"字旧脱,从孙星衍说据《左传》补。⑨幅:此处为"限制"、"规范"之义。⑩黜慢:放任轻慢。

[译文]

(公元前544年)庆封逃亡国外(逃到吴国),国君(景公)把他的食邑分给大臣们,分给晏子邶殿周边的六十个邑,晏子推辞而不接受。子尾问他:"财富,是人们都想得到的,为什么只有您不想要?"

晏子回答说："庆封的食邑多，能满足他的欲望，（他得意忘形，不知收敛，终于招致灾祸）所以他逃亡国外了。我的食邑少，不能满足我的欲望，如果把邶殿地方的城邑增加给我，我的欲望就可以得到满足；欲望满足了，离逃亡国外的日子就不远了。如果逃亡到国外，我连一个食邑都不能掌管了。我不接受邶殿的六十邑，并不是因为厌恶财富，而是害怕失去（现有的）财富啊。况且富有就如同布帛都有一定的宽度一样，为它设定一个幅度加以限制，是为了让人们遵循统一的标准而不得随意改变它。人们生来就喜欢财富丰厚，生活满足欲望，于是就要设立正确的道德标准去约束人们的行为，使人们的行为不要放纵轻慢，这就叫做限制利益原则。追求利益超过了道德的规范，就会遭受祸害而败亡。所以我不贪求多得利益，这就是我所说的利益限制原则啊。"

景公禄晏子平阴与槀邑晏子愿行三言以辞第十六

景公禄晏子以平阴与槀邑①，反市者十一社②，晏子辞曰："吾君好治宫室，民之力弊矣③；又好盘游玩好④，以饬女子⑤，民之财竭矣；又好兴师⑥，民之死近矣。弊其力，竭其财，近其死，下之疾其上甚矣！此婴之所为不敢受也。"

公曰："是则可矣。虽然，君子独不欲富与贵乎⑦？"晏子曰："婴闻为人臣者，先君后身，安国而度家⑧，宗君而处身，曷为独不欲富与贵也？"

公曰："然则曷以禄夫子？"晏子对曰："君商渔盐⑨，关市讥而不征⑩；耕者十取一焉⑪；弛刑罚⑫，若死者刑，若刑者罚，若罚者免。若此三言者，婴之禄，君之利也。"公曰："此三言者，寡人无事焉⑬，请以从夫子。"

公既行若三言⑭，使人问大国，大国之君曰："齐安矣。"使人问小国，小国之君曰："齐不我加矣⑮。"

[注释]

①禄：用作动词，当"赏赐"讲，赐给俸禄。平阴、槀邑都是齐邑名。孙星衍以为"槀"当为"棠"字之误，棠即莱邑。②反市：即贩市，做买卖。反，通"贩"。③弊：疲。④盘：游乐。⑤饬：同"饰"，装饰，打扮。⑥兴师：用兵打仗。⑦君子：张纯一以为当作"吾子"或"夫子"，录以备考。⑧度：同"宅"，居。⑨商：用作使动词，使……贩卖。⑩讥：查问，检查。征：征税。⑪十取一焉：将收入的十分之一征为税收。⑫弛：放松，放宽。⑬无事焉：指没有意见，没有障碍。⑭若：此。⑮加：欺凌，侵犯。

[译文]

景公把平阴和槀邑以及做买卖的近三百户人家作为食邑俸禄赐给晏子。晏子辞谢说："我们君主喜欢修建宫室，百姓都身心疲惫了；又喜欢外出游玩寻乐，把宫中妇女装扮漂亮，百姓的钱财都被耗尽了；还喜欢用兵打仗，百姓离死亡很近了。把他们搞得身心疲惫，把他们的钱财耗尽，把他们推向死亡之路，下面的百姓对上面的当政者已经非常痛恨了！这就是我不敢接受您赏赐的原因。"

景公说："您说的这些是有道理的。虽然如此，先生您难道就不愿意富贵吗？"晏子说："我听说当臣下的，应当把君主的事（国家的安危）放在前面，把自己的事（求得富贵）放在后面。国家安定了，自己的家才能安定；君主尊贵了，自己才能安身。谁说只有我不想得到富贵呢？"

景公说："既然这样，我该用什么作为赏赐先生您的俸禄呢？"晏子回答说："请您让打鱼晒盐的人可以到市场上出卖他们的产品，关卡和市场都只作检查而不征税。对种田的农民实行按其收成的十分之一征税的制度。放宽刑罚的尺度，如果该处死刑的，改为处以肉刑；如果该处肉刑的，就改处罚金；如果该处罚金的，就免于处罚。以上这三点意见若能采纳，就是给我的俸禄，也是您的利益所在啊。"景公说："这三点建议，我没有意见，我愿意按照先生您的意见去做。"

景公依照晏子的三点建议实行以后，派人去了解大国的反应，大国的君主说："齐国安定了。"又派人去了解小国的反应，小国的君主说："齐国不会欺凌侵犯我们了。"

梁丘据言晏子食肉不足景公割地将封晏子辞第十七

晏子相齐三年，政平民说。梁丘据见晏子中食①，而肉不足，以告景公。旦日②，割地将封晏子③，晏子辞不受，曰："富而不骄者，未尝闻之；贫而不恨者④，婴是也。所以贫而不恨者，以若为师也⑤。今封，易婴之师，师已轻，封已重矣，请辞。"

[注释]

①中食：中等水平的饭食。②旦日：明日，第二天。③此句王念孙以为当作"封晏子以都昌"。但标题作"割地将封"，似以不改为妥。④恨：悔恨，遗憾。⑤若：此，指代上文所说的"贫"。

[译文]

晏子担任齐国相的职务，经过三年治理，政治安定，人民欢乐。梁丘据看到晏子的饭食很一般，肉食不足，便把这一情况报告了景公。第二天，景公划出一片土地要赐给晏子作食邑，晏子辞谢不肯接受，对景公说："富有以后能不骄奢淫逸的，我还没有听说过；贫穷而没有怨恨之心的（虽然少见），但我就是这样的人。我所以贫穷而不怨恨，是因为把贫穷（生活俭朴）作为自己生活的原则。现在如果我接受了君主的封赐，就改变了我以节俭为师的生活原则，这样我就把节俭的原则看得很轻，而把受封土地看得很重了（从而违背了我做人的原则）。所以请允许我谢绝您的赏赐。"

景公以晏子食不足致千金而晏子固不受第十八

晏子方食，景公使使者至。分食食之①，使者不饱，晏子亦不饱。

使者反，言之公。公曰："嘻！晏子之家，若是其贫也！寡人不知，是寡人之过也。"使吏致千金与市租②，请以奉宾客，晏子辞。三致之，终再拜而辞曰："婴之家不贫。以君之赐，泽覆三族③，延及交游④，以振百姓⑤，君之赐也厚矣，婴之家不贫也。婴闻之，夫厚取之君而施之民，是臣代君君民也⑥，忠臣不为也；厚取之君而不施于民，是为筐箧之藏也⑦，仁人不为也；进取于君，退得罪于士，身死而财迁于它人，是为宰藏也⑧，智者不为也。夫十总之布⑨，一豆之食⑩，足于中，免矣⑪。"

景公谓晏子曰："昔吾先君桓公，以书社五百封管仲⑫，不辞而受。子辞之，何也？"晏子曰："婴闻之，圣人千虑，必有一失；愚人千虑，必有一得。意者管仲之失，而婴之得者耶！故再拜而不敢受命。"

[注释]

①食（sì）之：给他吃。食，通"饲"，给人吃。②市租：市场上征收的商业税。③泽：恩泽。覆：遮盖。三族：指父族、母族、妻族。④延：延伸，扩大。⑤振：通"赈"，救济。⑥君民：给人民当君主。⑦箧：箱子。⑧宰：此指卿大夫家中的总管。⑨总：通"稯"、"緵"。古代布帛在二尺二寸

宽的幅度内以八十根经线为一缌。十总之布,即在二尺二寸宽的幅度内仅有八百缕经线,是一种粗布。⑩豆:古代盛食物的器皿。⑪免:指免于冻饿。⑫书社:用册籍登记社内居民的名字和状况的社,称为书社。书,书写,登记。

[译文]

晏子正在吃饭的时候,景公派的使者来到家中。晏子便把饭分给使者吃,结果使者没有吃饱,晏子也没有吃饱。

使者回去后,把吃饭的情况告诉景公。景公说:"哎呀!晏子的家竟然如此贫困啊!我不了解情况,是我的过错呀。"就派官吏给晏子送去千金,还有市场上征收的商税,让他用这些钱作为奉养宾客的费用,但被晏子辞谢不受。景公三次派使者送去,都被晏子谢绝了,他说:"我的家并不贫困。靠了君主的赏赐,我的父族、母族、妻族都受到恩惠,而且惠及我交往的朋友,还用来救济贫穷的百姓,君主对我的赏赐非常优厚了,我的家并不贫困啊。我听说过这样的道理,如果从君主那里得到丰厚的赏赐,都施舍给百姓,这是臣下取代君主给百姓当君主,忠臣是不会这样做的;如果从君主那里得到丰厚的赏赐而不施舍给百姓,这是把钱财藏在箱柜之内(守财奴)的做法,仁德的人是不会这样做的;如果在朝廷中从君主那里获取了很多钱财,回到家里却不分给士,因而得罪了士,自己死后财产转移到别人手中,这是为家臣收藏钱财的做法,聪明的人是不会这样做的。我能穿上粗布做的衣服,每顿饭都有一碗饭吃,就感到满足了,就可以免于受冻挨饿了。"

景公对晏子说:"从前我们的先君桓公,把五百社的人口和土地赏赐给管仲,管仲没有推辞而是接受了,而您却推辞赏赐,这是为什么呢?"晏子回答说:"我听说过这样的话,智者千虑,必有一失;愚者千虑,必有一得。我认为管仲的做法是(智者的)千虑之失,而我的做法算是(愚者的)千虑之得吧!所以我多次拜谢您的恩赐而不敢接受呀。"

景公以晏子衣食弊薄使田无宇
致封邑晏子辞第十九

晏子相齐，衣十升之布①，食脱粟之食②，五卵③，苔菜而已④。左右以告公，公为之封邑，使田无宇致台与无盐。

晏子对曰："昔吾先君太公受之营丘，为地五百里，为世国长⑤。自太公至于公之身，有数十公矣⑥。苟能说其君以取邑，不至公之身，趣齐搏以求升土⑦，不得容足而寓焉⑧。婴闻之，臣有德，益禄；无德，退禄。恶有不肖父为不肖子为封邑，以败其君之政者乎？"遂不受。

[注释]

①十升之布：即前文所言"十总之布"。升，义同"缕"，古代布八十缕为升。②前"食"字旧脱，从王念孙说补。脱粟：谷物去掉皮。③卵：禽蛋。④苔菜：泛指一般蔬菜。⑤为世国长：当诸侯之长。世国，指君位世代继承的诸侯国。⑥"数十公"之说不确。吴则虞以为"数十"当为"十数"之误。⑦趣：同"趋"，赶往，奔向。搏：求得，获取。或释为炫耀技艺。升土：指土地。⑧容足：立足。寓：寄托，居住。

[译文]

晏子身为齐国的相，穿的是粗布衣服，吃的是普通饮食，还吃些禽蛋和一般蔬菜。大臣们把这一情况告诉了景公，景公要赐给晏子封邑，派田无宇将台与无盐送给他做食邑。

晏子回答说："从前我们的先君太公受封于营丘，只有五百里见方的土地，却当上了诸侯之长。从太公传到您，已有十几位君主了。如果臣下都能通过取悦君主而获得封邑，（那么齐国的土地早已被大臣们分割完了）等不到传位到您这里，那些投奔齐国而来博取君主欢心而求得封地的人，早已经多得无立足之地以托身了。我听说，臣下有德行，就增加他的俸禄；无德行，就让他们退回俸禄。哪里有不贤德的父亲为其不贤德的儿子谋求封邑，而败坏了君主的为政原则的？"晏子终于没有接受封邑。

田桓子疑晏子何以辞邑晏子答以君子之事也第二十

景公赐晏子邑，晏子辞。田桓子谓晏子曰："君欢然与子邑，必不受以恨君①，何也？"晏子对曰："婴闻之，节受于上者②，宠长于君③；俭居于处者④，名广于外。夫长宠广名，君子之事也，婴独庸能已乎⑤？"

[注释]

①恨：通"很"，违背。②节：节制。③宠：爱。长：增加。④"于"字旧脱，依张纯一说据上文例增。处：常。⑤庸：何。已：止，不做。

[译文]

景公赐给晏子食邑，晏子辞谢不受。田桓子对晏子说："君主很高兴地给您食邑，您坚持不接受，辜负了君主的一片好心，这是为什么呢？"晏子回答说："我听说过这样的道理，从君主那里接受赏赐能有所节制的人，才会得到君主更多的宠爱；能长期坚持生活俭朴的人，好名声才能传播于世。受宠于君，扬名于世，乃是君子所做的事情，我怎么能不这样做呢？"

景公欲更晏子宅晏子辞以近市得所求讽公省刑第二十一

景公欲更晏子之宅，曰："子之宅近市，湫隘嚣尘①，不可以居,请更诸爽垲者②。"晏子辞曰:"君之先臣容焉③,臣不足以嗣之④,于臣侈矣。且小人近市,朝夕得所求,小人之利也,敢烦里旅⑤?"公笑曰:"子近市,识贵贱乎?"对曰:"既窃利之,敢不识乎?"公曰:"何贵何贱?"是时也,公繁于刑,有鬻踊者,故对曰:"踊贵而屦贱。"公愀然改容⑥。公为是省于刑。

君子曰:"仁人之言,其利博哉!晏子一言,而齐侯省刑。《诗》曰:'君子如祉,乱庶遄已⑦。'其是之谓乎!"

[注释]

①湫(jiǎo)隘:低湿狭小。嚣尘:声音嘈杂,尘土飞扬。②爽:明亮。垲(kǎi):地势高而土干燥。③君之先臣:指晏子的先辈。因他们都是朝廷之臣,故称"君之先臣"。④嗣:继承。⑤里旅:乡里的众人。旅,众。或释为掌管乡里事务的官员。⑥愀(qiǎo)然:脸色悲伤的样子。⑦所引诗句见《诗经·小雅·巧言》。祉:福。庶:大概。遄(chuán):快。已:止。

[译文]

景公想为晏子更换住宅,对晏子说:"您的住宅靠近市场,所处地势低下潮湿,房屋庭院也很狭窄,人声嘈杂,尘土飞扬,不适合您居住,希望给您换一处明亮干燥的住宅。"晏子辞谢说:"这住宅是我的祖上居住的地方,我不能继承和发扬先辈的功业,住在这里已经够奢侈了。而且我的住宅离市场很近,从早到晚都能从市场中买到我所需要的东西,对我的生活十分方便,我岂敢麻烦大家为我迁居呢?"景公笑着说:"您靠近市场,知道什么东西贵什么东西贱吗?"晏子回答说:"既然我把靠近市场当成有利的事,怎么能不知道东西的贵贱呢?"景公问道:"什么贵什么贱呢?"当时因为景公实行的刑罚繁多而严酷(许多人受到刖刑被砍掉了脚),市场上有卖假脚的,所以晏子回答说:"假脚贵,鞋子贱。"景公听了这话,脸上显出悲伤的样子,因此实行减省严刑酷法的政策。

君子评论说:"仁德之人说的话,能使广大民众得到好处!晏子一句话，齐侯就减了刑罚。《诗经》中说：'君子做了为人造福的事情，就能够很快制止祸乱的发生。'大概说的就是像晏子这样的事情吧！"

景公毁晏子邻以益其宅晏子因陈桓子以辞第二十二

晏子使鲁，景公为毁其邻，以益其宅。晏子反，闻之，待于郊，使人复于公曰："臣之贪顽而好大室也，乃通于君①，故君大其居，臣之罪大矣。"公曰："夫子之乡恶而居小，故为夫子为之，欲夫子居之，以慊寡人也②。"晏子对曰："先人有言曰：'毋卜其居，而卜其邻舍。'今得意于君者，慊其居则无卜，已没氏之先人卜与臣邻③，吉。臣可以废没氏之卜乎？夫大居而逆邻归之心，臣不愿也。请辞。卒复其旧宅。"公弗许。因陈桓子以请，乃许之④。

[注释]

①通：达，上达。②慊（qiè）：满意，满足。③已没氏之先人：已经去世的先人。卜：占卜，选择。④孙星衍、卢文弨以为，今本从"晏子使鲁"至"乃许之"，皆与《左传》相同，疑为后人妄以《左传》改此书，乃据元刻及沈启南本之所注改之。

[译文]

晏子出使鲁国，景公利用这一机会让人拆毁了晏子邻居的房屋，将他们迁往别处，改建扩大了晏子的住宅。晏子出使回来，得知为他扩建住宅的事，便停留在郊外，让人回复景公说："我是很有贪心的人，贪婪而喜好大宅第，这想法传到君主那里，所以君主为我扩建住宅，我的罪过太大了。"景公说："您所居住的环境很不好,住宅又很狭小,所以我替您扩建住宅,希望您住上新房子,也让我心中满意啊。"晏子回答说:"古人有句格言:'不要选择修建住宅的地址,而要选择住宅周围挨着什么样的邻居。'现在君主让我满足了住大宅的愿望,住宅所建的地方早已满意,不用再占卜选择了,可是我的已经去世的先人曾经占卜过我的邻居,得到吉兆。我怎么可以违背去世的先人所做的选择邻居的占卜呢?如果我扩大了住宅,却违背了邻居们回归旧宅的心愿,是我所不愿意做的事情啊。请允许我辞谢新宅,尽快恢复邻居们的旧宅吧。"景公不答应他的请求。晏子又通过陈桓子多次恳请,景公才答应了他的请求。

景公欲为晏子筑室于宫内晏子称是以远之而辞第二十三

景公谓晏子曰:"寡人欲朝夕相见①,为夫子筑室于闺内,可乎?"晏子对曰:"臣闻之,隐而显②,近而结③,维至贤耳。如臣者,饰其容止以待命④,犹恐罪戾也。今君近之,是远之也。请辞。"

[注释]

①"相"字旧脱,依张纯一说据《艺文类聚》补。②隐而显:是说君子的品德沉稳而不张扬反而能声名日显。③近而结:亲近而能有所约束。④"待命"旧作"待承令",从孙星衍、卢文弨说据《艺文类聚》、《太平御览》改。

[译文]

景公对晏子说:"我想和您朝夕相见,打算为您在宫门之内盖一座房屋,您看可以吗?"晏子回答说:"我听说,君子的品德沉稳而不张扬,反而能名声日显;交往虽然很亲近,却能有所约束(相处才可以长久)。不过只有特别贤德的君子才能做到。像我这样的人，随时修饰好自己的仪容以等待您的命令，尚且害怕会犯罪过。现在您让我住得离您很近，实际上会让我们的关系疏远啊。请允许我向您辞谢。"

景公以晏子妻老且恶欲内爱女晏子再拜以辞第二十四

景公有爱女，请嫁于晏子。公乃往燕晏子之家①，饮酒酣，公见其妻，曰："此子之内子邪？"晏子对曰："然，是也。"公曰："嘻！亦老且恶矣②。寡人有女，少且姣③，请以满夫子之宫④。"晏子违席而对曰⑤："乃此则老且恶⑥，婴与之居故矣⑦，故及其少而姣也⑧。且人固以壮托乎老⑨，姣托乎恶，彼尝托而婴受之矣。君虽有赐，可以使婴倍其托乎⑩？"再拜而辞。

[注释]

①燕：通"宴"，以酒肉招待宾客。②恶：丑陋。③姣：美丽。④满：充，放置。宫：室。此句意为让她在您的屋子里做妻子。⑤违席：避席，离席。⑥乃此：现在。⑦故：久，长期。⑧及：赶上。⑨托：托付，委身。⑩倍：通"背"，背叛，引申为辜负。

[译文]

景公有一个心爱的女儿，请求嫁给晏子为妻。景公于是为此事而到晏子家赴宴，喝酒喝到畅快的时候，景公看见了晏子的妻子，说道："这就是您的妻子吗？"晏子回答说："是的，她就是啊。"景公说："唉！她也太老太丑陋了。我有一个女儿，又年轻又漂亮，请把她放在您屋里做您的妻子吧。"晏子离开坐席很郑重地回答说："现在她确实是既老又丑陋，但是我和她一起生活已经很多年了，所以我赶上了她又年轻又漂亮的时候。况且人的婚姻本来就是从壮年起托身于人直到老年,从漂亮时托身于人直到变丑,她就是从年轻时托身于我,而我也接受了她呀。君主虽然想把女儿赐我为妻,怎么可以让我辜负了妻子对我一生的委身相托呢?"晏子连拜两拜,婉言辞谢了。

景公以晏子乘弊车驽马使梁丘据遗之三返不受第二十五

晏子朝,乘弊车,驾驽马。景公见之曰:"嘻!夫子之禄寡邪?何乘不佼之甚也①?"晏子对曰:"赖君之赐,得以寿三族②,及国游士,皆得生焉。臣得暖衣饱食,弊车驽马以奉其身,于臣足矣。"

晏子出,公使梁丘据遗之辂车乘马③,三返不受。公不说,趣召晏子④。晏子至,公曰:"夫子不受,寡人亦不乘。"晏子对曰:"君使臣临百官之吏⑤,臣节其衣服饮食之养,以先齐国之民,然犹恐其侈靡而不顾其行也⑥。今辂车乘马,君乘之上,而臣亦乘之下,民之无义,侈其衣服饮食而不顾其行者,臣无以禁之。"遂让不受。

[注释]

①"佼"旧作"任",从王念孙说据《群书治要》改。佼,通"姣",美好,漂亮。②寿:保。③辂车:大车。乘(shèng)马:四匹马。④趣:同"促",催促。⑤临:治理,管理。⑥侈靡:奢侈浪费。

[译文]

晏子去上朝,乘坐着简陋的旧车子,驾着脚力不济的劣马。景公看到后说:"嗨!先生您的俸禄很少吗?为什么乘坐的车如此简陋不堪呢?"晏子回答说:"靠着您赏赐的俸禄,我能让父族、母族、妻族成员的生活都有保障,国内与我交往的士人,都靠我的俸禄维持生活,我也能穿得暖吃得饱,有旧车劣马供我乘坐,我已经很满足了。"

晏子离开后,景公派梁丘据给晏子送去一辆自己乘坐的大车和四匹好马。送去多次晏子都不接受。景公很不高兴,命令赶快将晏子召来。晏子来到后,景公说:"先生您如果不接受,我也不乘坐车子了。"晏子回答说:"君主您让我管理百官,我节制自己衣服饮食的开销,努力为齐国人民做表率,然而还是担心百姓会奢侈浪费而不注重修养品行。现在辂车乘马本来是君主才能乘坐的车子,您却让臣下也乘坐它(影响会很不好),以后百姓做出了不合道义的行为,在衣服饮食方面大搞奢侈浪费而失去了好的品行,对于这样的人,我就没有资格加以管教和禁止了。"于是辞让而不接受。

景公睹晏子之食菲薄而嗟其贫晏子称有参士之食第二十六

晏子相景公,食脱粟之食,炙三弋①、五卵、苔菜耳矣。公闻之,往燕焉②,睹晏子之食也,公曰:"嘻!夫子之家,如此其贫乎?而寡人不知,寡人之罪也。"晏子对曰:"以世之不足也。免粟之食饱,士之一乞也③;炙三弋,士之二乞也;苔菜、五卵④,士之三乞也。婴无倍人之行⑤,而有参士之食⑥,君之赐厚矣!婴之家不贫。"再拜而谢。

[注释]

①炙:烧烤。弋:用绳系在箭上射。此处指射下的飞禽。②燕:通"宴"。③乞:乞求,请求给予。或曰,"乞"当作"气",与"饩"同,赠送

人的食品。④"苔菜"二字旧脱,从张纯一说据上文补。⑤倍人:比别人多一倍。⑥参:同"叁(三)"。

[译文]

晏子在景公朝中当相,每天吃的是粗糙的谷米做的饭,还有一些飞禽、鸡蛋和一般蔬菜。景公得知这种情况,专程到晏子家中与他一起吃饭,亲眼目睹了晏子饮食的状况,景公很感慨地说:"哎呀!您的家里为什么这样贫困呢?我竟然不了解这种情况,这是我的过错啊。"晏子回答说:"这是因为社会上人们的食物都供给不足啊。脱皮的小米饭能够吃饱,这是士的最起码的要求;能吃上一些烧烤的飞禽,这是士的第二个要求;能吃上一些蔬菜和鸡蛋,这是士的第三个要求。我没有过人的品行和贡献,却享有士希望得到的三类食物,您对我的赏赐已经很丰厚了!我的家里并不贫困。"晏子向景公拜了两拜,感谢对他的关心。

梁丘据自患不及晏子晏子勉据以常为常行第二十七

梁丘据谓晏子曰:"吾至死不及夫子矣①!"晏子曰:"婴闻之,为者常成,行者常至。婴非有异于人也,常为而不置②,常行而不休者,故难及也③。"

[注释]

①不及:赶不上。②置:停止,放弃。③或以为此句似不合晏子为人行事的语气。陶鸿庆以为"故"通"胡",何也。

[译文]

梁丘据对晏子说:"我到死也赶不上先生您的水平了!"晏子回答说:"我听说过,能坚持不懈努力做事的人,终究能获得成功;

能坚持不懈前进的人，终究能达到目标。我并没有比别人高明的地方，只不过能努力做事而不放弃，努力前进而不停止，怎么会难以赶上呢？"

晏子老辞邑景公不许致车一乘而后止第二十八

晏子相景公，老，辞邑①。公曰："自吾先君定公至今②，用世多矣③，齐大夫未有老辞邑者④。今夫子独辞之，是毁国之故⑤，弃寡人也。不可。"晏子对曰："婴闻古之事君者，称身而食。德厚而受禄，德薄则辞禄。德厚受禄，所以明上也；德薄辞禄，可以洁下也⑥。婴老，德薄无能⑦，而厚受禄，是掩上之明，污下之行。不可。"

公不许，曰："昔吾先君桓公，有管仲恤劳齐国⑧，身老，赏之以三归，泽及子孙。今夫子亦相寡人，欲为夫子三归⑨，泽至子孙，岂不可哉？"对曰："昔者管子事桓公，桓公义高诸侯，德备百姓。今婴事君也，国仅齐于诸侯，怨积乎百姓，婴之罪多矣，而君欲赏之，岂以其不肖父为不肖子厚受赏⑩，以伤国民义哉？且夫德薄而禄厚，智惛而家富，是彰污而逆教也⑪。不可。"公不许，晏子出。

异日朝，得间而入邑⑫，致车一乘而后止。

[注释]

①辞邑：辞退食邑。②按：齐先君中无定公，疑为太公之子丁公，"丁"、"定"音近而误。③用世：当君主治国家。自丁公至庄公治国者共二十一位君主，故言"多矣"。④"邑"后旧衍"矣"字，从王念孙说删。⑤毁：破坏。故：旧法，旧制。⑥洁下：使下面的人廉洁。洁，用作使动词。⑦"德"字旧脱，依张纯一说据上下文义补。⑧恤劳：忧虑操劳。恤，忧虑。

⑨三归：历来注者解释不一，或谓娶三姓之女，或谓三处住宅，或谓三归之台，或谓"市租之常例之归公者也"（杨伯峻《论语译注》）。以释为将商税收入的三成赏赐晏子为宜。⑩"为"旧讹为"其"，从卢文弨说据《杂下》第十九章文改。⑪彰：彰显。逆教：违背圣王的教诲。⑫间：空隙，机会。入邑：归还食邑。

[译文]

晏子在景公朝当相，年老了，主动请求将食邑归还朝廷。景公说："从我们先君丁公直到现在，当君主治国家的有很多了，在齐国大夫中从来没有因为年老就归还食邑的人。今天唯独先生您要辞退食邑，这是要破坏国家的传统制度，不想再辅佐我了。我不允许您这样做。"晏子回答说："我听说，古代为君主服务的人，先要衡量自己道德的高低和能力的大小，再决定接受俸禄的多少。德行淳厚的就可以接受俸禄，德行浅薄的就应当主动归还俸禄。德行淳厚的所以接受俸禄，是为了让人们知道君主是知人善任的；德行浅薄的所以要主动归还俸禄，是为了树立下面人的廉洁之风。我老了，德行浅薄，才能缺乏，还承受着丰厚的俸禄，这样做对上掩盖了君主的英明，对下带坏了官吏们的作风。所以不能再这样了（我一定要辞退食邑）。"

景公不答应，说："从前我们的先君桓公，有管仲为齐国的政事思虑操劳，管仲年老了，桓公把市场税收的三成赏赐给他，允许他的子孙们世代享用。现在先生您也辅佐我治理齐国，我也想赏给您市场税收的三成，并让您的子孙世代享用，这样做难道不可以吗？"晏子回答说："从前管子辅佐桓公的时候，能让桓公的道义远高于其他诸侯，恩惠广施于广大民众。现在我侍奉您，齐国的地位和一般诸侯国没有不同，在百姓中蓄积了很多怨恨，我的罪过实在太多了，可是您还要赏赐我，这岂不是让我这个不贤德的父亲替不贤德的儿子接受丰厚的赏赐，损害国家和人民的道义吗？况且，德行浅薄而俸禄优厚，才智庸碌而富有家财，这分明是提倡贪婪而违背圣贤的教导啊。我不可以这样做。"景公还是不答应（他退还食邑的请求），晏子只好离开朝廷。

过了几天，晏子上朝的时候，利用机会还是交回了食邑，并交回一辆君主赏赐的车子，事情才算结束。

晏子病将死妻问所欲言云毋变尔俗第二十九

晏子病，将死，其妻曰："夫子无欲言乎？"晏子曰①："吾恐死而俗变②，谨视尔家③，毋变尔俗也。"

[注释]

①旧脱"晏"字，从卢文弨说补。②俗：风俗习惯，引申为规矩。③视：察看，引申为照看、管理。

[译文]

晏子病重，将不久于人世。临终前他的妻子问道："先生没有要说的话吗？"晏子说："我担心我死后家中会改变我立下的规矩。希望你认真地看管好你的家，不要改变家中的好规矩。"

晏子病将死凿楹纳书命子壮而示之第三十

晏子病，将死，凿楹纳书焉①，谓其妻曰："楹语也，子壮而示之②。"

及壮，发书，书之言曰③："布帛不可穷④，穷不可饰；牛马不可穷，穷不可服⑤；士不可穷，穷不可任；国不可穷，穷不可窃也⑥。"

[注释]

①楹：柱子。书：此指书写的遗言。②示：给人看。③旧脱"书"字，从王念孙说据《白帖》及《说苑》补。④穷：贫乏，穷困。⑤服：驾驭。⑥窃：通"践"，实行。此指实行政令。

[译文]

晏子病重，即将去世，让人将厅堂的柱子凿开一个洞，将他写好的遗书藏到里面然后封上口，对他妻子说："藏在柱子里的遗书，等儿子长大成人以后再让他看。"

等到儿子长大成人以后，打开遗书，上面写的是："布帛不可以缺乏，缺乏了就没有衣服穿；牛马不可以缺乏，缺乏了驾车耕田就没有可役使的；士不可以让他们生活贫困，贫困了就难以任用；国家不可以贫穷，贫穷了就不能够推行政令。"

外篇重而异者第七

景公饮酒命晏子去礼晏子谏第一

景公饮酒数日而乐,释衣冠,自鼓缶①,谓左右曰:"仁人亦乐是乎?"梁丘据对曰:"仁人之耳目,亦犹人也,夫奚为独不乐此也?"公曰:"趣驾迎晏子。"

晏子朝服以至②,受觞,再拜。公曰:"寡人甚乐此乐,欲与夫子共之,请去礼。"晏子对曰:"君之言过矣!群臣皆欲去礼以事君,婴恐君之不欲也③。今齐国五尺之童子,力皆过婴,又能胜君,然而不敢乱者,畏礼义也④。上若无礼,无以使其下;下若无礼,无以事其上。夫麋鹿维无礼,故父子同麀⑤。人之所以贵于禽兽者,以有礼也。婴闻之,人君无礼,无以临邦⑥;大夫无礼,官吏不恭;父子无礼,其家必凶⑦;兄弟无礼,不能久同⑧。《诗》曰:'人而无礼,胡不遄死?'故礼不可去也。"

公曰:"寡人不敏无良,左右淫蛊寡人,以至于此,请杀之!"晏子曰:"左右何罪?君若无礼,则好礼者去,无礼者至;

君若好礼，则有礼者至，无礼者去。"

公曰："善。请易衣革冠⑨，更受命⑩。"晏子避走，立乎门外。公令人粪洒改席⑪，召晏子，衣冠以迎⑫。晏子入门，三让，升阶，用三献礼焉⑬。嗛酒尝膳⑭，再拜，告餍而出⑮。公下拜，送之门，反，命撤酒去乐，曰："吾以彰晏子之教也⑯。"

[注释]

①缶（fǒu）：瓦质的打击乐器。②"服"字旧脱，从孙星衍说据《韩诗外传》补。③"君"旧作"君子"，从王念孙说据《群书治要》删"子"字。④义：通"仪"。⑤麀（yōu）：雌鹿。⑥旧"邦"上衍"其"字，从张纯一说删。⑦凶：灾祸。⑧同：同居，一起生活。⑨革：改，更换。⑩更：再次。受命：接受教诲。⑪粪洒：扫除。⑫此句旧作"召衣冠以迎晏子"，从王念孙说据《群书治要》改。⑬"礼"字旧脱，从王念孙说据《群书治要》补。⑭嗛（xián）：含在口中，此指品尝。⑮餍：饱，足。⑯此篇末元刻注云："此章与'景公酒酣愿无为礼晏子谏'大旨同，但辞有详略尔，故著于此篇。"按：此篇与《谏上》第二章为一事。

[译文]

景公（与他的宠臣们聚在一起）一连几天设宴饮酒，饮到兴奋快乐的时候，脱掉外衣，摘下帽子，亲自敲缶击节，对陪同他的近臣们说："仁德之人也喜欢饮酒作乐吗？"梁丘据回答说："仁德之人的耳朵眼睛，也和常人是一样的，他们为什么偏偏不喜欢饮酒作乐呢？"景公吩咐说："赶快派车去把晏子接来（让他和我们一同欢乐吧）。"

晏子（听到景公的召唤）穿着整齐的朝服来到宴会上，接过景公赐给的酒，连连拜谢。景公说："我很喜欢这种快乐的气氛，希望和先生您共同享受欢乐，请您免去那一套礼节仪式吧！"晏子回答说："您的话很不得当啊！大臣们打心眼里都希望在您面前免除礼仪，（如果真的那样做了）恐怕您就不会喜欢他们的无礼行为了。

现在齐国五尺高的小孩力气都比我大，还能胜过您，然而他们都不敢犯上作乱，就是因为害怕礼仪的约束啊。君主如果丢弃了礼仪，就没有办法支配下边的人；下面的人如果不遵守礼仪，就不会很忠顺地侍奉君主。只有像麋鹿那样的动物没有礼仪，所以父亲与儿子才会共同占有一只母鹿。人之所以比禽兽高贵，就是因为人是讲礼仪的呀。我听说过，君主如果不讲礼仪，就没有办法治理他的国家；大夫如果不讲礼仪，下边的官吏就会对他不恭顺；父子之间如果不讲礼仪，他们的家庭里必然会发生（互相争斗残杀的）灾祸；兄弟之间如果不讲礼仪，就不可能长期和睦相处。《诗经》中说：'人如果不懂礼仪，还不如赶快去死。'所以说，礼仪是万万不可免除的啊。"

景公（听了晏子的一席话恍然大悟）说道："我真是很不聪明，很不好，身边的近臣迷乱诱惑我，我才糊涂到这种地步，让我把他们都杀掉吧！"晏子说："您身边的近臣有什么罪呢？要知道，国君如果不讲礼仪，那么爱好礼仪的人就会离去，不好礼仪的人就会来到；君主如果爱好礼仪，那么遵守礼仪的人就会来到，不遵守礼仪的人就会离开（责任主要在君主身上）。"

景公说："您说得很好。请让我将衣服穿整齐、帽子戴端正，重新接受您的教诲。"晏子离开坐席退出去，站在宫门外。景公让人将室内和庭院打扫干净，布好新坐席，然后召晏子进来，景公衣冠整齐地迎接他。晏子走进宫门，进入宫院，三次谦让，然后登上台阶，进入室内。景公用三次敬酒的礼仪招待他。晏子很谦逊地品尝了一下杯中的酒，尝了几口饭菜，然后向景公拜了两拜，说是自己已经吃饱了，便告退出去。景公也躬身答礼，将晏子送到宫院门口。返回宫中后，命令撤去酒席和乐队，他说："我之所以这样做，是为了彰显晏子对我有益的教诲。"

景公置酒泰山四望而泣晏子谏第二

景公置酒于泰山之上，酒酣，公四望其地，喟然叹，泣数行而下，曰："寡人将去此堂堂国而死乎①？"左右佐哀而泣者三人，曰："臣细人也②，犹将难死③，而况公乎？弃是国也而死，其孰可为乎？"晏子独搏其髀④，仰天而大笑曰："乐哉，今日之饮也！"公怫然怒曰⑤："寡人有哀，子独大笑，何也？"晏子对曰："今日见怯君一，谀臣三⑥，是以大笑。"公曰："何谓谀怯也？"晏子曰："夫古之有死也，令后世贤者得之以息，不肖者得之以伏。若使古之王者如毋有死⑦，自昔先君太公至今尚在，而君亦安得此国而哀之？夫盛之有衰，生之有死，天之分也⑧。物必有至⑨，事有常然⑩，古之道也。曷为可悲？至老尚哀死者，怯也；左右助哀者，谀也。怯谀聚居，是故笑之。"

公惭而更辞曰："我非为去国而死哀也。寡人闻之，彗星出，其所向之国，君当之。今彗星出而向吾国，我是以悲也。"晏子曰："君之行义回邪⑪，无德于国，穿池沼，则欲其深以广也；为台榭，则欲其高且大也；赋敛如执夺⑫，诛僇如仇雠。自是观之，茀又将出⑬。天之变，彗星之出，庸可悲乎⑭？"

于是公惧，乃归，寘池沼⑮，废台榭，薄赋敛，缓刑罚⑯，三十七日而彗星亡⑰。

[注释]

①堂堂：广大强盛的样子。"国"下旧衍"者"字，从卢文弨说据《太平御览》删。②"臣"旧作"吾"，从卢文弨说据《太平御览》卷三百九十一改。细人：小人，微不足道的人。③难死：难于去死，即不愿意死。④搏：拍打。髀（bì）：股，大腿。⑤怫：通"勃"，脸上显出怒色。⑥"三"下旧

有"人"字，从王念孙说据《艺文类聚》、《太平御览》删。⑦"毋有死"旧作"毋知有死"，从俞樾说删"知"字。⑧分（fēn）：职分，职责，引申为规律。⑨至：极，终；即结束，死亡。⑩常然：经常出现的情况，引申为客观规律。⑪行：行为。义：通"仪"，仪容举止。回：邪僻，与"邪"同义。⑫扐（huī）：同"挥"，指挥。⑬茀：通"孛"，即彗星。⑭悲：王念孙以为当作"惧"字。然上文景公曰"我是以悲也"，晏子亦当以"庸可悲乎"为回应。"悲"字于义为长。庸：何。⑮窴（tián）：通"填"。⑯缓：放宽。⑰此篇末元刻注云："此章与'景公登牛山而悲'、'登公阜睹彗星而感'旨同而辞少异尔，故著于此篇。"按：即《谏上》第十七章、第十八章所述之事。

[译文]

　　景公在泰山上设置酒宴与群臣欢乐，酒酣兴浓之时，景公环望四周齐国的土地，不由得感从中来，长吁短叹，眼泪涟涟，说："我将要抛下这广阔而强盛的国家而死去吗？"身边近臣中有三个人陪着景公悲哀落泪，他们说："我们都是微不足道的人，尚且不愿去死，何况国君您呢？丢下这样大的国家死去，谁能愿意呢？"晏子听了他们的话独自拍着大腿仰天大笑，说道："今天这顿酒喝得真快乐啊！"景公气得变了脸色，气愤地说："我心中悲哀，您却一个人大笑，这是为什么呢？"晏子回答说："因为今天我看到了一个胆小怕死的君主，三个阿谀奉承的臣下，所以才不由得大笑起来。"景公说："你说的阿谀胆怯是什么意思？"晏子说："自古以来人都是要死的，这样才能让后世一代一代的贤德之人得以安息，让一个一个的不肖之人得以藏伏于地下。假使古代的君主都不死去，从过去的先君太公算起，各代君主至今健在，那么您怎么能当上君主拥有国家并为将要死去而悲哀呢？世界上的任何事物都是有兴盛必有衰落，有新生必有死亡，这是上天执掌事物的原则。世界上的任何事物都有其终结，任何事物的变化都有其内在原因，这是自古以来就存在着的规律啊。这有什么可悲哀的？活到老年还为死亡而悲哀，就是胆怯怕死；身边的近臣陪着您悲哀，这就是阿谀讨好。胆怯的人和阿谀的人凑到了一起，所以我觉得这事情很可笑。"

景公听了晏子的话自觉惭愧，又改变了说法（为自己辩解），说："我并不是为了要离开国家去死而悲哀。我听说，彗星在天空出现，它所指向的国家，君主就要遭遇灾祸。现在彗星出现了，正指向我们国家，我是因为这件事而悲哀。"晏子回答说："君主您的行为举止违背了道义，对国家和人民没有功德，挖池塘，希望把它挖得又深又广；修台榭，希望把它建得又高又大；征收赋税就像指挥官吏进行抢夺一样；杀戮人民就像对待仇敌一样。由此看来，彗星必将出现。天象的变化，彗星的出现，有什么可悲哀呢？"

景公（听了晏子的话）于是很害怕，率群臣返回朝廷，下令填平了池塘，停止了修建台榭的工程（将役人遣散回家），减轻了赋税，放宽了刑罚。过了三十七天，彗星就消失不见了。

景公梦见彗星使人占之晏子谏第三

景公梦见彗星，明日，召晏子而问焉，曰①："寡人闻之，有彗星者，必有亡国。夜者寡人梦见彗星，吾欲召占梦者使占之。"晏子对曰："君居处无节②，衣服无度，不听正谏，兴事无已，赋敛无厌，使民如将不胜③，万民憝怨④，茀星又将见梦⑤，奚独彗星乎？"⑥

[注释]

①"曰"字旧脱，从苏舆说补。②无节：没有节制。③不胜：不能承受。④憝（duì）怨：怨恨。"憝"与"怨"为同义词。⑤见（xiàn）：同"现"，出现。⑥此篇末元刻注云："此章与'景公登公阜见彗星使禳之晏子谏'辞旨同，而此特言'梦见'为异尔，故著于此篇。"按：即《谏上》第十八所述之事。

[译文]

景公夜里梦见彗星出现，第二天，召见晏子问道："我听说，只要有彗星出现，必定有国家要灭亡。夜里我梦见彗星出现了，我想找来占梦者使他占卜一下吉凶。"晏子回答说："您的宫室修建没有节制，衣服穿戴不合礼数，不接纳正确意见，大兴土木没有休止，征收赋税没有满足，役使百姓弄得他们筋疲力尽难以承受，所有百姓都心怀怨恨，彗星又将在您的梦中出现了，哪里会只有彗星出现呢？（将会有更严重的灾祸发生啊！）"

景公问古而无死其乐若何晏子谏第四

景公饮酒，乐，公曰："古而无死，其乐若何？"晏子对曰："古而无死，则古之乐也，君何得焉？昔爽鸠氏始居此地①，季荝因之②，有逢伯陵因之③，蒲姑氏因之④，而后太公因之。古若无死，爽鸠氏之乐，非君所愿也。"⑤

[注释]

①爽鸠氏：传说中的古帝王少昊（黄帝之子）的司寇。②季荝（cè）：虞舜、夏朝时的诸侯。③逢伯陵：殷朝时的诸侯。④蒲姑氏：商朝末期的诸侯。⑤此篇末元刻注云："此章与'景公谓梁丘据与我和'、'景公使祝史禳彗星'皆出于'景公游公阜一日而有三过言'，但析为三章而辞少异，皆著于此篇。"按：此章可与《谏上》第十七章、第十八章的内容参照阅读。

[译文]

景公饮酒十分高兴，说："假如自古就没有死亡，人们将会怎样快乐呢？"晏子回答说："假如自古人就不死，那是古代人的快乐，您怎么能享受到那种快乐呢？在咱们齐国的这块土地上，最早是少昊帝的司寇爽鸠氏在这里当诸侯，后来季荝在这里当诸侯，之后又有逢伯陵在这里当诸侯，再后来又有蒲姑氏在这里当诸侯，然后太公望在这里当诸侯。古代若没有死亡，到现在还是爽鸠氏在这里快乐地当着诸侯，这大概不是您所希望的吧。"

景公谓梁丘据与己和晏子谏第五

景公至自畋①，晏子侍于遄台，梁丘据造焉②。公曰："维据与我和夫！"晏子对曰："据亦同也，焉得为和？"公曰："和与同异乎？"对曰："异。和如羹焉③，水、火、醯、醢、盐、梅，以烹鱼肉，燀之以薪④，宰夫和之⑤，齐之以味⑥，济其不及⑦，以泄其过⑧。君子食之，以平其心。君臣亦然。君所谓可，而有否焉，臣献其否，以成其可；君所谓否，而有可焉，臣献其可，以去其否。是以政平而不干⑨，民无争心。故《诗》曰：'亦有和羹，既戒且平。鬷嘏无言⑩，时靡有争⑪。'先王之济五味、和五声也，以平其心，成其政也。声亦如味，一气⑫、二体⑬、三类⑭、四物⑮、五声、六律⑯、七音⑰、八风⑱、九歌⑲，以相成也；清浊、大小、短长、疾徐、哀乐、刚柔、迟速、高下、出入、周疏⑳，以相济也。君子听之，以平其心，心平德和。故《诗》曰：'德音不瑕㉑。'今据不然。君所谓可，据亦曰可；君所谓否，据亦曰否。若以水济水，谁能食之？若琴瑟之专一㉒，谁能听之？同之不可也如是。"公曰："善。"㉓

[注释]

①畋：打猎。此指打猎的地方。②造：到。③羹：指五味调和的浓汤。④燀（chǎn）：烧火做饭。⑤和（huò）：搅拌。⑥齐（jì）：通"剂"，本指调味品。此处用作动词，意为"调剂"。⑦济：益，增加。⑧泄：减，减少。

⑨干：犯，抵触，触犯。⑩"齌嘏"旧作"奏齌"，依王念孙说据《左传》改。所引诗句见《诗经·商颂·烈祖》，"齌嘏"作"齌假"。齌（zōng）：总，总握，总管。嘏（jiǎ）：通"假"，大。⑪靡：无。⑫一气：指顺气而动。⑬二体：指随着乐声舞蹈，分文舞、武舞两种。⑭三类：指诗歌分三类，即风、雅、颂。风是反映某一诸侯国的以及诸侯事情的诗歌；雅是反映天下之事、天子之事的诗歌；颂是国君祭祀祖先赞扬其功业的诗歌。⑮四物：四方之物，即各方面的事物。⑯六律：律，本指用来定音的律管，古人用十二个长度不同的律管，吹出十二个高度不同的标准音，以确定乐音的高低，这十二个标准音叫做"十二律"。十二律又分为阴阳两类，奇数六律为阳律，称"六律"，偶数为阴律，称"六吕"，总称"六律六吕"，简称"律吕"。⑰七音：五声（宫、商、角、徵、羽）加上变宫、变徵。⑱八风：八方之风，即东北、东方、东南、南方、西南、西方、西北、北方之风。⑲九歌：指歌颂九功之德的歌。所谓九功即六府（水、火、金、木、土、谷）和三事（正德、利用、厚生）。⑳"疏"字旧作"流"，依孙星衍说据《左传》释文改。㉑所引诗句见《诗经·豳风·狼跋》。瑕：玉上面的斑点。德音：歌颂太平的音乐，也指好的声誉。㉒专一：指只弹奏一个音调。㉓以上内容用《左传·昭公二十年》文。与《谏上》第十八章中段所载大旨相同。

[译文]

景公打猎归来，在遄台休息，晏子在旁边陪伴。这时梁丘据来朝见，景公说："只有梁丘据与我和谐一致啊！"晏子回答说："您和梁丘据只能算是意见相同，哪里算得上和谐？"景公问道："难道和谐与相同不一样吗？"晏子回答说："两者是不一样的。所谓和谐，就像煮肉汤一样，要用水、火、醋、酱、盐、梅子来烹调鱼和肉，用柴草烧火加热，厨师不断搅拌它，还要调剂它的味道，口味淡了就再添点作料，口味浓了就少放些作料。君子吃了这种肉羹，能使他心情平和。君臣关系也和调肉羹一样。君主认为可行的事情，其中也有不适当的地方，臣下把不当之处指出来加以改进，事情就可以做得圆满成功；君主认为不可行的事情，其中也有可行之处,臣下把可行的理由讲出来,以便使君主改变他的否定意见。因此政事顺利平和无人违犯,百姓没有争斗诉讼之心。所以《诗经》上说:'政事如同祭品中烹调好的肉羹,使人们恭敬谨慎心态和平;君主总揽大政上下皆无怨心,人民中没有诉讼与斗争。'古代圣君用调和五味、调和五声的方法处理政事,为的是让百姓心态平和,政事成功。调和乐曲声调和调和五味的方法类似,一气、二体、三类、四物、五声、六律、七音、八风、九歌,这些因素都是相辅相成的,清浊、大小、短长、疾徐、哀乐、刚柔、迟速、高下、出入、周疏,这些也都是相反相成的。君子听了和谐的音乐,能使心态平和,心态平和德行就能和谐。所以《诗经》中说:'和谐道德的音乐是没有瑕疵的。'现在梁丘据的作为与此相反。君主说可以的事情,梁丘据也随着说可以;君主说不可以的事情,梁丘据也随着说不可以。这就如同做肉羹的时候只在羹中加水(不加其他作料),这样的肉羹(毫无味道)有谁愿意吃呢?又如同奏乐曲时只弹奏一个音调,有谁愿意听呢?君臣之间的意见不能只讲相同,就像上面所说的那样。"景公说:"您说得很好。"

景公使祝史禳彗星晏子谏第六

齐有彗星,景公使祝禳之。晏子谏曰:"无益也,只取诬焉①。天道不谄②,不贰其命③,若之何禳之也④?且天之有彗⑤,以除秽也。君无秽德,又何禳焉?若德之秽,禳之何损?《诗》云:'维此文王,小心翼翼。昭事上帝,聿怀多福。厥德不回,以受方国⑥。'君无违德,方国将至,何患于彗?《诗》曰:'我无所监,夏后及商。用乱之故,民卒流亡⑦。'若德回乱⑧,民将流亡。祝史之为,无能补也。"公说,乃止。⑨

[注释]

①诬：欺骗。②谄（tāo）：疑惑。③贰："二"的大写字，两样，引申为改变。④《左传》此句无"也"字，当删。⑤《左传》"彗"下有"也"字，当补。⑥所引诗句见《诗经·大雅·大明》。方国，四方诸侯国。⑦所引诗句不见于《诗经》，当为逸诗。监：借鉴，教训。辛：终。⑧旧"德"下有"之"字，从张纯一说据《左传》删。⑨此篇末元刻注云："此章与'景公登公阜见彗星'章旨同，故著于此篇。"按：此篇与《谏上》第十八章为一事；此章用《左传·昭公二十六年》之文，唯改"齐侯"为"景公"。

[译文]

齐国上空出现了彗星，景公让祝官祭祀祈祷以将它驱除。晏子劝谏道："这样做没有用处，只不过是自欺欺人罢了。天有它的规律，人不可以怀疑它，也不可能改变它，怎么能用祈祷的办法除掉彗星呢？况且天上出现彗星，是为了扫除污秽。君主如果没有污秽的品德，又何必要祈祷驱除它呢？如果有污秽的品德，祈祷对于彗星又有什么作用呢？《诗经》中说：'只有这位周文王，办事小心谨慎。行事光明正大以侍奉上帝，以求上帝赐下许多福气。他德行端正不走邪路，因而能安受四方诸侯的归附。'国君如果没有违背道德的行为，四方诸侯将要归附于您，对于彗星又何必担心呢？《诗经》中还说：'我没有别的可以借鉴，只有夏朝和商朝的历史可以作为借鉴。那两个朝代都因为政治混乱，终于人民离散国家灭亡了。'国君如果德行邪僻昏乱，人民将要离您而去，祝史的祈祷行为是无补于事的。"景公很高兴地接受了晏子的意见，停止了祈祷禳除活动。

景公有疾梁丘据裔款请诛祝史晏子谏第七

景公疥遂痁①，期而不瘳②。诸侯之宾问疾者多在。梁丘据、裔款言于公曰："吾事鬼神③，丰于先君有加矣。今君疾病，为诸侯忧，是祝史之罪也。诸侯不知，其谓我不敬，君盍诛于祝固史嚚④以辞宾？"

公说，告晏子，晏子对曰："日宋之盟⑤，屈建问范会之德于赵武⑥，赵武曰：'夫子家事治，言于晋国，竭情无私，其祝史祭祀，陈言不愧。其家事无猜，其祝史不祈。'建以语康王⑦，康王曰：'神人无怨，宜夫子之光辅五君⑧，以为诸侯主也。'"

公曰："据与款谓寡人能事鬼神，故欲诛于祝史，子称是语，何故？"对曰："若有德之君，外内不废，上下无怨，动无违事，其祝史荐信⑨，无愧心矣。是以神鬼用飨⑩，国受其福，祝史与焉⑪。其所以蕃祉老寿者⑫，为信君使也，其言忠信于鬼神。其适遇淫君，外内颇邪⑬，上下怨疾，动作辟违，从欲厌私⑭，高台深池，撞钟舞女，斩刈民力，输掠其聚，以成其违，不恤后人，暴虐淫纵，肆行非度，无所还忌⑮，不思谤讟⑯，不惮鬼神，神怒民痛，无悛于心。其祝史荐信，是言罪也；其盖失数美⑰，是矫诬也⑱。进退无辞，则虚以求媚。是以鬼神不飨，其国以祸⑲，祝史与焉。其所以夭昏孤疾者⑳，为暴君使也，其言僭嫚于鬼神㉑。"

公曰："然则若之何？"对曰："不可为也。山林之木，衡鹿守之㉒；泽之萑蒲㉓，舟鲛守之；薮之薪蒸，虞候守之；海之盐蜃㉔，祈望守之。县鄙之人，入从其政；逼尔之关㉕，暴征其私；承嗣大夫㉖，强易其贿；布常无艺㉗，征敛无度；宫室日更，淫乐不违㉘；内宠之妾肆夺于市，外宠之臣僭令于鄙㉙；私欲养求，不给则应㉚。民人苦病，夫妇皆诅。祝有益也，诅亦有损。聊、摄以东，姑、尤以西，其为人也多矣！虽其善祝，岂能胜亿兆人之诅？君若欲诛于祝史，修德而后可。"

公说，使有司宽政，毁关㉛，去禁，薄敛，已责㉜。公疾愈。㉝

[注释]

①遂：于是，继而。疕（shān）：疟疾。②期（jī）：一周年。瘳（chōu）：病愈。③"吾"当为"君"之讹。④祝固：祝官名固。史嚚（yín）：史官名嚚。⑤日：往日。盟：会盟。⑥屈建：楚人，字子木，楚国令尹（相当于其他诸侯国的相）。范会：即士会，晋大夫。赵武：晋国人，赵盾之孙，为晋悼公相。⑦康王：熊昭，楚共王之子，公元前559年至前545年在位，谥"康"。⑧五君：指晋文公、襄公、灵公、成公、景公。⑨荐：献，指献言。信：诚实，真话。⑩飨：同"享"，享用。⑪与：参与，接受。⑫蕃：繁衍。祉：福。老寿：长寿。⑬颇：偏。⑭从：同"纵"。厌：足，满足。⑮还顾：⑯谗（dú）：诽谤，怨言。⑰盖：掩盖。数：数说，列举。⑱矫：假托。诬：欺骗。⑲"祸"下旧有"之"字，从俞樾说删。⑳"其"字旧无，从张纯一说据上文补。㉑僭：假，不可信。嫚：轻侮。㉒衡鹿：与下文之"舟鲛"、"虞候"、"祈望"，都是官职名。㉓萑（huán）：芦类植物。蒲：一种水生植物。㉔蜃（shèn）：蚌蛤。㉕尔：旧作"介"，从王引之说改。尔，通"迩"，近。㉖承嗣：继承，世袭。㉗常：法。艺：准则。㉘违：去，止。㉙僭令：假传君令。僭，假。㉚应：应之以罪。㉛毁关：撤除关卡。㉜已：止，免除。责：同"债"。㉝篇末元刻注云："此章与'景公病久欲诛祝史以谢'事旨悉同，但述辞有首末之异，故著于此篇。"按：即《谏上》第十二章所述之事。

[译文]

景公生了疥疮，后又患了疟疾，病了一年也没有好。诸侯们派来不少宾客慰问生病的景公。梁丘据与裔款对景公说："您祭祀上帝鬼神，祭品比先君丰盛了许多。现在您生病痛苦，成为诸侯们的忧虑，这都是祝官和史官没有尽到职责的罪过。诸侯们不了解情况，会以为我们祭祀鬼神不恭敬，您何不处死祝官固和史官嚚，以答谢来问病的宾客？"

景公听了心里很高兴，把两人的意见告诉晏子，晏子回答说：

"从前诸侯在宋国盟会时,楚国屈建向晋国的赵武询问范会的功德,赵武说:'先生他家族内的事情管理得井然有序,在朝廷里说话竭尽忠诚而无私心,他的祝官、史官祭祀祈祷时,向鬼神讲的都是实情,因而问心无愧。他的家族中没有人忌恨他,他的祝史也用不着祈祷求福。'屈建把赵武的话告诉了楚康王,康王说:'正因为他做事情使神和人都没有怨恨,所以他荣耀地辅佐了五位君主,使他们成为诸侯的盟主,这是理所当然的事啊。'"

景公说:"梁丘据和裔款认为我能够虔诚地祭祀鬼神(而鬼神却不保佑我),所以要杀死祝和史,而您却说了这些话,是什么缘故呢?"晏子回答说:"如果是有高尚道德的君主,内外之事都不荒废,上下之人皆无怨心,行为既合天意又顺情理,他的祝官、史官向鬼神讲的都是实话,能做到问心无愧。只有这样做了,鬼神才会享用祭品,国家才能受到神的福佑,祝与史也会受到福佑。他们所以能使家族兴旺多福、自身健康长寿,是因为他们是诚信的君主与鬼神交通的使者,他们祝祷的话能取信于鬼神。他们如果恰好遇到了淫邪的君主,内外之事办得都偏颇邪恶,上下之人皆心怀怨恨,行为既不合天意又违背民心,放纵欲望以满足私心,高筑台榭,深挖池塘,钟鼓奏乐,美女起舞,徭役繁多耗尽民力,赋税深重掠尽民财,只为做成违背天理人心的事情,对后来之人漠不关心,残暴酷虐,淫奢放纵,肆意妄为,尽做些违背礼法之事而无所顾忌,不考虑百姓对他的怨恨诅咒,不害怕鬼神对他的惩罚,神鬼发怒,人民痛恨,自己却没有改悔之心。他的祝官与史官在祈祷时如果讲了实话,那就是报告君主的罪过;如果为君主掩饰罪过评功摆好,那就是欺骗鬼神。祝官和史官进退两难,不好说话,只好说些空洞而漂亮的话以博取神鬼的欢心。因此,神鬼不享用这种祭品,他的国家因而遭受灾祸,祝官、史官也会连带遭受祸害。他们之所以有的短命夭折、有的头脑昏乱、有的亲死身孤、有的卧病不起,是因为他们做了残暴君主与鬼神交通的使者,他们的话欺骗和侮辱了鬼神。"

景公说:"既然这样,那该怎么办呢?"晏子回答说:"现在很难办了。您看,山上的林木,有衡鹿和他的手下看守着;池泽里的芦苇水草,有舟鲛和他的手下看守着;沼泽地里的柴草,有虞候和他的手下看守着;海里的鱼盐蚌蛤,有祈望和他的手下看守着。县城和乡村里的人被征调到都城来服役,通过附近关卡时还要强征关税,掠夺私财;世袭爵位的大夫们,巧立名目榨取人民的钱财;施政不讲原则,征敛没有限度;宫室天天拆旧建新,荒淫享乐永无止休;后宫的宠妾到市场上放肆地抢夺财物,朝廷的宠臣在都城外县乡地方则假传君令聚敛钱财;他们的私欲不断增长,索求不断增加,如果不能供给,就要抓来治罪。人民无不痛苦怨恨,男女无不诅咒君主。如果祈祷真能给人带来好处,那么诅咒也能给人带来损害。齐国从聊、摄以东到姑水、尤水以西,广大的国土上生活着很多人啊!祝史虽然善于祈祷,怎么能胜过亿万人的诅咒呢?您如果想杀掉祝官和史官,等您先修养好自身的道德品质以后再说吧。"

景公(听了晏子的一番教诲心中豁然开朗)感到很高兴,命令主管官员放宽各方面的政令,撤销征税的关卡,解除山泽海边的禁令,减轻赋税,废除债务。实行了这些政令后,景公的病也痊愈了。

景公见道殣自惭无德晏子谏第八

景公赏赐及后宫,文绣被台榭[①],菽粟食凫雁[②]。出而见殣[③],谓晏子曰:"此何为而死?"晏子对曰:"此馁而死[④]。"公曰:"嘻!寡人之无德也甚矣!"对曰:"君之德著而彰,何为无德也?"景公曰:"何谓也?"对曰:"君之德及后宫与台榭,君之玩物,衣以文绣;君之凫雁,食以菽粟;君之营内自乐,延及后宫之族。何为其无德?顾臣愿有请于君⑤,由君之意,自乐之心,推而与百姓同之,则何殣之有?君不推此,而苟营内好私,使财货偏有所聚⑥,菽粟币帛腐于囷府⑦,惠不遍加于百姓,公心不周乎万国,则桀、纣之所以亡也。夫士民之所以叛,由偏之也。君如察臣婴之言,推君之盛德,公布之于天下,则汤、武可为也,一殣何足恤⑧哉?"⑨

[注释]

①被(pī):通"披",覆盖,穿着。②食(sì):通"饲",喂食。凫(fú):鸭。雁:此指鹅。③殣(jǐn):饿死,此指饿死之人。④餧:同"馁",饥饿。⑤顾:但。⑥偏:旧作"衡",从孙星衍说据《说苑》改。⑦囷(qūn):圆形谷仓。⑧恤:忧虑。⑨篇末元刻注云:"此章与'景公游寒涂不恤死胔'辞如相反,而其旨实同,故著于此篇。"按:即《谏上》第十九章。

[译文]

景公对后宫宠妾遍加赏赐,宫室台榭的墙壁上都用绣花的丝织品覆盖着,鸭子和鹅都用粮食喂养(生活十分奢华)。有一次景公外出,看见有饿死的人,对晏子说:"这个人怎么死的?"晏子回答说:"他是饿死的。"景公说:"唉!看来我太没有恩德了!"晏子回答说:"您的恩德很显著可观,怎么能说没有恩德呢?"景公疑惑地问道:"您的话是什么意思?"晏子回答说:"您的恩德连后宫的人和宫室观榭都享受到了,您的居室玩物都用绣花的丝织品装饰起来;供您观赏的鹅鸭都用粮食喂养;您只围绕着自己的小天地寻求快乐,恩德遍及后宫的女眷。怎么能说您没有恩德呢?但是我愿意向您提出请求,把您自娱自乐的心意推而广之,与百姓共同欢乐,只要这样做了,怎么会有饿死的人呢?现在您不推广恩德,只图暂时围绕自身寻欢作乐,使国内的财货片面地聚积在您那里,让粮食缯帛在仓库里白白腐烂掉。您的恩惠不能遍施于百姓，您的关怀不能遍及于诸侯，这就是夏桀、商纣所以灭亡的原因。士民之所以背叛君主，就是由于财富片面地聚积在君主那里啊。您如果能明察我说的话，把您的大恩大德无私地普及于天下，那么就可以成为像商汤、周武王那样的君主了。偶然出现一个饿死的人哪里还值得您忧虑呢？"

景公欲诛断所爱槚者晏子谏第九

景公登箐室而望①，见人有断雍门之槚者②。公令吏拘之，顾谓晏子趣诛之。晏子默然不对，公曰："雍门之槚，寡人所甚爱也，比见断之③，故使夫子诛之。默然而不应，何也？"

晏子对曰："婴闻之，古者人君出，则阘道十里④，非畏也；冕前有旒⑤，恶多所见也；纩纮琉耳⑥，恶多所闻也；大带重半钩，舄履倍重⑦，不欲轻也。刑死之罪，日中之朝⑧，君过之，则赦之⑨。婴未尝闻为人君而自坐其民者也⑩。"

公曰："赦之，无使夫子复言。"⑪

[注释]

①箐（jīng）：竹子的一种。②槚（qiū）：即楸木，落叶乔木，树身高大，树干端直。③"比"旧作"此"，从卢文弨说改。④阘：或作"避"，回避。⑤冕（miǎn）：古代大夫以上所戴的礼帽。旒（liú）：古代帝王冕冠前垂悬的玉串。⑥纩纮（kuàng hóng）：冠冕上的丝带。琉耳：同"充耳"，也称为"瑱"（tiàn），冕冠上悬垂在两侧用以塞耳的玉。⑦舄（xì）、履：皆为鞋子。倍：加一倍。⑧日中之朝：即"市朝"。西周法律规定，犯死罪者"肆诸市朝"（《礼记·檀弓下》）。郑玄注："肆，陈尸也。大夫以上于朝，士以下于市。"⑨《周礼·司市》："国君过市，则刑人赦。"⑩坐：判决罪人。⑪篇末

元刻注云:"此章与'景公欲杀犯槐者'、'景公逐得斩竹者'事悉同,但辞少异耳,故著于此篇。"按:即《谏下》第二章、第三章。

[译文]

景公登上由箐竹搭建的高屋向远处瞭望,看见有人折断了雍门那里的一棵楸树。景公命令官吏将他拘捕,转过头来告诉晏子赶快把他处死。晏子沉默不语。景公说:"雍门那里的楸树,是我所特别喜爱的,刚才看见有人把它折断了,所以让先生您把他处死,您却沉默不作回答,这是为什么呢?"

晏子回答说:"我听说,古时候君主出行,十里之内道旁的人都要回避,这并不是因为害怕;冕冠前面悬垂着多条玉串遮挡面部,这是为了不看到太多东西;冕冠两侧用丝线各悬垂着一个玉制的耳塞,用以堵住耳朵,这是为了不听到太多的声音;腰中系着沉重的大带,脚上穿着比平常重一倍的鞋子,这是为了不轻率地行动;判处死刑的罪犯在市朝等候处决,君主经过时就下令赦免。我从未听说过当君主的有亲自判决处死他的百姓的。"

景公说:"赦免他吧,不要让先生再说了。"

景公坐路寝曰谁将有此晏子谏第十

景公坐于路寝,曰:"美哉室!其谁将有此乎①?"晏子对曰:"其田氏乎!田无宇为垾矣②。"公曰:"然则奈何?"晏子对曰:"为善者,君上之所劝也,岂可禁哉?夫田氏,国门击柝之家③,父以托其子,兄以托其弟,于今三世矣。山木如市,不加于山;鱼盐蚌蜃,不加于海。民财为之归。今岁凶饥,蒿种芒敛不半④,道路有死人。齐旧四量,四升为豆⑤,豆四而区,区四而釜,釜十而钟。田氏四量各加一焉。以家量贷,以公量收,则所以籴⑥,百姓之死命者泽矣⑦。今公家骄汰⑧,而田氏慈惠,国泽是⑨,将焉归?田氏虽无德,而有施于民⑩。公厚敛,而田氏厚施焉。《诗》曰:'虽无德于汝,式歌且舞⑪。'田氏之施,民歌舞之也。国之归焉,不亦宜乎?"⑫

[注释]

①此句旧作"美哉其室将谁有此乎",从王念孙说据《左传》改。②埠(hàn):小堤。③柝(tuò):古代打更用的梆子。按:所云田氏"国门击柝"的家世与《史记》记载不同。④萬:即蒿子。茅(máo):通"毛",指可供食用的野菜或水草。⑤旧脱"四升"二字,"为"误作"而",依张纯一说据《问下》十七章补正。⑥籴(dí):本指买进粮食。此处指给民粮食。⑦泽:恩泽。⑧骄汰:骄横侈泰。⑨泽:通"舍"。是:指田氏。⑩"有"字旧脱,依张纯一说据《左传》补。⑪所引诗句见《诗经·小雅·车辖》。式:用。⑫篇末元刻注云:"此章与'景公登寝而叹'、'景公问后世有齐者'、'叔向问齐国之治若何'辞旨略同而小异,故著于此篇。"按,即《谏下》第十九章、《问上》第八章、《问下》第下七章。

[译文]

景公与近臣坐在处理政事的宫室里,他说:"这官室多漂亮呀!不知将来谁人会占据这里呢?"晏子回答说:"大概是田氏将占据这里吧!田无宇正在做着为民兴利除害的事啊。"景公说:"那该怎么办呢?"晏子回答说:"做好事的人,本来是君主应该鼓励的,怎么可以禁止呢?田氏原来是在国都的城门打更守夜的人家,父亲把差事传给儿子,哥哥把差事传给弟弟,至今已经三代了。他们家将山上的木材运到市场上卖,价钱不比在山上贵;把海边的鱼盐蚌蛤运到市场上卖,价钱不比海边贵。民间的钱财因此都聚积到他们家中。现在年景不好发生饥荒,可以充饥的野菜水草数量也赶不上往年的一半,道路上到处可以看到饿死的难民。(百姓只得借粮度日)齐国原来通用的量器有四种,四升为一豆,四豆为一区,四区为一釜,十釜为一钟。田氏则造出了新量器,豆、区和釜都比公家的大出一量（五升为一豆，五豆为一区，五区为一釜）。田氏用自家的大量器借给百姓粮食，却用公家的小量器收回借粮，这是送给百姓粮食的办法，百姓中将要饿死的人保全了性命，得到了恩惠。当今之世，公室骄横奢侈，可是田氏却能慈惠百姓，齐国除了田氏还能归谁所有呢？田氏虽然没有大德，却能向百姓施舍财物，公室厚敛于民，田氏却厚施于民。《诗经》中说：'虽然没有恩德给你，你却很高兴地唱歌又跳舞。'田氏向人民施舍财物，人民则唱歌跳舞表示欢欣。齐国将归田氏所有，不是很应该的吗？"

景公台成盆成适愿合葬其母晏子谏而许第十一

景公宿于路寝之宫，夜分①，闻西方有男子哭者，公悲之。明日朝，问于晏子曰："寡人夜者闻西方有男子哭者，声甚哀，气甚悲，是奚为者也？寡人哀之。"晏子对曰："西郭徒居布衣之士盆成适也②，父之孝子，兄之顺弟也，又尝为孔子门人。今其母不幸而死，衬柩未葬③，家贫，身老，子孺④，恐力不能合袝，是以悲也。"公曰："子为寡人吊之，因问其偏衬何所在⑤。"

晏子奉命往吊，因问偏衬之所在⑥。盆成适再拜稽首而不起，曰："偏衬寄于路寝，得为地下之臣，拥札摻笔⑦，给事宫殿中右陛之下⑧。愿以某日送，未得君之意也。穷困无以图之，布唇枯舌⑨，焦心热中。今君不辱而临之，愿君图之。"晏子曰："然。此人之甚重者也，而恐君不许也。"盆成适蹙然曰⑩："凡在君耳⑪！且臣闻之，越王好勇⑫，其民轻死；楚灵王好细腰，其朝多饿死人；子胥忠其君，故天下皆愿得以为臣；孝己爱其亲，故天下皆愿得以为子⑬。今为人子而离散其亲戚⑭，孝乎哉？足以为臣乎？若此而得衬，是生臣而安死母也；若此而不得，则臣请挽尸车而寄之于国门外宇溜之下⑮，身不敢饮食，拥辕执辂⑯，木干鸟栖⑰，袒肉暴骸⑱，以望君愍之⑲。贱臣虽愚，窃意明君哀而不忍也。"

晏子入，复乎公，公忿然作色而怒曰："子何必患若言而教寡人乎？"晏子对曰："婴闻之，忠不避危，爱无恶言。且婴固以难之矣。今君营处为游观，既夺人有⑳，又禁其葬，非仁也；肆心傲听，不恤民忧，非义也。若何勿听？"因道盆成适之辞。公喟然太息曰："悲乎哉！子勿复言！"

乃使男子袒免、女子髽者以百数㉑，为开凶门㉒，以迎盆成适。适脱衰绖，冠条缨㉓，墨缘㉔，以见乎公。公曰："吾闻之，五子不满隅，一子可满朝㉕，非乃子耶！"盆成适于是临事不敢哭，奉事以礼，毕，出门，然后举声焉。㉖

[注释]

①夜分：半夜。②西郭：城西。徒居：独居。布衣：平民。③祔（fù）：合葬。柩（jiù）：已盛尸体的棺材。④孺：同"孺"，幼儿。⑤偏祔：指其父之灵柩。偏，偏亲，指其父。⑥"祔"字旧脱，从张纯一说据上下文补。⑦札：指记事用的竹简或木牍。掺（shǎn）：持，拿。⑧给事：供事，供役使。指其父葬于宫殿右边台阶之下。⑨布：通"膊"，枯焦。⑩蹶（jué）：跳起。⑪凡：皆。⑫越王：指越王勾践。⑬旧脱"故天下皆愿得以为臣，孝己爱其亲"二句，从王念孙说据《战国策·秦策》补。⑭旧"人子"下有"臣"字，从俞樾说删。亲戚：指父母。⑮宇：屋檐。溜：屋檐滴水处。⑯辕：车辕。辂：车辕上的横木。⑰木干鸟栖：树枝干枯了，鸟依然栖息在树上。⑱暴（pù）骸：晒着骨骼。⑲愍：同"悯"。⑳既夺人有：既夺人之墓地。㉑髽（zhuā）：古代妇人丧服的露髻，用麻束发。"髽"旧作"发笄"，从卢文弨说改。㉒凶门：专通灵车之门。㉓条缨：孙星衍谓"条"当为"絛（绦）"字之误，用丝编成的带子。㉔墨：黑色，此处用作动词，染黑。缘：指丧服的边。㉕一子可满朝：一个好儿子就可以誉满朝堂。㉖篇末元刻注云："此章与'逢于何请合葬'正同，而辞少异，故著于此篇。"按，即《谏下》

第二十章。

[译文]

　　景公住在路寝的宫室里,半夜里听到从西边传来男子的哭泣声,景公听了也感到很悲伤。第二天上朝时,景公问晏子道:"我夜间听到西面有个男子哭泣,哭声很哀痛,声气很悲怆,他是个干什么的?我很哀怜他。"晏子回答说:"他是城西独居的平民盆成适,是父亲的孝子,兄长的顺弟,还当过孔子的门徒。现在他的母亲不幸去世,灵柩未能与其父亲合葬。他家庭贫困,自己年老,儿子幼小,担心无力将父母合葬在一起,因此而悲伤。"景公说:"您替我向他吊唁哀悼,顺便问问要合葬在什么地方?"

　　晏子奉景公之命前往吊唁,并问他要合葬在什么地方。盆成适向晏子拜了两拜叩头不起,说:"父亲的灵柩正埋在路寝那里,他得以在地下给君主当臣下,拿着简册和笔,在宫殿的右边台阶底下为君主效劳。我希望在某一天送母亲的灵柩与父亲合葬,但是还不知道君主是否允许。我家庭贫困,想不出什么好办法,急得我舌干唇焦,心如火焚。现在您屈驾降临寒舍,希望您能为我想想办法。"晏子回答说:"是啊,这本是人们很看重的事情,只是恐怕君主不会答应啊。"盆成适从地上跳起来说:"事情成与不成全在您身上了!况且我听说过,越王勾践崇尚勇敢精神,越国的人民都不怕死;楚灵王喜欢腰细的女人,他的朝廷里常有节食减肥而饿死的人;伍子胥忠于他的君主,所以天下的君主都愿意有像他这样的人做臣下;他又很懂孝道热爱他的父母兄弟,所以天下做父亲的都愿意有像他这样的人做儿子。现在作为儿子,却让父母分离不得合葬,这能算是孝顺吗?这样还配当臣下吗?如果能允许在那里合葬,这就能让我活下去,也让我母亲安息于地下;如果不允许在那里合葬,那么我将要亲自拉着灵车寄存在都城大门外的屋檐下面,我将不吃不喝,抱着车辕,拉着辕前的横木,就像鸟儿栖息在枯树上一动也不动，脱去上衣露出肉身，让太阳曝晒，以求得君主对我的怜悯。我这样做虽然很愚蠢，但是我心中认为英明的君主会可怜我而不忍心看着我这样做的。"

晏子回到宫中，向景公禀报了盆成适所说的话。景公听罢气得变了脸色，怒气冲冲地说："您何必害怕他所说的那一套话而来告诉我呢？"晏子回答说："我听说过，忠于君主的人不会躲避面临的危险，热爱君主的人不会说出伤害君主的坏话。况且我对于如何处理这件事也感到很为难啊。现在您修建宫室台榭占了民众的很多土地，就是为了供自己游玩观赏，既侵夺了百姓的墓地，又不许百姓合葬父母，这是不仁的行为；您恣意而傲慢，不听好的意见，不怜悯人民的哀愁，是不义的行为啊。您为什么不听我的劝谏呢？"于是把盆成适的话原原本本都讲出来。景公听后，长叹一声说："真是悲惨呀！您不用再说了（我听您的了）！"

景公于是派出几百人组成的迎丧队伍，男子穿着袒免的丧服（袒露左臂，头上缠着麻布条），女子头发挽成髻，也用麻布束发，专门打开运送灵柩的大门，以迎盆成适挽的灵车进入宫室区。盆成适则脱掉丧服，戴着系有丝带的帽子，穿着带黑边的衣服，拜见景公。景公对他说："我听说过，没出息的儿子虽然多，只不过住在一个屋里罢了，好儿子只需一个就可以誉满朝堂，这不就是说的你吗！"盆成适受到景公的礼遇，料理合葬事情时不敢哭出声来，一切都按照礼仪行事。合葬完毕，出了宫门，然后才放声痛哭起来。

景公筑长庲台晏子舞而谏第十二

景公筑长庲之台。晏子侍坐，觞三行，晏子起舞曰："岁已暮矣，而禾不获①，忽忽矣若之何②？岁已寒矣，而役不罢，惙惙矣如之何?"舞三,而涕下沾襟。景公惭焉,为之罢长庲之役。③

[注释]

①禾不获:庄稼不能收割。②忽忽:与下文"惙惙",都是忧愁的意思。③篇末元刻注云:"此章与'景公为长庲欲美之'、'景公冬起大台之役'辞旨同而小异,故著于此篇。"按:即《谏下》第五章、第六章。

[译文]

景公征调众多民夫修建长庲之台(耽误了农业生产)。晏子陪景公饮酒,酒过三巡,晏子离席起身,一边跳舞,一边唱歌道:"时光匆匆,已经到了岁末,地里的庄稼却无法收获,农夫忧心忡忡,全家怎么过活?日月轮回,冬天已经来临,国家的劳役无止无休,农夫忧心如焚,全家怎么生存?"歌舞三遍,泪水打湿了衣襟。景公听了晏子的讽喻,甚感惭愧,为此暂停了修筑长庲台的徭役。

景公使烛邹主鸟而亡之公怒将加诛晏子谏第十三

景公好弋①,使烛邹主鸟而亡之②,公怒,召吏欲杀之③。

晏子曰:"烛邹有罪三,请数之以其罪而杀之。"公曰:"可。"于是召而数之公前,曰:"烛邹,汝为吾君主鸟而亡之,是罪一也;使吾君以鸟之故杀人,是罪二也;使诸侯闻之,以吾君重鸟以轻士,是罪三也。"数烛邹罪已毕,请杀之。公曰:"勿杀!寡人闻命矣。"④

[注释]

①弋:用绳系在箭上射,以猎飞禽。②主:掌管,看管。③"欲"字旧脱,从孙星衍说据《艺文类聚》补。④篇末元刻注云:"此章与'景公欲诛野

人'、'景公欲杀圉人'章旨同而辞少异,故著于此篇。"按:即《谏上》第二十四章、第二十五章。

[译文]

景公喜好用箭射飞禽,派烛邹看管着他准备射的鸟,鸟却飞走了。景公很生气,召来主刑的官吏要将烛邹处死。

晏子对景公说:"烛邹这个人有三条罪状,请让我指明他的罪状然后再杀死他。"景公说:"可以。"于是把烛邹召来,当着景公的面列数他的罪状,说:"烛邹,你为我们君主管鸟却让它飞走了,这是你的第一条罪状;让我们的君主就为了一只小鸟而杀人,这是你的第二条罪状;让诸侯们听到这件事,认为我们的君主看重鸟却轻视士人的生命,这是你的第三条罪状。"晏子列数完烛邹的三条罪状,请景公下令处死他。景公(很感惭愧)说:"不要杀他了!我听从您的教诲了。"

景公问治国之患晏子对以佞人谗夫在君侧第十四

景公问晏子曰:"治国之患亦有常乎?"对曰:"佞人谗夫之在君侧者,好恶良臣①,而行与小人②,此治国之常患也③。"公曰:"谗佞之人,则诚不善矣。虽然,则奚曾为国常患乎?"晏子曰:"君以为耳目而好谋事④,则是君之耳目缪也⑤。夫上乱君之耳目,下使群臣皆失其职,岂不诚足患哉?"

公曰:"如是乎!寡人将去之⑥。"晏子曰:"公不能去也。"公忿然作色不说,曰:"夫子何少寡人之甚也⑦?"对曰:"臣何敢挢也⑧?夫能自周于君者,才能皆非常也。夫藏大不诚于中者⑨,必谨小诚于外,以成其大不诚。入则求君之嗜欲能顺之,君怨良臣⑩，则具其往失而益之。出则行威以取富。夫何密近⑪，不为大利变，而务与君至义者⑫，此难得其知也⑬。"

公曰："然则先圣奈何？"对曰："先圣之治也，审见宾客，听治不留⑭，患日不足⑮，群臣皆得毕其诚，谗谀安得容其私？"公曰："然则夫子助寡人止之，寡人亦事勿用矣⑯。"对曰："谗夫佞人之在君侧者，若社之有鼠也。谚言有之曰：'社鼠不可熏去。'谗佞之人，隐君之威以自守也⑰，是故难去焉。"⑱

[注释]

①恶：厌恶，此指说坏话。②与：交往，结党。③"治"字旧脱，"常"旧作"长"，依王念孙说据《群书治要》补正。④"谋"旧作"缪"，从苏舆说据《群书治要》改。⑤缪：通"谬"，错误。⑥去之：让他们离去。⑦"少"旧作"小"，脱"之"字，从王念孙说据《群书治要》正补。⑧挢："挢"旧作"樀"，依俞樾说据《群书治要》改。挢，通"矫"，诈称，欺骗。⑨大不诚：大奸诈。中：指心中。⑩"君"字旧作"公"，依王念孙说据《群书治要》改。此"君"泛指为君者。⑪夫：彼，指谗佞之人。何：通"可"。⑫"者"下旧衍"也"字，从苏舆说据《群书治要》删。⑬此句张纯一以为当作"此难见而且难知也"，录以参考。⑭听：听讼，断狱。治：治事，处理政事。不留：不滞留，不遗留。⑮"患"字旧脱，从王念孙说据《群书治要》补。⑯"矣"字旧脱，从苏舆说据《群书治要》补。⑰隐：通"依"，依靠，倚仗，凭借。⑱篇末元刻注云："此章与'景公问佞人之事君何如'、'景公问治国何患'三章（应为"二章"）大旨同而辞少异，故著于此篇。"按：即《问上》第二十一章、《问上》第九章。

[译文]

景公问晏子道："治理国家方面也有经常存在的祸患吗？"晏子回答说："那些巧言谄媚之人和善于陷害别人的人围绕在君主身边，喜欢诬陷良臣，搞一些与小人结党营私的勾当，这就是治理国家方面经常存在的祸患。"景公说："谗佞之人诚然是很不好的，虽然这样，他们怎么会成为国家经常的祸患呢？"晏子说："国君把谗佞之人当成自己的耳目去使用,他们又好为君主出谋划策,这就使君主听到的看到的都是虚假的错误的情况。这些人对上则惑乱君主的视听,对下则使群臣不能尽其职责,这难道不是真正值得忧患的吗?"

景公说:"原来是这样啊!我将让这些人离开朝廷。"晏子说:"您是没有办法让他们离开的。"景公满脸不高兴地说:"先生您为什么对我如此轻视呢?"晏子回答说:"我怎么敢对您说假话?那些能使自己和君主关系亲密的人,才能都非同寻常。他们胸怀大的奸诈之心,外面必然谨慎地表现一些小忠小信的行为,以便实现他们大的奸诈目的。在朝廷内,他们投君主之所好,对君主百依百顺,君主如果对良臣有怨恨,他们就会把良臣以往的过失一一列举出来,以增加君主对良臣的怨恨。在朝廷外面,他们则倚仗君主的威势为自己谋取钱财。他们可以在君主跟前伪装出一副不为大利所动、只依照道义与君主交往的假象,所以说这些人是难以了解的。"

景公说:"既然是这样,那么古代的圣明君主怎么对付他们?"晏子回答说:"古代圣君治理国家的办法是,审慎地接见宾客,审判案件处理政事都及时办理而不拖延滞留,只嫌时间不够用,群臣能把对君主对国家的忠诚全都表现出来,谗谀之人的私心奸谋哪里还有施展的余地呢?"景公说:"既然如此,先生您帮助我驱除他们,我也就不任用他们办事了。"晏子回答说:"谗佞之人在君主身边,就像是在社坛里藏着的老鼠一样。老百姓中流传着这样的谚语:'社鼠是不可用烟火熏跑的。'谗佞之人倚仗着君主的权威来保护自己,所以很难将他们驱除啊。"

景公问后世孰将践有齐者晏子对以田氏第十五

景公与晏子立曲潢之上,望见齐国,问晏子曰:"后世孰将践有齐国者乎?"晏子对曰:"非贱臣之所敢议也。"公曰:"胡必然也①?得者无失,则虞、夏常存矣②。"晏子对曰:"臣闻见足以知之者③,智也;先言而后当者④,惠也⑤。夫智与惠,君子之事,臣奚足以知之乎?虽然,臣请陈其为政。君强臣弱,政之本也;君唱臣和,教之隆也⑥;刑罚在君⑦,民之纪也。今夫田无宇,二世有功于国,而利取分寡⑧,公室兼之⑨,国权专之,君臣易施⑩,能无衰乎?婴闻之,臣富主亡。由是观之,其无宇之后为几⑪,齐国,田氏之国也。婴老,不能待公之事。公若即世⑫,政不在公室。"

公曰:"然则奈何?"晏子对曰:"维礼可以已之。其在礼也,家施不及国,民不懈,货不移,工贾不变⑬,士不滥⑭,官不谄⑮,大夫不收公利⑯。"

公曰:"善。今知礼之可以为国也。"对曰:"礼之可以为国也久矣,与天地并立。君令臣忠⑰,父慈子孝,兄爱弟敬,夫和妻柔,姑慈妇听⑱,礼之经也⑲。君令而不违,臣忠而不二,父慈而教,子孝而箴⑳,兄爱而友,弟敬而顺,夫和而义,妻柔而贞,姑慈而从㉑,妇听而婉㉒,礼之质也㉓。"公曰:"善哉!寡人乃今知礼之尚也。"晏子曰:"夫礼,先王之所以临天下也,以为其民㉔,是故尚之。"㉕

[注释]

①胡:何。然:这样。②虞:指以舜为君主的王国。③此句"见"下旧衍"不"字,从王念孙说据下文"臣奚足以知之者"删。即见微而知著之意。④当:中,应验。⑤惠:通"慧"。⑥隆:盛。⑦刑罚在君:刑罚大权掌握在君主手中。⑧取:聚。分寡:分给贫困之人。⑨公室兼之:田氏兼有公室之利。⑩君臣易施:君主和臣下施恩泽的职责和对象互换了位置。⑪"为"字旧作"无",从俞樾说据《问上》第八章改。为几:有可能。⑫即世:去世。⑬工:工匠。贾:商人。不变:不改变职业。⑭不滥:不失职。⑮谄(tāo):

通"惰",怠慢,偷惰。⑯大夫不收公利:大夫不收聚公家之利。⑰令:善。⑱姑:婆婆。⑲经:常法,根本。⑳箴:规劝。㉑从:听从,不自专。㉒婉:顺从,引申为婉言规劝。㉓质:体,体现。㉔为:治理。㉕篇末元刻注云:"此章与'景公坐路寝问谁将有此'、'景公问鲁莒孰先亡因问后世孰有齐国'、'晋叔向问齐国之治若何'三章,答旨同而辞异,故著于此篇。"按:即《外篇七》第十章、《问上》第八章、《问下》第十七章。

[译文]

　　景公与晏子站在弯弯曲曲的池塘的高台之上,望见齐国繁华的都城,景公问晏子说:"后世谁将占有齐国呢?"晏子回答说:"这不是做臣下的所敢于议论的事情。"景公说:"何必这样呢?如果得到国家的人就不会失去国家,那么虞和夏就应该永远存在了。"晏子回答说:"我听说,见到征兆就能够知道结果的,那是智慧的人;先有预言而后能应验的,那是聪明的人。智慧和聪明,那是君子的本事,我怎么能预见这事呢?虽然如此,我还是愿意谈谈治理政事的道理。君主强大臣下弱小,乃是维持政权的根本;君主发号施令臣下拥护执行,这是政教兴盛的表现;执行刑罚的权力集中掌握在君主手中,百姓就有纲纪可以遵循了。现在,田无宇家已经两代有功于齐国,他聚积起的钱财能分给贫困的民众,他侵占了公室的利益,控制了国家的权力,君主和臣下改变了位置,(本应当由君主向人民布施的恩惠现在却由田氏去施恩)公室的权力能不衰微吗?我听说,臣下富有了,君主就会失去地位。由此看来,田无宇的后代有可能占有齐国。齐国,将成为田氏的国家了。我老了,不能陪伴您处理政事了。您辞世以后,政权也就不由公室掌握了。"

　　景公说:"照此说来,还有什么挽救的办法呢?"晏子回答说:"只有礼制可以阻止这样的事情发生。按照礼制的规定,大夫家施舍恩惠不能扩大到全国范围,民众做事不懈怠,财货不全国流动,工匠和商人的职业都固定不变,士不失职,官吏不怠慢偷懒,大夫不侵占公室的利益。"

景公说："这样很好。现在我才知道只有礼可以治理好国家啊。"晏子回答说："用礼可以治理国家的道理由来已久了，它和天地是一起存在的。君主圣明，臣下忠诚；父亲慈祥，儿子孝顺；兄长爱护诸弟，诸弟尊敬其兄；丈夫和蔼，妻子柔顺；婆婆慈惠，媳妇顺从。这就是礼的根本原则。君主圣明而不违背礼制，臣下忠诚而没有贰心；父亲慈爱而能教育子女，子女孝顺又善于规劝父亲；兄长对诸弟爱护而友好，诸弟对兄长尊敬而恭顺；丈夫和蔼而行动得当，妻子温柔而行为贞洁；婆婆慈祥而不专断，媳妇顺从而能婉言规劝。这就是礼的重要表现。"景公说："说得好啊！我现在才知道礼的重要性了。"晏子说："礼，乃是先王用来治理天下的利器，只有用礼才能管理好人民，所以它是最重要的事情啊！"

晏子使吴吴王问君子之行晏子对以不与乱国俱灭第十六

晏子聘于吴，吴王问："君子之行何如？"晏子对曰："君顺怀之①，政治归之②。不怀暴君之禄，不居乱国之位。君子见兆则退③，不与乱国俱灭，不与暴君偕亡。"④

[注释]

①顺：按道义行事。②政：政事。治：治理。③兆：指国乱的征兆。④篇末元刻注云："此章与'吴王问可处可去'事旨既同，但辞有详略之异，故著于此篇。"按：即《问下》第十章。

[译文]

晏子受齐君委派出访吴国，吴王问他："君子的品行是怎样的？"晏子回答说："君主按道义行事就仰慕他，政事治理得好就归附他。不贪恋暴君的俸禄,不担任乱国的官职。君子看到政治混乱的征兆就急流勇退,不和混乱的政权一起覆灭,不和暴虐的君主一起逃亡。"

吴王问齐君僈暴吾子何容焉晏子对以岂能以道食人第十七

晏子使吴,吴王曰:"寡人得寄僻陋蛮夷之乡,希见教君子之行①,请私而无为罪。"晏子蹴然辟位。吴王曰:"吾闻齐君,盖贼以僈②,野以暴,吾子容焉,何甚也!"晏子遵循而对曰③:"臣闻之,微事不通,粗事不能者,必劳;大事不得,小事不为者,必贫;大者不能致人④,小者不能至人之门者⑤,必困。此臣之所以仕也。如臣者,岂能以道食人者哉⑥?"

晏子出,王笑曰:"嗟呼!今日吾讥晏子,犹倮而訾高撅者也⑦。"⑧

[注释]

①希:通"稀"。见教:受教诲。②贼:残忍。僈:通"慢",傲慢。③遵循:通"逡巡",迟疑不决的样子。④致人:使人来服从。⑤至人之门:到他人门下服务。⑥食(sì):给人吃,养活人。⑦旧"訾"字倒著"犹"上,从孙星衍说据《绎史》改。"撅"旧作"橛",从俞樾说改。倮:通"裸"。訾:咎,责备。撅(guì):揭衣。⑧篇末元刻注云:"此章与'景公问天下之所以亡'、'鲁君问何事回曲之君'三章或事异而辞同,或旨同而辞异,故著于此篇。"按:即《问上》第十五章、《问下》第十二章。

[译文]

晏子出使吴国,吴王说:"我住在偏僻的蛮夷之乡,很少受到君子优良品行的教诲,请允许我说些私下的话,您听了不要怪罪。"

晏子很恭敬地离开坐席。吴王说："我听说齐国君主又残忍又傲慢，又粗野又暴躁，您却能够容忍而待在他的身边，这样太过分了吧！"晏子迟疑片刻然后回答说："我听说，对细致的事情自己不精通，对粗俗的事情又不肯做，这样的人一定会受劳受苦；大事业得不到，小事情又不肯去做，这样的人一定会受穷；从大的方面说没有能力让别人来服从自己，从小的方面说又不肯到别人门下去服务，这样的人一定会处于困境。这就是我所以在齐君朝中当官的原因。像我这样的人，哪里能仅用道义去养育别人呢？"

晏子退出后，吴王笑着说："哎呀！今天我讥讽晏子，就如同裸体的人反而责备把衣服高高撩起来的人不懂礼仪一样（真是自找没趣）啊。"

司马子期问有不干君不恤民取名者乎晏子对以不仁也第十八

司马子期问晏子曰①："士亦有不干君②、不恤民③，徒居无为而取名者乎？"晏子对曰："婴闻之，能足以赡上益民而不为者④，谓之不仁。不仁而取名者，婴未得闻之也。"

[注释]

①司马子期：楚平王之公子结，字子期。司马为官职。②干：求，谋求官职。③恤：救济。④赡：通"儋"，安。

[译文]

司马子期问晏子说："作为士人，也有既不向君主求取官职，也不救济民众的疾苦，只是闲居家中无所作为而博得好名声的吗？"晏子回答说："我听说过，其才能足以使君主政治安定，使人民受益，却不去这样做的人，叫做不仁。行为不仁却能成就美名的，我还没有听说过。"

高子问子事灵公庄公景公皆敬子晏子对以一心第十九

高子问晏子曰:"子事灵公、庄公、景公①,皆敬子,三君之心一耶,夫子之心三也?"晏子对曰:"善哉,问事君!婴闻一心可以事百君,三心不可以事一君。故三君之心非一也,而婴之心非三心也。且婴之于灵公也,尽复而不能立之政②,所谓仅全其四支以从其君者也。及庄公陈武夫,尚勇力,欲辟胜于邪③,而婴不能禁,故退而野处④。婴闻之,言不用者,不受其禄;不治其事者,不与其难。吾于庄公行之矣。今之君,轻国而重乐,薄于民而厚于养,藉敛过量,使令过任,而婴不能禁,庸知其能全身以事君乎?"⑤

[注释]

①"景公"为死后的谥号,其时未死而称谥号,疑文字有误。②复:言。立之政:用于政事。③欲:嗜欲。辟:同"僻",邪僻。胜:超过。邪:同"斜"。④野处:在乡间居住,即前文所谓东耕于海滨。⑤篇末元刻注云:"此章与'梁丘据问事三君不同心'、'孔子之齐不见晏子'旨同而辞少异,故著于此篇。"按:即《问下》第二十九章、《外篇第八》第四章。又《外篇第八》第三章旨亦同。

[译文]

高子问晏子说:"您侍奉灵公、庄公、景公,他们都尊敬您,是三位君主的心思都一样呢,还是您用三种心思分别侍奉他们呢?"晏子回答说:"您能问如何侍奉君主的事,问得好啊!我听说一心一意可以侍奉百位君主,三心二意连一位君主也侍奉不好。所以,三位君主的心思并不一样,而我也没有三种心思。况且我侍奉灵公的时候,我把全部主张都禀告给他,但他在行政时却不能实行,这就是人们所说的仅仅能保住自己的肢体(不受肉刑)来侍奉君主啊。到了庄公在位时,布列武夫,崇尚勇力,嗜欲邪僻超过了正常限度,而我却不能制止,所以辞官而退居乡间。我听说过,意见不被采用,就不接受君主的俸禄;不给君主治理政事的人,就不承担他所遇到的灾难。我对庄公就是这样做的。当今的君主,轻视国家而看重玩乐,对人民刻薄寡恩,对自己却供养丰厚,征收赋税超过了收入限度,役使人民超过了承受的能力,而我却不能制止,谁知道我还能否保住性命继续侍奉君主呢?"

晏子再治东阿上计景公迎贺晏子辞第二十

晏子治东阿,三年,景公召而数之曰:"吾以子为可,而使子治东阿。今子治而乱,子退而自察也,寡人将加大诛于子①。"晏子对曰:"臣请改道易行而治东阿,三年不治,臣请死之。"景公许之②。

于是明年上计③,景公迎而贺之曰:"甚善矣,子之治东阿也!"晏子对曰:"前臣之治东阿也,属托不行,货赂不至,陂池之鱼,以利贫民。当此之时,民无饥者,君反以罪臣。今臣后之治东阿也④,属托行,货赂至,并重赋敛,仓库少内⑤,便事左右,陂池之鱼,入于权宗⑥。当此之时,饥者过半矣,君乃反迎而贺。臣愚,不能复治东阿,愿乞骸骨,避贤者之路。"再拜,便辟⑦。景公乃下席而谢之曰:"子强复治东阿⑧,东阿者,子之东阿也,寡人无复与焉。"⑨

[注释]

①大诛：重加责罚。诛，责。②"之"字旧脱，从卢文弨说据《说苑》补。③上计：地方官员于年末将记载赋税收入的簿籍上报朝廷，以考核官员的政绩。④"治"字旧脱，从卢文弨说据《说苑》补。⑤内：同"纳"。⑥宗：族。《说苑》"权宗"作"权家"。⑦辟：同"避"。旧讹为"僻"，从卢文弨说据《说苑》改。⑧强：勉力，尽力。⑨篇末元刻注云："此章与'晏子再治东阿而见信景公任以国政章'旨同而述辞少异，故著于此篇。"按：即《杂上》第四章。

[译文]

晏子治理阿邑，经过三年，景公将他召回朝廷责备他说："我当初认为您有能力，派您去治理阿邑。如今您没有治好反而搞乱了，您回去反省一下自己吧，我将重重地处罚您。"晏子回答说："我请您允许我改换方式方法再去治理阿邑，三年如果治理不好，请您处死我。"景公答应了晏子的请求。

等到第二年，晏子向朝廷献上登计赋税收入的账簿，景公亲自迎接晏子并且称赞他说："您把阿邑治理得太好了！"晏子回答说："以前我治理阿邑的时候，没有人敢嘱托我办私事，也没有人敢向我行贿赂，池塘沼泽里的鱼允许贫民去捕捞。那个时候，民众中没有挨饿的人，可是您反而认为我有罪过。我后来治理阿邑时（改变了做法），别人嘱托的私事我都给办，别人贿赂的钱财我都收下，并且向百姓加重征收赋税，但收入国库的只有很少部分，用大量钱财送给君主左右的近臣，阿邑境内池塘沼泽中的鱼虾只允许权贵之家捕捞。这个时候，百姓中缺食挨饿的人超过了半数，您反而迎接我、祝贺我。我很愚笨，不能再这样治理阿邑了，请允许我告老还乡，给贤德之人让开入仕之路。"说完话向景公拜了两拜，便要离开。景公急忙走下坐席向晏子道歉说："请您尽力去治理阿邑吧，您就把阿邑当成自己的阿邑，我再也不干预您的工作了。"

太卜绐景公能动地晏子知其妄使卜自晓公第二十一

景公问太卜曰①："汝之道何能?"对曰："臣能动地②。"公召晏子而告之曰："寡人问太卜曰：'汝之道何能?'对曰：'能动地。'地可动乎?"晏子默然不对。

出，见太卜曰："昔吾见钩星在四心之间③，地其动乎?"太卜曰："然。"晏子曰："吾言之，恐子之死也④；默然不对，恐君之惶也⑤。子言，君臣俱得焉。忠于君者，岂必伤人哉?"晏子出，太卜走入见公曰："臣非能动地，地固将动也。"

陈子阳闻之⑥，曰："晏子默而不对者，不欲太卜之死也；往见太卜者，恐君之惶也。晏子，仁人也，可谓忠上而惠下也。"

[注释]

①太卜：掌管占卜之官。②动地：使地震动。③昔：通"夕"，夜间。钩星：客星。四：通"駟"，亦作"天駟"、"天龙"，苍龙七宿的第四宿，即房星，因有四星，故称为"四"。古星象家以为钩星出于房心之间，即会发生地震。④"之死"旧作"死之"，从卢文弨说改。⑤惶：惑。⑥陈子阳：又作田子阳，齐臣。

[译文]

景公问太卜说："你的方术能干什么?"太卜回答说："我能让地震动。"景公召见晏子告诉他说："我问太卜说：'你的方术能干什么?'他回答说：'能让地震动。'人可以让地震动吗?"晏子沉默不作回答。

晏子出来，去见太卜，对他说："夜间我看见客星钩星处在房星四星之间,地大概要震动了吧。"太卜说:"是的。"晏子说:"我如果将实情告诉君主,恐怕您会(因犯欺君之罪)被处死;如果我沉默而不对君主讲出实情,又害怕君主被您的谎言所欺骗。您如果亲自对君主讲出实情,对君主和您自身都会有好处。忠于君主的人,何必要伤害别人呢?"晏子离开后,太卜赶快前往宫中去对景公说:"我并没有让地震动的本事,是地本来将要震动。"

陈子阳听说这件事后,评论说:"晏子所以保持沉默而不说出实情,是不希望太卜被处死;他所以去见太卜,是担心君主被谎言所迷惑。晏子真是位仁德君子,可以称得上对君主忠诚,对下属慈爱了。"

有献书谮晏子退耕而国不治复召晏子第二十二

晏子相景公,其论人也,见贤而进之,不同君所欲;见不善则废之,不辟君所爱①。行己而无私,直言而无讳。有纳书者曰②:"废置不周于君前③,谓之专;出言不讳于君前,谓之易④。专易之行存,则君臣之道废矣。吾不知晏子之为忠臣也。"公以为然。晏子入朝,公色不说。故晏子归,备载⑤,使人辞曰:"婴故老悖无能⑥,毋敢服壮者事。"

辞而不为臣,退而穷处,东耕海滨,堂下生藜藿,门外生荆棘。七年,燕、鲁分争,百姓惛乱⑦,而家无积。公自治国,权轻诸侯,身弱高、国。公恐,复召晏子。晏子至,公一归七年之禄,而家无藏。

晏子立,诸侯忌其威,高、国服其政,燕、鲁贡职,小国时朝。晏子没而后衰。⑧

[注释]

①辟：同"避"。②纳：交付，献上。③不周：不由，不经过。④易：轻慢，引申为狂妄。⑤备：通"犕"，把马套在车上。⑥悖：荒谬，昏乱。⑦刘师培以为"燕、鲁分争，百姓惛乱"当在下文"身弱高、国"之下，可备一说。⑧篇末元刻注云："此章与'景公恶故人晏子退'章旨同，叙事少异，故著于此篇。"按：即《杂上》第五章。

[译文]

晏子任景公朝之相，他用人的原则是，看到贤德的人就提拔他，和君主想要提拔的人常有不同；看到不贤德的人就罢免他，即使是君主所喜爱的人也不回避。自己的所作所为没有私心，对君主直言规劝不加避讳。有人上书君主说："大臣罢免或提拔官吏不请示和经过君主同意，这叫做专权；在君主面前说话不加避讳不留情面，这叫做狂妄。如果大臣有着专权和狂妄的行为，那么君主之间的伦理准则就废弃了。我不认为晏子能算得上忠臣。"景公听了这人的话以为很有道理。晏子上朝时，景公做出很不高兴的脸色给他看。所以晏子回到家中，备好马车，派人向景公辞职，说："我已经年老昏乱，能力不行了，不敢担当壮年人应该担当的职务了。"

晏子辞官而去，不在朝中为臣，退避到贫穷的乡下居住，在东边滨海地方耕种田地，院子里长满野草，大门外荆棘丛生。过了七年，燕国、鲁国都和齐国发生了战争，百姓秩序混乱，普遍贫困而无积蓄。景公亲自治理国家，其结果是齐国的地位降低，被诸侯们所轻视；公室的实力大减，还不如高氏、国氏两家强大。景公非常害怕，只得又把晏子召回朝中。晏子回去后，景公把七年的俸禄一次发还给他，他又将其分给贫困之人，家中不储存财物。

晏子主持国政以后，诸侯们都畏忌他的威严，高氏、国氏都服从他的政令，燕国、鲁国都向齐国进贡，小国都按时来朝拜齐君。晏子死后齐国公室才走向衰落。

晏子使高纠治家三年而未尝弼过逐之第二十三

晏子使高纠治家,三年而辞焉。傧者谏曰①:"高纠之事夫子三年,曾无以爵禄而逐之,敢请其罪?"

晏子曰:"若夫方立之人②,维圣人而已。如婴者,仄陋之人也③。若夫左婴右婴之人不举四维④,四维将不正。今此子事吾三年,未尝弼吾过也,吾是以辞之。"⑤

[注释]

①傧者:替主人迎接宾客之人。②方立之人:以道立身之人,即依道行事之人。方,道。③仄陋:僻侧浅陋。仄:通"侧",偏离中心。④左、右:都是辅佐之意。旧脱"四维"二字,依张纯一说补。四维:指礼、义、廉、耻四种纲纪。⑤篇末元刻注云:"此章与'景公欲见高纠'章旨通而辞少异,故著于此篇。"按:即《杂上》第二十八章、第二十九章。

[译文]

晏子让高纠管理自己的家政,干了三年就辞退了他。傧者劝说道:"高纠为您服务了三年,您连爵禄都没有给他,反而赶跑了他,请问他犯了什么罪过?"

晏子说:"像那些能严格遵循道义行事而不动摇的,只有圣人才能做到。像我这样的不过是偏离道义的浅陋之人。如果左右辅佐我的人不能按礼义廉耻的原则帮助我,礼义廉耻的原则在我身上将会发生偏差。现在高纠这个人为我服务了三年,从未矫正过我的过失,我因此才将他辞退。"

景公称桓公之封管仲益晏子邑辞不受第二十四

景公谓晏子曰:"昔吾先君桓公,予管仲狐与榖,其县十七，著之于帛①，申之以策②，通之诸侯③，以为其子孙赏邑。寡人不足以辱而先君④，今为夫子赏邑，通之子孙。"

晏子辞曰："昔圣王论功而赏贤，贤者得之，不肖者失之。御德修礼⑤，无有荒怠。今事君而免于罪者，其子孙奚宜与焉⑥？若为齐国大夫者必有赏邑，则齐君何以共其社稷与诸侯币帛⑦？婴请辞。"遂不受。⑧

[注释]

①著：书写。帛：丝织品的总称。②策：竹简编成的册。申：表达，表明。③通：通报。④辱：辜负，违背。而：作语助，同"以"。先君：指桓公。⑤御：治理，整顿。修：修整，完善。⑥与：参与，引申为接受、承受。⑦共：同"供"。⑧篇末元刻注云："此章与'景公致千金而晏子固不受'、'使田无宇致封邑晏子辞'章旨悉同而辞少异，故著于此篇。"按，即《杂下》第十八章、第十九章、第二十章。

[译文]

景公对晏子说："我们先君桓公，曾赏给管仲狐地与穀地的十七个县，将赏赐之事和县名既写在帛书上，又记录在简册上存为档案，并且通告诸侯，可以由子孙后代继承作为赏邑。我不能够违背先君桓公的做法，现在也赏给您封邑，并且可以传给您的子孙后代。"

晏子辞谢说："从前圣王根据功劳的大小赏赐贤德之人，贤德之人能得到赏赐，不肖之人则得不到赏赐。整顿道德，完善礼治，政事没有荒废懈怠的现象。现在我是一个为君主服务没有功劳仅仅能免于罪责的人，我的子孙哪里适合接受赏赐呢？如果在齐国凡是当大夫的人必定赐给封邑，（齐国的土地和收益都归于私家门下）那么齐国君主用什么供给祭祀社稷神灵所需的费用以及与诸侯交往时应送的礼品呢？所以我请求辞去赏邑。"于是没有接受赏邑。

景公使梁丘据致千金之裘晏子固辞不受第二十五

景公赐晏子狐之白裘①，玄豹之茈②，其赀千金③，使梁丘据致之。晏子辞而不受，三反④。公曰："寡人有此二，将欲服之。今夫子不受，寡人不敢服。与其闭藏之，岂如弊之身乎？"晏子曰："君就赐⑤，使婴修百官之政，君服之上，而使婴服之于下，不可以为教。"固辞而不受。⑥

[注释]

①狐之白裘：疑当作"狐白之裘"，《谏上》第二十章即作"公被狐白之裘"。②"玄"字旧避清圣祖玄烨讳改作"元"，依张纯一说改。茈：刘师培谓为"背"之借字，衣交领处，即衣襟。张纯一谓为"冠"字之误。③赀：同"资"，此处作价值讲。④反：同"返"。⑤就：即使。⑥篇末元刻注云："此章与'景公使梁丘据遗之车马三返不受'章旨同而事少异，故著于此篇。"按：即《杂下》第二十五章，与下章旨并同。

[译文]

景公赐给晏子一件用狐狸腋下的白毛皮制成的皮衣，衣襟则用黑色豹子皮做成，价值千金，让梁丘据给晏子送去。晏子辞谢不受。送去三次都退了回来。景公说："这样的皮衣我有两件，我想穿它。现在先生您不接受，我也不敢穿它了。与其把它藏起来不穿，还不如穿在身上把它穿坏了呢。"晏子说："君主即使赐给我（也不能穿），您让我管理百官的政事，君主您在上位穿着狐白之裘，而我在下位也穿着同您一样的皮衣，这样做就不可教诲官吏和百姓依礼行事了。"晏子坚决辞谢，没有接受这一赏赐。

晏子衣鹿裘以朝景公嗟其贫晏子称有饰第二十六

晏子相景公，布衣鹿裘以朝①。公曰："夫子之家，若此其贫也！是奚衣之恶也？寡人不知，是寡人之罪也。"

晏子对曰："婴闻之，盖顾人而后衣食者，不以贪味为非；盖顾人而后行者②，不以邪僻为累。婴不肖，婴之族又不如婴也，待婴以祀其先人者五百家，婴又得布衣鹿裘而朝，于婴不有饰乎！"再拜而辞。③

[注释]

①鹿裘：鹿皮做的皮袄，价值低贱。或云"鹿"为"麤"（"粗"的异体字）的省文，即粗皮衣，可备一说。②顾：看，引申为仿效、攀比。或以为此下两句脱漏颇多，文不成义。③篇末元刻注云："此章与'陈无宇请浮晏子'、'景公睹晏子之食而嗟其贫'章旨同而辞少异，故著于此篇。"按：即《杂下》第十二章、第二十六章。

[译文]

晏子在景公朝中为相，穿着麻布内衣，外面套着鹿皮缝制的皮袄来上朝。景公见后说："先生的家庭，竟然贫困到如此地步！您穿的衣服为什么这样低劣呢？我不了解您家庭的情况，实在是我的过错啊。"

晏子回答说："我听说过，那些仿效他人穿好衣服吃好饭食的人，就不会把贪图美味美服视为错误；那些效仿他人邪僻行为的人，就不会想到这将使自身受害。我是不贤德的人，我家族中的成员都还不如我，依靠我的俸禄祭祀祖先（供养生活）的就有五百家，我能够穿着布衣鹿皮袄上朝，对我来说不是已经很体面了吗？"

于是拜了两拜告辞而出。

仲尼称晏子行补三君而不有果君子也第二十七

仲尼曰:"灵公污,晏子事之以整齐①;庄公壮,晏子事之以宣武②;景公奢,晏子事之以恭俭。晏子③,君子也!相三君而善不通下④,晏子,细人也!"

晏子闻之,见仲尼曰:"婴闻君子有讥于婴,是以来见。如婴者,岂能以道食人者哉!婴之宗族待婴而祀其先人者数百家,与齐国之闲士待婴而举火者数百家,臣为此仕者也。如臣者,岂能以道食人者哉?"

晏子出,仲尼送之以宾客之礼,再拜其辱⑤。反,命门弟子曰:"救民之姓而不夸⑥,行补三君而不有⑦,晏子果君子也!"⑧

[注释]

①整齐:整洁。②宣:疏通,引申为引导、节制。③"晏子"二字旧脱,依孙星衍说据《孔丛子》补。④通:达。不通下,不能在下面实行。⑤辱:谦辞,承蒙。⑥姓:通"生"。⑦不有:不居功。⑧篇末元刻注云:"此章与'仲尼之齐不见晏子'、'鲁君问何事回曲之君'章旨同而述辞少异,故著于此篇。"按:即《外篇第八》第四章、《问下》第十二章。

[译文]

仲尼评论晏子说:"灵公污秽,晏子用整洁的方法来矫正他;庄公壮勇,晏子用节制勇武的方法来矫正他;景公奢侈,晏子用俭朴的方法来矫正他。晏子是个君子啊!可是他给三位君主当相,好的政教却没有推行到下面,由此看来,晏子也是个见识浅陋的人啊。"

晏子听到这样的评论后,就去见仲尼,说道:"我听说您对我有所批评，所以我来见您。像我这样的人，哪里能只用道义给人当饭吃呢！我的家族中等待用我的俸禄祭祀祖先（供养生活）的有几百家，齐国中与我交往的没有职务和俸禄的士靠着我的俸禄维持生活的也有几百家，我就是为了这些人当官的。像我这样的人，哪里能只用道义给人当饭吃呢？"

晏子要离开，仲尼用对待宾客的礼仪送他出去，再次拜谢晏子肯屈尊到自己这里来。仲尼回去后，告诉自己的门下弟子说："他挽救民众的性命却不夸耀自己的功劳，他用自己的所作所为弥补了三位君主的过失却不居功自傲。晏子果然是位君子啊！"

外篇不合经术者第八

仲尼见景公景公欲封之晏子以为不可第一

仲尼之齐,见景公。景公说之,欲封之以尔稽,以告晏子,晏子对曰:"不可。彼浩裾自顺①,不可以教下;好乐缓于民②,不可使亲治;立命而怠事③,不可使守职④;厚葬破民贫国,久丧循哀费日⑤,不可使子民;行之难者在内,而儒者无其外⑥,故异于服,勉于容,不可以道众而驯百姓。自大贤之灭,周室之卑也,威仪加多,而民行滋薄⑦;声乐繁充而世德滋衰。今孔丘盛声乐以侈世⑧,饰弦歌鼓舞以聚徒,繁登降之礼以示仪⑨,务趋翔之节以观众⑩。博学不可以仪世⑪,劳思不可以补民。兼寿不能殚其教⑫,当年不能究其礼⑬,积财不能赡其乐⑭。繁饰邪术以营世君⑮,盛为声乐以淫愚其民⑯。其道也不可以示世,其教也不可以导民。今欲封之,以移齐国之俗,非所以导众存民也。"公曰:"善。"

于是厚其礼而留其封,敬见不问其道,仲尼乃行。⑰

[注释]

①浩裾：即"傲倨"之假借字，傲慢。②"缓"字旧作"绥"，从孙星衍说改。缓，舒，从容，缓慢。③怠：旧作"建"，从孙星衍说改。④"使"字旧脱，从卢文弨说据《墨子》补。⑤"循"旧作"道"，从孙星衍、王念孙说改。循，遂。遂哀，谓哀而不止。⑥"儒"旧误作"传"，从卢文弨说改。无：通"妩"，媚。⑦滋：增加，更加。薄：不厚道。⑧侈：夸大，张大。引申为蛊惑。⑨"以示仪"三字旧脱，从孙星衍说据《墨子》补。登降：指尊卑上下。⑩"务"字旧脱，据《墨子》补。观众：使众人观看。意为鼓励众人学着去做。⑪仪世：为世人之表率。仪，法度，准则。引申为表率。⑫兼寿：寿命增加一倍。兼，加倍。⑬当年：壮年。究：穷尽。⑭赡：供给。⑮营：惑。⑯淫：惑乱。愚：愚弄。⑰篇末元刻注云："此并下五章皆毁诋孔子，殊不合经术，故著于此篇。"

[译文]

仲尼去到齐国，拜见景公。景公（与仲尼交谈后）很喜欢他，想要把尔稽之邑赐给他做封邑，把这想法告诉了晏子。晏子回答说："这件事不能做。像仲尼这样的人，骄傲而自以为是，不可以教导下民；酷好音乐，为民众办事缓慢，不可以让他直接管理人民；依恃天命，懒做实事，不可以让他担任具体职务；主张奢侈的葬礼，使人民破财，使国家贫穷，长期为亲者守丧，悲伤不止，无所事事，浪费时日，不可以让他去抚爱人民；最难做的事情是改变人们的思想，而儒家却注重修饰其形式和外表，穿着与众不同的服装，致力于修饰仪容，这样不可以引导民众教育百姓。自从伟大的圣人去世、周王室地位衰落以后，上层社会的威严和礼仪增加了，而民众的品行却更加不厚道了；音乐种类繁多，充斥于世，而社会道德风气却更加败坏了。现在孔丘把音乐搞得盛大隆重以蛊惑民众，用弹琴击鼓唱歌跳舞来聚集徒众，把尊卑上下的礼节仪式搞得很烦琐来显示威仪，致力于训练在不同场合行走的姿势与节奏让人们去效仿。他学问渊博但不可以做世人的表率，他思虑劳苦但是给人民却带不来好处。人们即使把寿命延长一倍也学不完他的学说，即使到了壮年也学不完他的那一套礼节仪式，即使聚积了很多钱财也不能够供给他搞音乐歌舞的费用。他用复杂多样的形式粉饰其不正当的做法以迷惑当世的君主，用华美动听的音乐去惑乱和愚弄民众。他的主张不可以在社会上推行，他的学说不可以指导人民的行动。现在您想赐给他封邑，用他的学说改变齐国的风俗，这可不是用来引导民众保护百姓的好办法啊。"景公说："您说得好。"

景公于是用隆重的礼节招待他，赐给他丰厚的礼物，但是不赐给他封邑，恭敬地会见他，但闭口不问他的治国主张，仲尼于是离开了齐国。

景公上路寝闻哭声问梁丘据晏子对第二

景公上路寝，闻哭声，曰："吾若闻哭声，何为者也？"梁丘据对曰："鲁孔丘之徒鞠语者也①。明于礼乐，审于服丧，其母死，葬埋甚厚，服丧三年，哭泣甚疾②。"公曰："岂不可哉？"而色说之③。

晏子曰："古者圣人，非不知能繁登降之礼，制规矩之节，行表缀之数以教民④，以为烦人留日⑤，故制礼不羡于便事⑥；非不知能扬干戚钟鼓竽瑟以劝众也，以为费财留工⑦，故制乐不羡于和民；非不知能累世殚国以奉死，哭泣处哀以持久也，而不为者，知其无补死者而深害生者，故不以导民。今品人饰礼繁事⑧，羡乐淫民，崇死以害生。三者，圣王之所禁也。贤人不用，德毁俗流⑨，故三邪得行于世。是非、贤不肖杂⑩，上妄说邪⑪，故好恶不足以导众。此三者，路世之政⑫，单事之教也⑬。公曷为不察，声受而色说之⑭？"

[注释]

①鞠语：人名，姓鞠名语。鞠，或作"鞫"。②疾：痛苦，悲痛。③说：同"悦"。之：指代鞠语。④表：表彰。缀：通"辍"，约束，禁止。数：术，方法。⑤留：滞，耽误。⑥羡：余。便事：方便行事。⑦留工：耽误工作。⑧品人：众人。品，众。⑨德毁：俭朴的品德被废弃。俗流：奢侈的风俗流行开来。⑩杂：混合。⑪妄：虚妄，混乱。说：通"悦"。⑫路：通"露"，衰败。⑬单：通"瘅"，病，引申为败坏。⑭声受：听到声音。

[译文]

景公登上路寝台，听到从远处传来哭泣声，问身边的大臣说："我好像听到了哭声，是什么人在哭呢？"梁丘据回答说："这是鲁国孔丘的门徒鞠语在哭。他通晓礼仪和音乐，熟悉服丧制度。他的母亲死了，他把葬礼办得很隆重，花费很多，还为其母服丧三年，哭得很悲痛。"景公说："这难道不好吗？"脸上流露出喜欢他的表情。

晏子说："古代的圣人，并不是不知道可以把尊卑上下的礼节搞得很繁多，制定烦琐的规矩约束人们的行为，实行表彰善行严惩恶行的方法来教导民众，不过认为这样做既烦扰民众又耽误时间，所以制定礼仪以方便做事为原则，不要求过于繁杂；他们并不是不知道组织众多舞者高举盾牌大斧跳舞，组织众多乐手用钟鼓竽瑟演奏音乐的方法可以起到鼓舞民众情绪的作用，不过认为这样做既耗费钱财又耽误工作，所以制作音乐以使民众欢乐和谐为原则，不要求过于张扬和绚丽；他们并不是不知道用疲惫世人、耗尽国力的方法去安葬死者，长久地为死者守丧哭泣，然而却不这样去做。因为他们知道这样做对死者没有任何意义，对活着的人却造成很大的损害，所以不引导民众这样做。现在的人们注重礼节仪式的形式，把事情搞得烦琐而复杂，用华丽诱人的音乐惑乱民众，崇尚为死者厚葬，却损害活人的生活。这三件事情，都是古代圣王所禁止做的。

当今之世，贤德之人不被任用，俭朴的美德被抛弃，奢侈的习俗已成风气，所以上述三种邪僻的事情得以在社会上通行。正确与错误、贤德与不贤德的界限混乱不清，搞得君主们思想昏乱，竟然喜欢邪僻的事情，所以君主们的喜好与厌恶不能够对民众起到正确的引导作用。这三样事情，乃是衰败时代所实行的政事，是败坏事情的教令。君主为什么不详细了解情况，仅仅听到他的哭声就喜欢上他呢？"

仲尼见景公景公曰先生奚不见寡人宰乎第三

仲尼游齐，见景公。景公曰："先生奚不见寡人宰乎①？"仲尼对曰："臣闻晏子事三君而得顺焉，是有三心，所以不见也。"

仲尼出，景公以其言告晏子，晏子对曰："不然。非婴为三心②，三君为一心故。三君皆欲其国之安，是以婴得顺也。婴闻之，是而非之③，非而是之④，犹非也⑤。孔丘必据处此一心矣⑥。"

[注释]

①宰：西周时掌管王家内外事务之官，春秋时沿用，多称"太宰"。此指任齐相的晏子。②"非"字旧脱，从王念孙说补。③是而非之：应当肯定的却加以反对。④非而是之：应当反对的却加以肯定。⑤犹非也：都是不对的。⑥据、处：义同，占有、据有之意。此：指上述两种情况。此一，即其中之一。

[译文]

仲尼周游列国，来到齐国，晋见景公。景公对他说："先生为什么不去见我的相呢？"仲尼回答说："我听说晏子先后侍奉三位君主（灵公、庄公、景公）都能顺从君主的意志，说明晏子是有三个心眼的人，所以我不去见他。"

仲尼走后，景公把他的话告诉了晏子，晏子回答说："他说得不对。不是我有三个心眼，是因为三位君主都有同一心愿的缘故。三位君主都希望自己的国家安定平安，所以我才能顺从他们的意愿。我听说过，应当肯定的却加以反对，应当反对的却加以肯定，这两种做法都是不对的。孔丘的做法必然属于其中的一种。"

仲尼之齐见景公而不见晏子子贡致问第四

仲尼之齐，见景公而不见晏子。子贡曰："见君不见其从政者，可乎？"仲尼曰："吾闻晏子事三君而顺焉，吾疑其为人。"

晏子闻之曰："婴则齐之世民也①，不维其行②，不识其过③，不能自立也。婴闻之，有幸见爱④，无幸见恶，诽誉为类⑤，声响相应，见行而从之者也。婴闻之，以一心事三君者，所以顺焉；以三心事一君者，不顺焉。今未见婴之行，而非其顺也。婴闻之，君子独立不惭于影，独寝不惭于魂⑥。孔子拔树削迹⑦，不自以为辱；身穷陈、蔡⑧，不自以为约⑨。非人不得其故⑩，是犹泽人之非斤斧⑪，山人之非网罟也⑫。出之其口，不知其困也。始吾望儒而贵之，今吾望儒而疑之⑬。"

仲尼闻之曰："语有之⑭：'言发于尔⑮，不可止于远也；行存于身，不可掩于众也。'吾窃议晏子，而不中夫人之过⑯，吾罪几矣⑰。丘闻君子过人以为友⑱，不及人以为师。今丘失言于夫子，夫子讥之⑲，是吾师也。"因宰我而谢焉⑳，然仲尼见之㉑。

[注释]

①齐之世民：世代为齐国之民。②不维其行：不保持住自己的好品行。

③不识其过：不认识自己的过失而改正之。④幸：幸运。见爱：被宠爱。⑤诽誉为类：诽谤和赞誉都应与有关的事实相联系。⑥不惭于魂：内省不疚，问心无愧。⑦孔子拔树削迹：孔子率领弟子周游到宋国，在大树下演习礼仪，宋司马桓魋欲杀孔子，派人拔掉大树，孔子和他的弟子只得离开。事见《史记·孔子世家》。⑧身穷陈、蔡：吴国征伐陈国，楚国出兵救陈，听说孔子住在陈蔡之间，派人邀请孔子到楚国去。陈蔡两国的大夫认为孔子如果去楚国受到重用，将威胁到陈蔡的安全，于是发徒役将孔子及其弟子围困在野外，绝粮七日。事见《史记·孔子世家》。⑨约：穷困。⑩非人：非难人。故：缘故，理由。⑪泽人：在水边从事捕捞水产品的人。非：非难，否定。⑫山人：在山中从事狩猎的人。⑬两"儒"字旧讹为"传"，从孙星衍说据《孔丛子》改。⑭语：指俗语。⑮尔：通"迩"，近。⑯不中：没有说对。⑰几：接近。⑱过人：超过别人。⑲"夫子"旧脱，依王念孙说补。⑳因：通过。宰我：孔子的弟子，擅长辞令。㉑张纯一以为"然"下当有"后"字。

[译文]

　　仲尼来到齐国，只拜见景公却不见晏子。子贡问道："您只谒见君主却不去见为他执政之人，这样做合适吗？"仲尼说："我听说晏子侍奉了三位君主都能顺从他们，我很怀疑他的人品。"

　　晏子听到仲尼的批评后，说道："我家世代都是齐国人，我如果不能保持住自己好的品行，不能认识自己的过失而及时改正，就难以在齐国安身立命。我听说过，幸运的人虽不可爱也会被人宠爱，不幸的人虽不可恶也会被人厌恶。应当是诽谤和坏行为相联系，赞誉和好行为相联系才是正理。就如同有声音发出才有回声相应，见到他的行为然后才能作出相应的评价。我听说过，以一个心眼（希望国家安定）侍奉三位君主，所以才能顺从三位君主；如果用三个心眼去侍奉君主，那么即使只侍奉一位君主也会相违逆。现在他还没有考察我的行为，就责备我对三位君主都顺从（是没有道理的）。我听说过，君子立得正，不怕影子斜；晚上睡觉扪心自问，没干亏心事，不觉心不安。孔子在宋国被司马桓魋拔掉大树，不让他和弟子在树下习礼,把他们赶跑,他并不认为受到侮辱;他和弟子们被围困于陈、蔡的野外,绝粮七日,他也不以为遭遇穷困。现在他非议别人却没有说对理由。这就好比是在水边以捕捞为生的人否定斧子的作用,而在山上以狩猎为生的人否定渔网的作用一样啊。不负责任的话从他口中随意说出,却不知道因此而陷入困境。起先我见到儒者很尊重他们,现在再见到儒者就怀疑他们的为人了。"

仲尼听到晏子的话后,说:"俗语有这样的话:'在近处说的话,不可能不传到远处;自己所做的事情,瞒不过众人的眼睛。'我私下里议论晏子,却没有说对他的错处,可以说这是我的过错啊。我听说君子的才能如果超过他人,就把他人当成朋友;如果才能不及他人,就把他人当成老师。今天我对晏子先生作了错误的评论,晏子先生批评了我,他就是我的老师啊。"仲尼先派他的弟子宰我去向晏子道歉,然后自己去会见晏子。

景公出田顾问晏子若人之众有孔子乎第五

景公出田,寒,故以为浑①,犹顾而问晏子曰:"若人之众,则有孔子焉乎?"晏子对曰:"有孔子焉则无有②,若舜焉则婴不识。"公曰:"孔子之不逮舜为间矣③,曷为'有孔子焉则无有,若舜焉则婴不识'?"晏子对曰:"是乃孔子之所以不逮舜。孔子,行一节者也④,处民之中,其过之识⑤,况乎处君子之中乎⑥?舜者处民之中,则自齐乎士⑦;处君子之中,则齐乎君子;上与圣人⑧,则固圣人之林也⑨。此乃孔子之所以不逮舜也。"

[注释]

①浑:通"温"。②此句意为:若问在众人中有像孔子那样的人吗?那

是没有的。③不逮：不及，赶不上。间：间隔，距离，差距。④一节：一方面，一部分。⑤其过之识：认识他的过失。⑥"君"下旧脱"子"字，从王念孙说补。⑦齐：等同，一样。于鬯以为"士"当作"民"。⑧与：及，交往。⑨圣人之林：圣人丛聚在一起，圣人之列。"林"或作"材"。

[译文]

　　景公率众臣外出打猎，正值天气寒冷，却故意做出不怕冷的样子，还回过头来问晏子说："如果有很多人在一起，其中会有像孔子那样的人吗？"晏子回答说："在众多的人中像孔子那样的人是没有的，有没有像舜那样的人，我是看不出来的。"景公说："孔子是赶不上舜的，他和舜相差很远啊。可是您为什么说'像孔子那样的人是没有的，有没有像舜那样的人，我是看不出来的'这样的话呢？"晏子回答说："这就是孔子赶不上舜的原因。孔子只在某一方面做得像舜，他置身于民众之中，大家都能看出他的过失，更何况置身于君子之中呢？舜则不然，他置身于民众之中，则和民众打成一片（难以看出区别）；置身于君子之中，则和君子打成一片；向上如果和圣人在一起，那么他本来就是圣人中的一员。这就是孔子之所以赶不上舜的原因啊。"

仲尼相鲁景公患之晏子对以勿忧第六

　　仲尼相鲁，景公患之①，谓晏子曰："邻国有圣人，敌国之忧也。今孔子相鲁，若何？"晏子对曰："君其勿忧！彼鲁君，弱主也②；孔子，圣相也。君不如阴重孔子，设以相齐③。孔子强谏而不听，必骄鲁而有齐④，君勿纳也。夫绝于鲁，无主于齐，孔子困矣。"

　　居期年，孔子去鲁之齐，景公不纳，故困于陈、蔡之间。⑤

[注释]

①按：晏子死于鲁定公十年，当公元前500年。据《史记·孔子世家》记载，鲁定公十四年（前494）孔子相鲁，此时晏子已去世。此章所记盖后人之传闻，不足为信。②弱主：昏庸无能的君主。③设：假称。④有齐：孙星衍以为当作"适齐"，《孔丛子》作"适齐"。⑤篇末元刻注云："此上五章皆毁诋孔子，而此章复称为圣相，设相齐以困孔子，似非平仲之所宜，故著于此篇。"

[译文]

仲尼在鲁国为相，景公感到很忧虑，对晏子说："邻国有圣人，是与它相匹敌的国家的忧虑啊。现在孔子在鲁国为相，我们该怎么办？"晏子回答说："您还是不要忧虑吧！鲁国的那个君主，是个昏庸无能的君主；而孔子是个贤德的相。（您可以采取这样的策略：）暗中与孔子联系，表示非常看重他，假称邀请他来当齐国的相。孔子会极力劝谏鲁君实行他的主张，鲁君必定不会听从；孔子一定会很不满意鲁君而来到齐国。他如果来了，您不要接纳他。孔子和鲁国断绝了关系，又不能在齐国主政，他就会陷入进退两难的境地。"

过了一年，孔子果然离开鲁国来到齐国，景公不接纳他，所以孔子被困在陈国、蔡国之间的地方。

景公问有臣有兄弟而强足恃乎晏子对不足恃第七

景公问晏子曰："有臣而强，足恃乎①？"晏子对曰："不足恃。""有兄弟而强，足恃乎？"晏子对曰："不足恃。"公忿然作色曰："吾今有恃乎？"晏子对曰："有臣而强，无甚如汤；有兄弟而强，无甚如桀。汤有②，弑其君；桀有，亡其兄③。岂以人为足恃哉，可以无亡也？"④

[注释]

①恃：依赖。②汤有：当为"汤有臣而强"的省略语。"有"当释为"为"。③桀有：当为"桀有兄弟而强"的省略语。"有"当释为"为"。④篇末元刻注云："此章景公问臣并兄弟之强，而晏子对以汤、桀，无以垂训。故著于此篇。"按："章"下旧有"与"字，俞樾云"此'与'字似不当有，写者依他篇增之，而不知其非"，因从俞说删。

[译文]

景公问晏子说："如果有势力强大的臣下，是否可以作为维护君权的依靠？"晏子回答说："不足以依赖。"景公又问道："如果有势力强大的兄弟，是否可以作为维护君权的依靠？"晏子回答说："不足以依赖。"景公很生气地沉下脸来，说："我现在还能依靠谁呢？"晏子解释说："势力强大的臣下，莫过于商汤；势力强大的兄弟，莫过于夏桀。商汤是有势力的臣下，却杀死了他的君主；夏桀是有势力的兄弟，却流放了他的兄长。由此看来，岂能认为他人是足以依靠的，因此就可以避免自身的灭亡吗？"

景公游牛山少乐请晏子一愿第八

景公游于牛山，少乐，公曰："请晏子一愿①。"晏子对曰："不②，婴何愿？"公曰："晏子一愿。"对曰："臣愿有君而见畏③，有妻而见归④，有子而可遗⑤。"公曰："善乎，晏子之愿也⑥！载一愿⑦。"晏子对曰："臣愿有君而明，有妻而材，家不贫，有良邻。有君而明，日顺婴之行；有妻而材，则使婴不忘；家不贫，则不怩朋友所识⑧；有良邻，则日见君子。婴之愿也。"公曰："善乎，晏子之愿也！载一愿⑨。"晏子对曰："臣愿有君而可辅，有妻而可去，有子而可怒⑩。"公曰："善乎，晏子之愿也！"⑪

[注释]

①愿：愿望，心愿。②不：同"否"。③畏：敬佩，尊敬。见：助词，用在动词前，表示对他人动作行为的承受。④见归：嫁给我，归顺我。⑤遗：留给。⑥"也"字旧脱，从苏舆说补。⑦载：通"再"。⑧所识：指所结识的人、结交的人。⑨三字旧脱，从刘师培说补。⑩怒：责。⑪篇末元刻注云："此章载晏子之愿如此，无以垂训，故著于此篇。"

[译文]

景公率领君臣到牛山游玩，觉得缺少乐趣，于是对晏子说："请说说您的一个愿望。"晏子回答说："没有啊，我能有什么愿望呢？"景公坚持说："您一定要说说您的一个愿望。"晏子回答说："我愿意有好的君主而且能尊重我，有好的妻子而且能归顺我，有好的儿子而且可以传给他好品德。"景公说："晏子的愿望很好啊！您再谈一个愿望。"晏子回答说："我愿意我的君主很英明，我的妻子有才能，我的家中不贫穷，还有好邻居。君主英明，我可以天天按照君主的命令去行事；妻子有才能，就能使我忘不了她；家中不贫穷，就可以周济我朋友的困难，使他们不会生我的气；有好邻居，就可以天天和君子相见。这就是我的心愿。"景公说："晏子的愿望很好啊！请您再谈一个愿望。"晏子回答说："我愿意君主可以接受我的辅佐，妻子不遂心愿可以离弃她，儿子有不足之处可以接受我的责备。"景公说："晏子的愿望很好啊！"

景公为大钟晏子与仲尼柏常骞知将毁第九

景公为大钟，将悬之，晏子、仲尼、柏常骞三人朝，俱曰：

"钟将毁。"冲之①，果毁。公召三子者而问之。

晏子对曰："钟大，不祀先君而以燕②，非礼，是以曰钟将毁。"

仲尼曰："钟大而悬下，冲之，其气下回而上薄③，是以曰钟将毁。"

柏常骞曰："今庚申，雷日也④，音莫胜于雷，是以曰钟将毁也。"⑤

[注释]

①冲：撞击。②燕：通"宴"，宴饮欢乐。③薄：迫，冲击。④庚申：即庚申日。雷日：发雷之日。此乃古代的迷信说法。⑤篇末元刻注云："此章与'景公为泰吕成将宴飨晏子谏'章旨同而尤近怪，故著于此篇。"按：即《谏下》第十二章。

[译文]

景公命工匠铸造了一口大钟，让人把它悬挂起来。晏子、仲尼、柏常骞三人朝见景公时都说："钟将毁坏。"用木槌撞之，钟果然破裂了。景公召来三人询问原因。

晏子回答说："钟很大，不用它祭祀先君而用它宴饮娱乐（违反了礼制），所以我说钟将要毁坏。"

仲尼说："钟很大却悬挂得很低，撞击它时，气流先向下冲，碰到地面后又转而向上冲击，力量很大，所以我说钟将毁坏。"

柏常骞说："今天是庚申日，是发生雷震的日子，声音中没有比雷声更大的了，所以我说钟将毁坏。"

田无宇非晏子有老妻晏子对以去老谓之乱第十

田无宇见晏子独立于闺内①，有妇人出于室者，发班白②，衣缁布之衣，而无里裘③。田无宇讥之曰："出于室何为者也④？"晏子曰："婴之家也⑤。"无宇曰："位为中卿，食田七十万⑥，何以老为妻⑦？"对曰："婴闻之，去老者，谓之乱；纳少者，谓之淫。且夫见色而忘义，处富贵而失伦，谓之逆道。婴可以有淫乱之行，不顾于伦，逆古之道乎？"⑧

[注释]

①闾：此指家门。②班白：花白，黑白相杂。班：同"斑"。③里裘：外衣里面套的小皮袄。④"何为"旧作"为何"，从王念孙说据《韩诗外传》改。⑤家：家室，妻子。⑥"食"字旧脱，从张纯一说据《韩诗外传》补。⑦"为妻"，王念孙以为当作"妻为"，录以备考。⑧篇末元刻注云："此章与'景公以晏子妻老欲纳爱女'旨同而事异。陈无宇虽至凡品，亦未应以是诮晏子。设非晏子者，将纳其说、见弃妻乎？无以垂训，故著于此篇。"按：即《杂下》第二十四章。

[译文]

田无宇看见晏子独自站在家门之内，有一个妇人从室内出来，头发花白，穿着黑布衣服，里面没有套小皮袄。田无宇讥讽晏子说："从屋里出来的是什么人呀？"晏子回答说："是我的家里人（妻子）。"田无宇说："你的爵位是中卿，有食邑之田七十万亩，为什么还要这样老的女人做妻子？"晏子回答说："我听说过，离异年老的妻子，叫做昏乱；纳娶年轻女子，叫做贪色。而且见到美色就忘记义理，身处富贵地位就丧失伦理，这叫做违反道义。我怎么可以做出淫乱的事情，将伦理道德置之脑后，违背古代圣人流传下来的美德呢？"

工女欲入身于晏子晏子辞不受第十一

有工女托于晏子之家者①，曰："婢妾②，东郭之野人也③。

愿得入身，比数于下陈焉④。"

晏子曰："乃今而后自知吾不肖也⑤！古之为政者，士农工商异居，男女有别而不通，故士无邪行，女无淫事。今仆托国主民，而女欲奔仆⑥，仆必色见而行无廉也⑦。"遂不见。⑧

[注释]

①"者"上旧衍"焉"字，从张纯一说据《太平御览》删。②婢妾：此处为女子的谦称。③"郭"或作"廓"，字通。野人：指平民。④比数：同列，并列。下陈：古代堂下站列婢妾的地方。⑤"今"下旧有"日"字，从王念孙说删。⑥奔：私奔，淫奔。⑦见：同"现"，表现。⑧篇末元刻注云："此章与'犯伤槐之令者女求入晏子家'事同而辞略，且无因而至，故著于此篇。"按：即《谏下》第二章。

[译文]

有一个从事纺织的年轻女子，托晏子的侍者对晏子说："我是城东的平民，愿意投身于您家中，充当您的婢妾。"

晏子说："从今天开始我才知道自己是个不贤德的人啊！古代执政的人，要让士、农、工、商四类人分开居住，让男女之间有严格的界限不得私自交往，所以男子没有淫邪的行为，女子没有淫乱的事情。现在我受君主的委托治理国家、主管人民，却有年轻女子想私奔到我家，我一定有贪图女色的表现，行为不够廉洁。"于是不见那女子。

景公欲诛羽人晏子以为法不宜杀第十二

景公盖姣①，有羽人视景公僭者②。公谓左右曰："问之，何视寡人之僭也？"羽人对曰："言亦死，而不言亦死，窃姣公也③。"公曰："合色寡人也④，杀之！"

晏子不时而入见，曰："盖闻君有所怒羽人。"公曰："然。色寡人，故将杀之。"晏子对曰："婴闻拒欲不道，恶爱不祥。虽使色君，于法不宜杀也。"公曰："恶然乎？若使沐浴，寡人将使抱背。"⑤

[注释]

①姣：美丽，漂亮。②羽人：官名，主管征收山泽地区生产的物品。僭：以下犯上，对上级不恭敬。③姣公：爱慕君主的漂亮。④合：通"何"。色寡人：以寡人为男色，即把我当做男色看待。色，用如动词。⑤篇末元刻注云："此章不典，无以垂训，故著于此篇。"

[译文]

景公长得很漂亮，有个任羽人职务的低级官员两眼直勾勾地盯着景公看，很不恭敬。景公对他身边的人说："你们问问他，为什么这样不恭敬地盯着我看呢？"羽人回答说："我说出来也是死，不说也是死，我暗地里爱慕君主的漂亮呢。"景公生气地说："你为什么把我当男色看待呢？把他杀死！"

晏子（得知这一事情）不等到上朝的时候就进宫谒见景公，说："我听说您很生羽人的气。"景公说："是的。他把我当男色看待，所以要杀死他。"晏子回答说："我听说，压制别人的欲望（不许别人有想法）是不道德的，憎恶别人对自己的喜爱是不吉祥的。虽然他心中喜爱您的美色，按照法律规定也不应该被处死啊。"景公说："怎么能说这是对的呢？假如洗澡的话，我就要被他搂住后背了。"

景公谓晏子东海之中有水而赤晏子详对第十三

景公谓晏子曰："东海之中，有水而赤，其中有枣，华而不实①，何也？"晏子对曰："昔者秦缪公乘龙舟而理天下②，以黄布裹烝枣，至东海而捐其布③。破黄布，故水赤；烝枣，故华而不实。"公曰："吾详问④，子何为对？"晏子对曰："婴闻之，详问者，亦详对之也。"⑤

[注释]

①华：同"花"。实：果实。②秦缪公：即秦穆公，姓嬴，名任好，春秋五霸之一。公元前659年至前621年在位。谥"穆"。缪，通"穆"。③捐：丢弃。④详：通"佯"，假，此指假话。⑤篇末元刻注云："此并下一章，语类俳而义无所取，故著于此篇。"

[译文]

有一次景公问晏子道："听说东海之中有一片水域是红色的，其中生长着许多枣树，但是只开花而不结果实，这是为什么呢？"晏子回答说："那是因为从前秦穆公乘坐龙舟治理天下，用黄布包着很多蒸熟的枣子，到了东海就连布带枣一起扔进海里。因为黄布破了，红枣散落水中，所以水就变成红色；枣子是蒸熟的，所以枣树就只开花而不结果实。"景公笑着说："我只是编个假话来问您，您为什么要回答呢？"晏子回答说："我听说过，如果有人用假话来提问，也要用假话来回答啊。"

景公问天下有极大极细晏子对第十四

景公问晏子曰："天下有极大物乎①？"晏子对曰："有。北溟有鹏②，足游浮云，背凌苍天，尾偃天间③，跃啄北海，颈尾咳于天地④，然而漻漻乎不知六翮之所在⑤。"

公曰："天下有极细者乎⑥？"晏子对曰："有。东海有虫，巢于蚊睫，再乳再飞⑦，而蚊不为惊。臣婴不知其名，而东海渔者命曰焦冥。"

[注释]

①"物"旧脱，从张纯一说据《太平御览》补。②此句旧脱，从张纯一说补。③偃：仆，卧倒。④咳：通"赅"，包揽。⑤漻漻：通"寥寥"，旷远，辽阔。翮（hé）：本指羽根，此处指羽毛。⑥"者"字旧脱，从张纯一说据《文选》补。⑦乳：生子，孵化幼虫。

[译文]

景公问晏子说："天下有最大的东西吗？"晏子回答说："有。北海有鹏，脚踩在浮云里，背靠在青天上，尾巴伏在天空间，跳起来在北海里啄食，从脖子到尾巴充塞于天地之间，然而却不知道它翅膀上的六支羽毛在多么遥远辽阔的地方。"

景公又问道："天下有最小的东西吗？"晏子回答说："有。东海有一种昆虫，在蚊子的眼睫毛上筑巢，多次孵出幼虫，多次飞动，可是蚊子却不受惊动。我不知道它的名字，东海的渔民把它称之为焦冥。"

庄公图莒国人扰给以晏子在乃止第十五

庄公阖门而图莒①，国人以为有乱也，皆操长兵而立于衢间②。公召睢休相而问曰③："寡人阖门而图莒，国人以为有乱，皆摞长兵而立于衢间④，奈何？"休相对曰："诚无乱而国人以为有⑤，则仁人不存。请令于国，言晏子之在也。"公曰："诺。"以令于国："孰谓国有乱者？晏子在焉。"然后皆散兵而归。

君子曰："夫行不可不务也。晏子存而民心安，此非一日之所为也，所以见于前信于后者⑥。是以晏子立人臣之位，而安万民之心。"⑦

[注释]

①阖：关闭。图莒：谋划攻打莒国。②"衢"字旧脱，从王念孙说据下文补。③睢休相：人名，姓睢，名休相。④摽（biào）：挥动。⑤"人"字旧脱，从张纯一说据上文补。⑥见：同"现"。信：证实。⑦篇末元刻注云："此章特以晏子而给国人，故著于此篇。"

[译文]

庄公关闭了宫门，密谋攻打莒国的事情。国人看不到庄公出来，以为发生了宫廷叛乱，都手持长兵器聚集在沿街里巷的大门外。庄公得到情报，召来睢休相问道："我关闭了宫门，谋划攻打莒国的事，国人以为发生了叛乱，都挥动着长兵器聚集在沿街里巷的大门外，现在应该怎么办呢？"休相回答说："确实没有叛乱发生，然而国人却都以为发生了叛乱，这是因为仁德之人不在朝廷了。请您向都城民众传达命令，说晏子就在朝廷里面。"庄公说："好吧。"于是向都城民众传达命令："谁说朝廷里发生了叛乱？晏子就在朝廷之中。"国人听了都收起兵器各自回家了。

君子对此事评论说："人的所作所为不可以不慎重对待。晏子在朝中执政，人民就心里安定，这种情况并不是一天之内就能形成的，因为晏子以前做了很多取信于民的事情，所以后来才会出现听到晏子仍在朝中执政就信服的事情。因此，晏子担任了朝廷大臣的职位，就能够安定万民之心。"

晏子死景公驰往哭哀毕而去第十六

景公游于菑①，闻晏子死，公乘侈舆服繁驵驱之②。自以为迟③，下车而趋；知不若车之遫④，则又乘。比至于国者，四下而趋，行哭而往。至⑤，伏尸而号，曰："子大夫日夜责寡人，不遗尺寸⑥，寡人犹且淫泆而不收⑦，怨罪重积于百姓。今天降祸于齐，不加于寡人，而加于夫子，齐国之社稷危矣，百姓将谁告夫？"⑧

[注释]

①菑：地名，位置不详。或曰"菑"即临淄。临淄即齐国都城，而下文云"比至于国者"，显然是从都城以外赶来，故"菑"非是临淄。②"乘侈舆"，孙诒让谓当作"侈乘舆"，侈通"趍"，急，快速。繁驵（zǎng）：良马名。驱：赶马快跑。③自以为迟：旧作"而因为迟"，依孙星衍说据《说苑》、《太平御览》等改。④遬：同"速"。⑤"至"字旧脱，依王念孙说据《群书治要》等补。⑥尺寸：此处指小事情、小过失。⑦淫泆：纵欲放荡。收：敛。⑧篇末元刻注云："此并下二章皆晏子殁后景公追怀之言，故著于此篇。"

[译文]

景公到菑地去游玩，听到晏子去世的消息，急忙坐上车子，驾上好马，快马加鞭往回赶。自以为车子走得慢，下车跑步前进，当他发现跑步不如乘车快，就又坐上车子。在到达都城之前，他先后四次下车跑步，一边哭着一边往晏子家中赶。到了晏子家中，他趴在晏子的尸体上放声痛哭，说道："大夫您每天每夜无时不在批评我的过错，事无巨细都不遗漏，而我却依然纵欲放荡而不知收敛，在百姓那里积下了很多怨恨。现在上天给齐国降下灾祸，不降在我的身上，却降在先生您的身上，齐国的政权危险了，百姓有难将向谁诉说呢？"

晏子死景公哭之称莫复陈告吾过第十七

晏子死，景公操玉加于晏子尸上而哭之①，涕沾襟。章子谏曰②："非礼也。"公曰："安用礼乎？昔者吾与夫子游于公阜之上③,一日而三不听寡人④。今其孰能然乎?吾失夫子则亡,何礼之有?"免而哭⑤,哀尽而去。

[注释]

①旧脱"尸上"二字,从孙星衍说据《太平御览》补。②章子:即弦章。③"阜"旧作"邑",依卢文弨说改。④不听:不顺从,责备。⑤免:免冠。

[译文]

晏子死了,景公将玉放在晏子尸体之上,失声痛哭,眼泪沾湿了衣襟。弦章劝谏说:"您这样做不符合礼仪。"景公说:"礼仪还有什么用呢?从前我和先生到公阜上面去游玩,他一天之内就有三次不顺从我的意见。现在还有谁能这样做呢?我失去了先生,我也无法活下去了,礼仪还有什么用呢?"景公脱下帽子,痛哭一场,哀悼完毕然后离去。

晏子没左右谀弦章谏景公赐之鱼第十八

晏子没十有七年,景公饮诸大夫酒①。公射出质②,堂上唱善,若出一口。公作色太息,播弓矢③。

弦章入,公曰:"章!④自吾失晏子,于今十有七年,未尝闻吾不善⑤。今射出质,而唱善者若出一口。"弦章对曰:"此诸臣之不肖也。知不足以知君之不善,勇不足以犯君之颜色,然而有一焉。臣闻之,君好之,则臣服之;君嗜之,则臣食之。夫尺蠖食黄则其身黄⑥,食苍则其身苍。君其犹有谄人言乎⑦!"公曰:"善。今日之言,章为君,我为臣⑧。"

是时,海人入鱼,公以五十乘赐弦章。章归,鱼乘塞途,抚其御之手曰:"曩之唱善者⑨,皆欲若鱼者也⑩。昔者晏子辞赏以正君，故过失不掩。今诸臣谄谀以干利，故出质而唱善，如出一口。今所辅于君未见于众⑪，而受若鱼，是反晏子之义，而顺谄谀之欲也。"固辞鱼不受。

君子曰："弦章之廉，乃晏子之遗行也。"

[注释]

①按：《史记·齐太公世家》记载，景公四十八年晏子死，后十年而景公死。此云晏子死后十七年景公尚在，或年数记载有误，或传闻之误。②出质：射箭脱靶。质，箭靶。③播：丢弃，扔掉。④自此以下，各本俱缺。依俞樾说据《说苑·君道篇》补入。⑤"吾"下旧有"过"字，从张纯一说据《群书治要》、《太平御览》删。⑥尺蠖：昆虫名，尺蠖蛾的幼虫。虫体细长，行动时身体一伸一缩，如尺量物，故名。对树木、农作物有危害。⑦犹有谄人言：还有喜欢听阿谀奉承之言的毛病。⑧章为君：此指弦章意见正确，应当听从。我为臣：此指自己有缺点，应当接受批评。⑨曩（nǎng）：先前，从前。⑩若：此。⑪未见于众：未被众人看到。

[译文]

晏子死去已经十七年了，有一次景公设宴请大夫们饮酒并行射礼。景公射箭未射中靶子，堂上的大臣们异口同声喝彩叫好。景公心中不快，面色凝重，长叹一声，扔掉了弓箭。

弦章来见景公，景公对他说："弦章啊！自从我失去晏子，至今已有十七年了，从来不曾听到有人指出我的缺点。今天我射箭脱靶，众人却异口同声称赞我射得好。"弦章回答说："这表明大臣们都是些不贤德的人啊。他们的才智不足以发现君主的过失，他们的勇气也不足以触犯君主的威严。不过这里面有一个问题需要指出来。我听说过，君主喜好服饰装扮，大臣们就争相讲究穿戴；君主喜好美味食品，大臣们就争相讲究吃喝。就像尺蠖蛾的幼虫那样，吃了黄色的食物，它的身体就变成黄色；吃了青色的食物，它的身体就变成青色。君主您大概还有喜欢听阿谀奉承之言的毛病吧！"景公说："好啊！今天我们的谈话，弦章您的话是正确的，我应当听从；我是有缺点的，应当接受您的批评。"

这时候，海边的官吏送来很多车鱼，景公就把五十车鱼赏赐给弦章。弦章临回家，看到五十辆载鱼的车塞满了道路，他轻拍着车夫的手说："先前那些为君主叫好的人，都是想得到这些鱼啊。从前晏子辞谢君主的赏赐是为了纠正君主的过失，所以他不掩盖君主的过失。现在大臣们为了从君主那里谋求利益，竭力阿谀奉承，所以才演出了君主射箭脱靶、大臣们齐声叫好的一幕。现在我辅佐君主做事还没有让大家看到成绩，却接受这些鱼，这就违反了晏子做事的原则，而和谄谀之人的贪欲没有区别了。"弦章坚决谢绝了赏赐的鱼。

君子对此评论说："弦章廉洁的行为，正是继承了晏子传下来的好品德。"

注译说明

《晏子春秋》是一部记述春秋后期齐国著名政治家、思想家晏婴言论行事的古典文献。该书的作者不详，成书时代说法不一。笔者以为作者当是齐国人（一人或多人），对晏子的生平事迹非常熟悉，而且很推崇他的为人行事，掌握有较丰富的文字记载和民间传说的资料；成书的时代当在齐景公去世之后至秦统一六国以前。该书文字古朴，内容丰富而广泛，涉及政治、思想、外交、军事、法律、经济、文化、婚姻、风俗等多方面的内容，对于了解和研究先秦历史文化有重要的资料价值；它又是中华优秀传统文化的重要组成部分。为了传承和弘扬中华优秀传统文化，便于广大非专业研究的读者能顺利阅读和了解该书的内容，笔者不揣浅陋，冒昧执笔，注译此书，以飨读者。

《晏子春秋》作为书名，最早见于司马迁《史记·管晏列传》，太史公即称其为《晏子春秋》。西汉成帝时刘向在该书《叙录》中则称其为《晏子》，东汉班固《汉书·艺文志》也说是"《晏子》八篇"。可见该书本名《晏子春秋》，后人也简称《晏子》。司马迁说"其书世多有之"，可知该书在西汉武帝以前已广为流传。1972年山东临沂银雀山西汉墓出土的《晏子》残简，便是当时流传的版本之一，足以证明该书流传范围的广泛。

众所周知，在纸的发明和广泛应用之前，书写材料主要是竹简，其次是木牍和绢帛。当时作者撰成一部书后，想让其流传于世，扩大读者范围，只有辗转传抄这一种方法，抄本越多，流传范围自然也就越广泛。在不断传抄的过程中，不可避免地会出现因粗心大意而造成的文字上的疏漏和讹误，或者出于己意对原作的词语和内容加以修改润色，甚至传抄者根据其所见资料或所闻传说对原书加以补充修订。所以抄本与原著之间，抄本与抄本之间出现这样那样的差异，是不足为怪的。时至今日，想要弄清何种版本、何种记述最接近原著面貌，似乎已是很困难的事情了。

西汉成帝时，刘向主持整理宫廷藏书，《晏子春秋》便是其中的一种。据刘向《叙录》说，他们所依据的资料是中书和外书，共有三十篇，"除复重二十二篇六百八十三章，定著八篇二百一十五章"。经过刘向等人的整理审定，终于将他们所见到的多种抄本，删除重复整合编辑为统一的定本。刘向等人对该书的整理抱着较为客观慎重的态度，对内容重复文辞颇异者"不敢遗失，复刊以为一篇"；对"颇不合经术，似非晏子言，疑后世辩士所为者，故亦不敢失，复以为一篇"。经过刘向等人的整理，《晏子春秋》便成为一部包含八篇二百一十五章、内容较为完整统一、便于流传的书籍，他们对古籍的整理和保存功莫大焉。

该书在刘向辑录以后的长时期里，又经历了多次的传抄、刻印，出现过不同的版本，文字也产生了不少差异。清代以来，不少学者对该书进行了补遗、校勘和注释，使内容更加完整，文字更加通畅可读。较有影响的如孙星衍《晏子春秋音义》、文廷式《晏子春秋校本》、叶昌炽《晏子春秋校本》、苏舆《晏子春秋校注本》等。近人较有影响的是张纯一的《晏子春秋校注》和吴则虞的《晏子春秋集释》。笔者即以中华书局《诸子集成》中所收张纯一《晏子春秋校注》为底本，除对原刊印错误予以更正外，对各家校注的不同意见则抱着择善而从的态度。所谓择善而从，一是看其校注与该书的基本思想是否吻合，上下文义是否连贯一致；二是看其对词语的校注是否符合当时的社会历史状况和语言习惯，依据是否可信。由于先秦著述者惜墨如金，文极简而意颇丰，今人理解较难，本书译文采取以直译为主、意译为辅的方法，在忠于原著的前提下，力求将简略文辞的丰富寓意较准确地表述出来，让不熟悉古代汉语的读者能读得懂，读得有兴趣，拉近今人与古人的距离，从而激发对中华优秀传统文化的兴趣。上乘的翻译，应当让读者有如闻其声、如见其人、如临其境、如经其事的感觉。笔者无此能力，达不到这种境界、只愿以此作为努力方向而已。

笔者注译该书时，得到友人吴振清先生和徐勇先生的热情支持，惠我以图书资料，示我以宝贵意见；岳鸳鸯编辑为本书的编审与出版付出了辛勤劳动，在此一并致以衷心的感谢。不当之处在所难免，欢迎广大读者批评指正。

张景贤

2009 年 12 月于天津

图书在版编目(CIP)数据

晏子春秋/张景贤注译. —郑州:中州古籍出版社,2010.3(2012.2重印)
(国学经典)
ISBN 978-7-5348-3312-0

Ⅰ.①晏… Ⅱ.①张… Ⅲ.①先秦哲学②晏子春秋--注释③晏子春秋-译文 Ⅳ.①B220

中国版本图书馆 CIP 数据核字(2010)第 027612 号

出版社:中州古籍出版社
(地址:郑州市经五路 66 号　邮政编码:450002)
发行单位:新华书店
承印单位:郑州市毛庄印刷厂
开本:640mm×960mm　1/16　印张:23.25
字数:260 千字　印数:5 001-9 000 册
版次:2010 年 3 月第 1 版　印次:2012 年 2 月第 2 次印刷

定价:32.00 元

本书如有印装质量问题,由承印厂负责调换。